異色作家短篇集
10

破局

The Breaking Point／Daphne du Maurier

ダフネ・デュ・モーリア
吉田誠一／訳

早川書房

破局

THE BREAKING POINT

by

Daphne du Maurier

Translated by
Seiichi Yoshida

Published 2006 in Japan by
Hayakawa Publishing, Inc.
This book is published in Japan by
arrangement with
The Chichester Partnership
c/o Curtis Brown Group Ltd.
through Tuttle-Mori Agency, Inc., Tokyo.

目　次

装幀／石川絢士（the GARDEN）

アリバイ

The Alibi

1

　フェントン夫妻は、いつもの日曜日のように、河岸《エンバン》通り《クメント》を散歩していた。アルバート橋にくると、橋を渡って公園へ行こうか、それとも屋形船のむこうまで散歩をつづけようかと、いつものように足をとめた。フェントン夫人が、夫にはわからぬ考えの糸をたぐって言った。

「うちへ帰ったら、アリュスンさんに電話するように、あたしに言ってくださいね。お招《よ》びしなくちゃならないから。今度はむこうがこちらへ来る番よ」

　フェントンは車の往来をぼんやりながめていた。猛スピードで橋を渡って行くトラック、やかましく排気ガスを吐き出して通り過ぎるスポーツ・カー、赤玉チーズのようなまる顔の瓜二つの双子《ふたご》をのせた乳母車を押している、グレイの制服を着た子守り女、などに気をとられていた。子守り女は左に折れて橋を渡り、バタシーのほうへ向かった。

「どっちになさる？」と、妻がたずねた。彼はぼんやりと妻を見る。妻も、河岸通りを歩いている人々も、橋を渡っている人々も、みんな糸に操られている、ちっぽけな操り人形ででもあるかのような、ぞっとするような印象に彼はとらえられているのだ。ふたりは足を踏み出したものの、ぎくしゃくとぎごちなく、本物を真似ているようなあんばいだった。妻の顔——磁器のような青い目、口紅を塗りすぎたくちびる、気どった角度をもたせて頭にのせたスプリング・ハット——は、名匠の手、板の上で人形を操っている手によって、大急ぎで化粧された仮面にすぎない。

　彼はすばやく妻から視線をはずすと、地面におとし、ステッキで舗道に四角を書き、その四角のまんなかをとんとつついた。「もうこれ以上つづけられない」と、彼はわれ知らず言っていた。

「どうなさったの？　どこかお痛みになるの？」

　用心しなければならぬ、とそのとき彼はさとった。説明しようとすれば、大きな目でまじまじと見つめられ、しつこく詮索されるにきまっている。そして、この憎むべき河岸通りを引き返すことになるのだ。風は今度は慈悲ぶかく、容赦なく、うしろから彼らを時間の死へと追いやることだろう。ちょうど川の流れが、ただよう丸太や空箱を、臭く濁ってぶくぶく泡立った掘割へと運んで行くように。

　狡猾にも彼は言いなおして、妻を説得しようとした。

「いや、屋形船のむこうまでは行けないっていうんだよ。行き止まりなんだ。それに、そのハイヒールじゃ」——彼はちらと妻の靴を見おろした——「そのハイヒールじゃ、バタシーをぐるっとひとまわりするのは無理だよ。おれには運動が必要だ。おまえはついてこれないよ。うちへ帰ったらどうかね？　もういい時間だし」

　妻は空を見上げた。雲の低くたれこめた、どんよりした空。それに、彼にとって幸運なことに、一陣の風が妻の薄すぎるコートをぱたぱた震わせた。彼女は手を上げてスプリング・ハットを押さえた。

「じゃあ、そうしますわ」彼女はそう言ってから、疑うように、「ほんとにお痛みにならないんですの？　お顔の色がよくないわ」

「いや、大丈夫だよ。ひとりなら、もっとはやく歩くよ」

　そのとき、一台のタクシーが空車標識《フラッグ》を立てて近づいてきた。彼はステッキを振ってタクシーを呼びとめると、妻にむかって言った。

「さあ、乗りなさい。風邪をひいちゃつまらんから」

妻に抗議のひまも与えず、彼は車のドアをあけ、運転手に行き先を告げた。議論している時間などなかった。彼は妻を押し込んだ。車が動きだすと、妻はしまった窓のむこうから、おそくならないようにね、アリュスンさんがお見えになるから、などと叫んでいた。彼はタクシーが河岸通りのかなたに消え去るのを見まもった。永久に去ってしまった人生の一段階を見まもるように。

彼は川と河岸通りから離れ、行きかう車の騒音をあとにすると、彼とフラム街とのあいだにある狭い通りと広場の人ごみのなかへ飛び込んだ。ただ姿をくらまし、拘束する日曜日の儀式を頭から追い払わんがために、彼は歩いた。

逃げようなどという考えは、これまで浮かんだことがなかった。妻がアリュスン夫妻のことを口にしたとき、彼の頭のなかでなにかがカチリと音を立てたようだった。「うちへ帰ったら、アリュスンさんに電話するように、あたしに言ってくださいね。今度はむこうがこちらへ来る番よ」溺れかけている人間が海に呑まれようとしているときに、おのれの人生の様式《パターン》が目の前をよぎるということが、彼にはようやくわかった。玄関のベルが鳴る、アリュスン夫妻の快活な声、食器棚に並べられた飲み物、一瞬うろつき、それから腰をおろす――こうしたことが、彼の終身懲役の全図をえがいている綴れ織《タペストリイ》の一部にすぎなくなる。終身懲役――毎日カーテンをあけることからはじまり、早朝のお茶、新聞をひろげる、無駄だから細目につけたガスが青い炎を上げている小さな食堂でとる朝食、都心《シティ》まで地下鉄で行く、きまりきった会社の仕事、地下鉄での帰宅、ぎゅうぎゅうの人ごみのなかで夕刊をひろげる、帽子とコートと傘を置く、客間から聞こえてくるテレビの音が電話口でしゃべっている妻の声とまじっている。あるときは冬、あるときは夏、あるときは春、あるときは秋。季節が変わると、客間の椅子とソファのカバーが取り替えられてきれいになり、外の広場の木が青葉をつけ、あるいは裸になる。

「今度はむこうがこちらへ来る番よ」そしてアリュスン夫妻が、あるいは顔をしかめ、あるいはいそいそとやって来てお辞儀をし、姿を消す。彼らを迎えた主人《ホース》側《ト》が今度は客になり、ひょいひょいと体をゆすり、作り笑いをする。そして昔なつかしい旋律に合わせて踊る。

とつぜん、アルバート橋のたもとで、エドナの言葉で足をとめると同時に、時間が停止した。いや、彼女にとっては、電話口に呼び出されたアリュスン夫妻にとっては、ダンスのパートナーにとっては、時間は同じように進行しているのだ。だが、彼にとっては、すべてが変わってしまった。彼は身内に力が湧きおこるのを覚えた。力をぐっとおさえる。彼の手は操り人形をひょいひょい操る名匠の手。エドナ、かわいそうにエドナは、タクシーに乗せられて家路を急ぎ、飲み物を並べ、クッションをぽんぽんとたたき、塩味のアーモンドを缶から出さねばならぬ……彼が束縛から脱け出して新しい次元に飛び込んだことなど、エドナはつゆ知らないのだ。

日曜日の無感動が通りを支配している。家々はドアをとざし、ひっそりと静まり返っている。

「奴らは知らないんだ」と彼は考えた。「家のなかにいる人間どもは……おれの身振り一つで、今、この瞬間、自分たちの世界が変わってしまうかもしれないということを。ドアをノックする。すると、だれかが出てくる――女があくびをしながら、老人がスリッパーをひっかけて、子供がいらだっている両親にせきたてられて。おれの意志ひとつで、おれの肚《はら》ひとつで、奴らの未来はすっかり決定されてしまうのだ。顔がめちゃめちゃになる。とつぜん、殺人。盗み。火事」ざっとそんな具合、いとも簡単なものだ。

彼は腕時計を見た。三時半。彼は数の方式《システム》でやってみようと決心した。さらに通りを三つ歩き、行きついた通りの名前がいくつの文字から成り立っているかによって、目的地の番地を選ぶことにした。

彼はきびきびした足どりで歩いた。興味が高まる。ごまかしちゃいかん、と彼は自分に言いきかせた。アパート一棟も、共同酪農場も、つまるところは同じだ。三番目の通りは長い通りだった。くすんだヴィクトリア朝風の住宅が両側に並んでいる。五十年ほど前にはもったいぶった代物《しろもの》だったろうが、今ではアパートか下宿屋に零落している。町の名はボールティング(Boulting)・ストリート。八文字の名前——ということは、八番地を選べということだ。彼は自信に満ちた足どりで歩き、玄関を調べて歩いた。各住宅に通ずる急な石段にもめげず、ペンキのはげ落ちた門にもめげず、陰気な地下室にもめげず、彼の住んでいるリージェンシー・スクウェアの明るい玄関や窓の植木箱とは対照的な、貧しく朽ちかけたたたずまいにもめげず。

八番地の家は、ほかの家々と少しも変わらない家だった。門はほかの家のよりもいたんでおり、長い不恰好な一階の窓にかかっているカーテンは、わびしく色あせている。三つぐらいの男の子が、青い顔をし、どんよりした目をして最上段にすわっている。動かないように、妙な具合に、戸口にある靴の泥落としに結えつけられている。玄関のドアが少しあいていた。

ジェイムズ・フェントンは石段をのぼり、ベルを探した。ベルには紙切れが貼りつけてあり、『故障』と書いてあった。その下に、旧式なベルの引き綱があった。子供を縛っているひもをほどき、かかえて石段からおろしてやり、気の向くままに遊ばせてやろうと思えば、むろん何秒かの時間でできる。だが、暴力が加えられた形跡は今のところなさそうだった。そんなことは、彼の望むところではなかった。身内に湧きおこった力が、もっと長期にわたる自由を要求していた。

彼はベルの引き綱を引いた。暗いホールで、ちりんちりんというかすかな音がした。子供が身動きもせず彼を見上げる。フェントンはドアに背を向けて通りをながめた。舗道の端にある、葉の出だしたプラタナスの木。褐色の樹皮がところどころ黄色味を帯びている。その下にうずくまり、傷ついた足をなめている黒猫。彼は待っている瞬間を、不安ゆえに甘美なものと感じた。

うしろでドアが大きくひらかれる音がした。つづいて、外国人めいた抑揚をもった女の声——「ご用は何ですか」

フェントンは帽子をぬいだ。心のなかでは、こう言いたい衝動に駆られていた――「あなたがたを締め殺しに来たんですよ。あなたとあなたのお子さんをね。恨みは少しもいだいていませんがね。ただ、運命の神の手先としてここへ参ったんですよ」だが、そうは言わずに微笑した。この女も、石段にいる子供と同じように、青白い顔をしている。同じように生気のない目。同じように長くて艶のない髪の毛。齢は二十から三十五まで――いくつともわからない。大きすぎるウールのカーディガンを着ている。くるぶしのところまである、ひだのある黒いスカートをはいているために、ずんぐりしているようにみえる。

「部屋をお貸しになりますか」と、フェントンはたずねた。

どんよりした目に光が浮かんだ。希望のきらめき。待ちのぞんでいた言葉、もうかけられないものと諦めていた言葉ででもあるかのように。だが、きらめきはすぐに消え、どんよりした目にもどった。

「この家はあたしのじゃありませんの。家主《おおや》さんが以前部屋を貸してましたけど、いずれ取りこわすんだそうです。むこう側の家も。そして、アパートを建てるんだとか」

「というと、家主はもう部屋を貸さないんですね?」

「ええ、いまさら貸したところで仕様がない。取りこわし命令がいつくるかわからないからって言うんです。取りこわすまでの留守番として、あたし家主《おおや》さんから少しばかりいただいているんです。地下室に住んでいるんです」

「そうですか」

話はもうこれまでのように思われた。しかし、フェントンはその場に立ちつくした。その娘、あるいは女――どちらにもとれる――は子供のほうへ視線を移し、めそめそ泣いてもいないのに、静かにしろと言った。

「ところで」と、フェントンは言った。「地下室の部屋を一つわたしにまた貸ししてくださいませんかね。あなたがここにおられるあいだ、ふたりだけの内密の取り決めということにして。家主も異議を申し立てますまい」

　彼は彼女が頭をしぼるさまをじっと見つめた。彼のような身なりの人間から、こうした思いがけないことをもちかけられ、彼女はすぐには呑み込めなかった。不意打ちは最上の攻撃――彼はこの機に乗じた。「部屋が一つだけ必要なんです」と、即座に言ってのけた、「一日に数時間だけ。寝泊まりするわけじゃないんです」

　人物を判断することは彼女の手に負いかねた――ロンドンにも郊外にもぴったりするツイードの背広、中折れ帽、ステッキ、血色のいい顔、齢は四十五から五十ぐらい。彼の風采と思いがけない頼みとを結びつけようとするにつれて、彼女の黒い目が大きくみひらかれ、いっそうどんよりする。

「なんのために部屋が必要なんですの？」と、彼女は怪訝そうにたずねた。

　こいつが問題だ。あなたとあなたのお子さんを殺して、床下を掘り、死体を埋めるためにですよ。だが、まだそんなことを言ってはいけない。

「それがちょっと説明しにくいんでしてね」彼ははきはきした口調で言った。「わたしは専門家なんです。時間はたっぷりあるんです。しかし、最近事情が変わりましてね。毎日数時間、ひとりっきりになれる部屋が必要になったんです。適当な場所を探すのがどんなにむずかしいか、おわかりにならないでしょうが。そうした目的のためには、ここが理想的に思えるんですよ」彼は、がらんとした家から子供のほうへちらと視線を移し、微笑して、「たとえば、おたくのお坊ちゃんですがね。ちょうど世話の焼けない年ごろですし」

　微笑のようなものが彼女の顔をよぎった。

「ええ、ジョニーはとてもおとなしい子ですわ。何時間でもそこにすわっていますし、邪魔になりませんわ」それから微笑がゆらぎ、疑いの色がもどってきた。「なんて言ったらいいのか、わかりませんわ……あたしたち、キッチンと、その隣の寝室を使っているんです。奥にも一部屋あることはありますけど、家具を少しばかりしまってあるんです。お気に入るとは思えませんわ。でも、何をなさるかによりますけど……」

声が次第に消えた。彼女の無感動こそ、彼が必要とするものだった。睡眠薬をのむにしろ、この女はぐっすり眠るのだろうか、と彼は思った。目の下のくま—睡眠薬を用いているのではないかと思われる。そうだとしたら、ますますいい。それに外国人だ。この国には外国人は多すぎるほどいる。

「部屋をお見せくだされば、すぐわかるんですが」と、彼は言った。

驚いたことに、彼女はくるりと向きを変えると、狭いすすけた玄関ホールへ彼を通した。地下室の階段の上の明かりのスイッチを入れ、しばらくのあいだ、しきりに弁解がましいことをつぶやいてから、彼女はフェントンを階下《した》へ案内した。もちろんこれは、もとはヴィクトリア朝時代の住居の使用人部屋だったのだ。キッチンと食器置き場と食料貯蔵室は、今は女の居間と簡易台所《キチネット》と寝室になっており、模様替えしたために、うすぎたなさが余計目立っている。不恰好な水道管、役に立たなくなったボイラー、古いレンジなどは、かつては能率の上がるモダンなものだったのであろう。いまだに壁いっぱいに置かれている食器戸棚でさえも、五十年前には、みがかれた真鍮のシチュー鍋やきれいに並べられた食器と調和していたことであろう。そこで、上っ張りを着た料理人が腕を小麦粉だらけにして駆けまわり、食器置き場の下働きにあれこれ指図していたことであろう。今は、きたないクリーム色のペンキが薄片になってはげ落ち、古いリノリュームは裂け、食器戸棚には、本来の目的とはなんの関係もないガラクタ——長いアンテナが立っている古ぼけたラジオ、不用になった新聞雑誌の山、編みかけの編み物、こわれたおもちゃ、菓子、歯ブラシ、数足の靴——が置いてあるだけだ。女は無気力にあたりを見まわした。

「子供がいると楽じゃありませんわ。しょっちゅう片づけていますのに」

彼女が片づけなどしたことは一度もなく、やりっぱなしにしてあり、この修羅場がなによりも彼女の生活を物語っていることは明らかだったが、フェントンはなにも言わず、ただ丁重にうなずき、微笑しただけだった。彼は半開きになっているドアから、寝乱れたままのベッドをちらっと見た。ぐっすり眠るたちであるという確証がえられた——ベルを鳴らしたことが、彼女を妨害したにちがいない。だが、彼の視線に気づくと、彼女はあわててドアをしめ、半ば無意識的に自分に命令するように、カーディガンのボタンをはめ、指先で髪をとかした。

「お使いになっていない部屋は？」と、彼はたずねた。

「ああ、そうでしたね。ええ、もちろん」と、彼女は答えた。彼を地下室へ連れてきた目的を忘れてしまったかのような、あいまいな、あやふやな返事だった。

彼女は先に立って廊下へ引き返し、石炭貯蔵室——こいつは役に立つ、と彼は思った——の前を通り、あいたドアのところに子供の便器が置いてあり、その横に破れた〈デイリー・ミラー〉紙の置いてある便所の前を通り、奥の部屋へ案内した。そのドアはしまっていた。

「お気に召すとは思いませんけど」と、彼女はため息まじりに言った。すでにして及び腰である。じっさい、力に満ち溢れ、目的を秘めた彼以外の人間だったら、気に入らなかったことだろう。彼女がきしむドアを荒々しくあけ、部屋を横切って、戦時中の灯火管制用のきれでつくったカーテンを引きあけると、しめっぽいにおいが、川べりの霧のように強く彼の鼻腔をうち、それとともにまぎれもないガス洩れのにおいがした。

彼は鼻をくんくんいわせた。

「ええ、故障しているんです」彼女は言った。「直しに来てくれることになっているんですけど、ちっとも来てくれないんです」

彼女がカーテンを引きあけて空気を入れると、窓掛棒が折れて落ち、こわれたガラス窓から、さっき家の前のプラタナスの木の下で見た、足を怪我した黒猫が飛び込んできた。女がしいっと追ったが、逃げようともしない。猫は環境に慣れているらしく、こそこそ隅のほうへ行き、荷物に飛びのり、気を静めて眠り込んだ。フェントンと女は周囲を見まわした。

「結構です」暗い壁、妙なL字形の部屋、低い天井など、それらをほとんど気にとめずに、彼は言った。

「それに、庭もありますね」彼は窓のところへ行き、土と石だけの小さな土地を眺めた――地下室の部屋に立つと、彼の頭と同じ高さになる――かつては舗装した庭だったものだ。

「ええ」彼女は言った。「ええ、庭がありますわ」彼女は彼の横にやって来て、庭とは名ばかりの荒れ果てた土地をじっと眺めた。それからぴくりと肩をすくめると、言葉をつづけた。「ごらんのとおり静かですけど、あまり日が当たりません。北向きですので」

「わたしは北向きの部屋が好きなんですよ」と、彼はうわのそらで言った。彼女の死体を埋めるために掘る狭い溝を、すでに心眼に浮かべていたのだ。――深く掘る必要はない。彼女のほうを振り向き、彼女の大きさを目測し、長さと幅の見当をつけると、理解の光がかすかに彼女の目に宿るのを彼は見た。彼女に自信をあたえるために、彼はすばやく微笑を浮かべた。

「あなたは芸術家ですか」彼女は言った。「芸術家って北向きの光が好きなんじゃありません？」

彼は大いに安心した。芸術家。だが、もちろん。おれに必要な口実はこれだ。あらゆる障害を乗り切る道はこれだ。

「わたしの秘密を言い当てられましたね」と、彼はなに食わぬ顔で答えた。笑い声が実に本当らしくひびいたので、自分でもびっくりしたほどだった。彼は急《せ》き込んで話しはじめた。「片手間ですがね。ある時間しか抜けられないのは、そのためなんです。午前中は仕事にしばられましてね。自由になれるのは、おそくなってからなんです。それから、わたしの本当の仕事がはじまるんですよ。行きあたりばったりの道楽じゃないんです。情熱なんです。今年の暮れごろに個展をひらくつもりなんです。どうしてもある場所を探さなければならないわけが、それでおわかりになったでしょう……ここのような」

彼は周囲に手を振ってみせた。だがそれは、猫以外のだれをも引きつけることにはならなかった。彼の自信は感染し、疑っているような、当惑しているような色が彼女の目から消えた。

「チェルシーには芸術家がたくさんいますわね」彼女は言った。「少なくとも、みんなそう言ってますわ、よく知りませんけど。でも、アトリエは採光の加減で高い所でなきゃならないと思ってましたわ」

「必ずしもそんな必要はありませんよ。そういった気まぐれは、わたしには無縁です。それに、おそくなってからですから、いずれにせよ光はいらないでしょう。電気はあるんでしょうね？」

「ええ……」彼女はドアのところへ行き、スイッチに触れた。天井からぶらさがっている裸電球が、ほこりのあいだから輝いた。

「すばらしい」彼は言った。「これだけあれば結構です」

彼は、ぼんやりした不幸そうな顔にほほえみかけた。この女は、眠っているときのほうがずっと幸福なんだろう。あの猫のように。彼女を不幸から救い出すための親切な微笑。

「あす引っ越してきてよろしいですか」と、彼はたずねた。

最初玄関で部屋のことをたずねたときに見せた希望の色が、ふたたび浮かんだ。それから彼女の顔に浮かんだのは、当惑の色だったろうか、それともかすかな不快の色だったろうか。

「まだ、お訊きになっていませんわね……部屋代のことを」と、彼女は言った。

「いくらでも結構です」と、彼は答え、金は問題ではないことを示すために、ふたたび手を振ってみせた。

彼女は言葉に窮したらしく、ごくりと唾をのみ、それから青白い顔をかすかに赤らめて、思いきって言った。

「家主《おおや》さんになにも言わないのがいちばんいいと思うんです。友達だと言っておきましょう。もしよろしかったら、毎週現金で一ポンドか二ポンドくださいませんか」

彼女は心配そうに彼を見つめた。この取り決めに第三者を介入させてはならない、と彼は決心した。そんなことをすれば、計画がだめになるかもしれない。

「毎週現金で五ポンドお払いしましょう。きょうから」と、彼は言った。

彼は札入れを探り出し、新しいぱりぱりの紙幣を抜き出した。彼女はおずおずと手をさし出した。彼が数えている紙幣から、片時も目を離さなかった。

「家主には黙っていてください」彼は言った。「もし訊かれたら、画家であるいとこがちょっと立ち寄ったんだと言ってください」

彼女は目を上げ、はじめて微笑した。まるで彼の冗談めかした言葉と、さし出した紙幣が、ふたりのあいだの絆《きずな》となったかのように。

「あなたはあたしのいとこのようには見えませんわ。今まで見た芸術家ともちがいますわ。お名前はなんとおっしゃいますの？」

「シムズといいます」彼は即坐に言ってのけた。「マーカス・シムズ」そして、彼が心から嫌っていた、とうの昔に死んだ、弁護士だった、妻の父親の名を、なぜ口にしてしまったのかといぶかった。

「ありがとうございます、シムズさん」彼女は言った。「朝、お部屋を掃除しておきましょう」それから、こうした目的に対する最初のジェスチュアとして、彼女は猫を荷箱からつまみ上げ、窓から追い出した。

「あすの午後、荷物をお持ちになりますか」と、彼女はたずねた。

「荷物？」彼はおうむ返しに言った。

「お仕事に必要なものをですよ。絵の具やなんかをお持ちにならないんですか」

「ああ……もちろん、道具を持ってこなくちゃなりません」彼はふたたび部屋をちらりと見まわした。だが、虐殺することはなさそうだ。血も流さない。取り散らかしもしない。眠っているあいだに、女と子供を締め殺すことになりそうだ。それがもっとも親切なやりかただ。

「絵の具が必要になったとき遠くまで行く必要はありませんわ。キングズ・ロードに、画家のためのお店がありますの。買い物の途中で、前を通ったんですの。画布《カンバス》や画架《イーゼル》がウィンドーに出ていましたわ」

彼は微笑を隠そうとして、口に手をあてた。彼女の受け入れかたは、じつにいじらしかった。信頼しきっているのだ。

彼女は先に立って廊下へ出、地下室の階段をあがって、ふたたび玄関ホールへ出た。

「とてもうれしいんですよ」彼は言った。「こうした取り決めができて。実を言うと、絶望しかけていましたのでね」

彼女は振り向いて、ふたたび肩越しに彼にほほえみかけた。「あたしもうれしかったですわ。もしあなたが現われなかったら……」

ふたりは地下室の階段のてっぺんに立っていた。なんと驚くべきことだろう。彼がとつぜん現われたのは不可抗力だったのだ。彼はぎょっとして、彼女をまじまじと見つめた。

「じゃあ、困っておられたんですか」と彼はたずねた。

「困って？」彼女はジェスチュアをまじえて言った。無感動と絶望の色が顔にもどってきた。「外国人であることだけで、苦労の種ですわ。そこへもってきて、子供の父親がお金も置かずに出て行ってしまい、行方がわからないんですの……ねえ、シムズさん、もしあなたがきょうおいでにならなかったら……」彼女はしまいまで言わず、靴の泥落としにくくりつけられている子供のほうへちらと視線を落とし、ぴくりと肩をすくめた。「かわいそうに、ジョニー。おまえのせいじゃないわ」

「かわいそうに、ジョニー」フェントンはおうむ返しに言った。「それに、あなたも。あなたの苦労を終わらせるために、及ばずながら努力しましょう」

「ほんとにご親切に。どうもありがとうございます」

「いいや、お礼を申しあげなくちゃならないのは、わたしのほうですよ」そう言って彼は軽く頭をさげ、かがみ込み、子供の頭をなでた。「さようなら、ジョニー、またあしたね」彼の犠牲者は、無表情な目で彼をじっと見返した。

「さようなら、ミセス……ミセス……」

「カウフマンと申します。アンナ・カウフマン」

彼女は、石段をおりて門を出る彼のうしろ姿をじっと見まもった。彼の足もとを、追い出された猫がこそこそと、こわれた窓のほうへもどって行った。フェントンは仰々しく帽子を振った——女にむかって、子供にむかって、猫にむかって、静まりかえったくすんだ建物にむかって。

「じゃあ、またあした」と彼は叫び、大きな冒険にのり出そうとする人間のように、颯爽とした足どりでボールティング・ストリートを歩いて行った。わが家の玄関にたどりついたときにも、意気はいささかも衰えていなかった。彼は鍵をまわして中にはいり、三十年前の古い歌を鼻歌でうたいながら階段をのぼって行った。エドナはいつものように電話に出ていた——いつ果てるとも知れぬ女同士のおしゃべり。客間の小さなテーブルには飲み物が並べてあった。つまみのクラッカーと皿に盛った塩味のアーモンドも出ていた。グラスが余分に出ているのは、客が来る証拠だ。エドナは受話器の送話口を押さえて言った。「アリュスンさんがおいでになるの。夜食の時間までいてくださいって、言っておいたわ」

夫は微笑を浮かべ、うなずいた。いつもの時間になるずっと前に、彼はさきほどの陰謀の成立を祝うために、シェリー酒をちょっぴり飲んだ。電話の会話がやんだ。

「お顔の色がいいわ」エドナが言った。「きっと散歩がよかったのね」

妻の無邪気さにうれしくなり、彼はあやうく息がつまりそうになった。

2

　あの女が画家の道具のことを言ってくれたのは幸運だった。あくる日の午後、なにも持たずに行ったとしたら、ばかに見えたことだろう。彼は早目に会社を出て、必要な道具類一式を買いととのえた。彼は熱中した。画架《イーゼル》、画布《カンバス》、何本もの絵の具、画筆、テレビン油——ちょっとした荷物のつもりが、意外にかさばった大荷物となり、タクシーで運ぶほかなくなった。だが、そのためにかえって興奮の度は増した。徹底的に役を演じなくてはならぬ。店員は客の熱意に動かされて、絵の具のリストをつぎつぎに増やしていった。フェントンは絵の具のチューブを手にとり、その名前を読みながら、この買い物にひじょうな満足を覚えた。彼は奔放にふるまった。クロム、シエナ、緑土《テルベルト》という言葉そのものが、酒のように頭にのぼる。ようやくのことで誘惑を振り切り、荷物をかかえてタクシーに乗った。ボールティング・ストリート八番地——いつもの通りとは違う、慣れない行き先を口にすることが、冒険にさらに妙味を添えた。

　不思議なことに、タクシーが目的地の前にとまると、家並みはもはやそれほどくすんではいないように見えた。きのうの風はやみ、太陽は気まぐれに照り、来るべき春の日長の気配がただよってはいたが、問題はそうしたことではなかった。八番地の家には、どことなく待ち設けているような気配があった。運転手に料金を払い、タクシーから荷物をおろすと、黒ずんだブラインドが地下室の窓からとりはずされ、そのかわりに、目をみはるようなオレンジ色の、当座しのぎのカーテンが掛かっているのに彼は気づいた。彼がそれに目をとめたちょうどそのとき、カーテンが引きあけられ、ジャムで顔をよごした子供を抱いた女が、彼にむかって手を振った。猫が窓敷居から飛びおり、のどをごろごろ鳴らしながら彼のほうへやって来て、丸めた背中を彼のズボンにこすりつけた。タクシーが去り、女が彼を迎えに石段をおりてきた。

「ジョニーといっしょに、おひるからずっと、あなたをお待ちしてましたのよ。お荷物はそれだけですの？」

「これだけじゃいけませんかね？」そう言って彼は笑った。

彼女は荷物を地下室へはこぶのを手伝った。キッチンをちらとのぞくと、カーテンが掛かっているだけでなく、整とんした形跡があった。靴は子供のおもちゃとともに食器戸棚の下に片づけられ、テーブルクロスがかけられていた。

「お部屋がほこりだらけだったとは信じられないでしょう」彼女は言った。「真夜中近くまでかかってお掃除しましたのよ」

「そんなにまでしていただかなくてもよかったのに。そんなにまでしていただく値打ちはありませんよ、さしあたり」

彼女はドアの前で足をとめ、彼を見つめた。ぽかんとした顔つきにもどっていた。「とおっしゃると、長くないんですの？」彼女は口ごもった。「きのうのお話からすると、何週間もいらっしゃると思ったんですけど」

「いや、そういう意味で言ったんじゃないんですよ」彼は即座に言った。「いずれにしろ、絵の具なんかでひどく取り散らかしてしまいますから、掃除をする必要なんかないんです」

安堵の色がはっきり現われた。彼女は微笑を浮かべドアをあけた。「さあ、どうぞ、シムズさん」

彼は彼女に敬意を表さざるをえなかった。いっしょうけんめい掃除してくれたのだ。部屋は様相が一変していた。においもかわっていた。もうガス洩れのにおいはせず、そのかわりに石炭酸のにおいがした――〈ジェイズ〉だろうか？　とにかく、消毒剤だ。灯火管制用の暗幕が窓から消えていた。こわれたガラスも入れ替えてあった。猫のベッド――荷箱――もなくなっている。テーブルが一つ、壁ぎわに置かれ、ぐらぐらする小さな椅子が二脚、それに、キッチンの窓に掛かっていたと同じ安っぽいオレンジ色の布でおおわれた肘掛け椅子が一つ。炉棚の上の壁は、きのうはむき出しだったが、幼児《おさなご》イエスを抱いた聖母マリアの、大きな、明るい色の複製が掛けられ、その下にカレンダーがさがっている。気どった、取り入るような聖母マリアの目がフェントンにほほえみかける。

「ほほう……これはこれは……」と彼は言いかけたが、この不幸な女がこの地上最期の日となるかもしれぬ日のためにこれほど気をくばったことがいじらしくなって、感情を隠そうとして顔をそむけ、荷物をほどきにかかった。

「お手伝いさせてください、シムズさん」彼女はそう言うと、彼に抗議のひまも与えず、ひざまずいてひもを解き、包装を解き、画架《イーゼル》を立てた。それから、いっしょになって、絵の具を一つ残らず箱から出し、テーブルの上にきちんとならべ、カンバスを壁ぎわに積んだ。それはたわいもないゲームをするように面白かった。妙なことに、彼女はいつしかそうした気分にひたっていた。真剣になってやっていたのだけれど。

「最初何をお描きになりますの？」片づけがすみ、一枚のカンバスが画架《イーゼル》に置かれると、彼女は言った。「もう画題は決まっているんでしょ？」

「ええ、もちろん決まっていますとも」彼はほほえみかけた。彼に対する彼女の信頼は絶大なものだった。

とつぜん、彼女も微笑を浮かべた。「見当がつきましたわ。あなたの画題、見当がつきましたわ」

彼は思わず顔が青ざめた。どうして見当がついたんだろう。この女はどういうつもりで言っているんだろう？

「見当がついたって、そりゃどういう意味です？」彼はするどく訊き返した。

「ジョニーでしょう、ちがいます？」

母親を殺す前に子供を殺すなんて、とてもできない

——なんて恐ろしい思いつきなんだろう。なぜこの女は、こうした考えにおれを押しやろうとするんだろう？　時間はじゅうぶんある。それに、計画はまだできあがっていない……

彼女はしたり顔でうなずいている。彼はやっとのことで現実に立ちもどった。もちろん、この女は絵のことを話しているんだ。

「なかなか頭がいいですね」彼は言った。「そうです、ジョニーを描こうと思っているんですよ」

「あの子はいいわ、動かないから。縛りつけておけば、何時間でもすわっていますわ。今すぐ必要ですか」

「いや、いや」フェントンは、つっけんどんに答えた。「べつに急いじゃいませんよ。まず構想を練らなくちゃ」

彼女の顔が曇った。がっかりしたようだった。画家のアトリエに一変した部屋を、彼女はもう一度ちらと見まわした。

「では、お茶を召しあがってください」と、彼女は言った。議論を省くために、彼は彼女のあとに従ってキッチンにはいった。彼はすすめられた椅子に腰をおろし、きたない男の子のひるみない目に見まもられて、お茶を飲み、ボブリル・サンドイッチを食べた。

「おとうちゃん……」子供がとつぜんそう言って、手をさし出した。

「男の人を見ると、おとうちゃんって言うんですの」母親が言った。「実の父親はこの子のことを見向きもしませんでしたのに……シムズさんを困らせちゃいけませんよ、ジョニー」

フェントンは無理に愛想よい微笑を浮かべた。子供を見ると彼は当惑する。彼はボブリル・サンドイッチを食べ、お茶をすすりつづけた。

女も腰をおろし、相伴《しょうばん》した。冷めてまずくなるまで、ぼんやりとお茶をかきまぜていた。

「話し相手ができて、うれしいですわ」彼女は言った。「あなたがお見えになるまで、あたし、とってもさびしかったですわ、シムズさん……階上《うえ》はがらんとしているし、職人の出入りもないし。それに、隣近所がよくないんですの——友達がひとりもいませんの」

そいつはますますいい、と彼は思った。彼女がいなくなっても、それに気づく者はいないというわけだ。ほかにだれか住んでいるとしたら、片づけるのに手際を要することだろう。ところがさにあらず、だれにも知られずに、いつでもやってのけられる。かわいそうに、この女は、せいぜい二十六か七だろう。とんでもない人生を送ってきたにちがいない。

「……主人はひとことも言わずに出て行ってしまいましたの」と彼女は言っていた。「この国に来て、まだ三年にしかなりません。あたしたち、定職もなくあちこち転々としました。一時、マンチェスターにいたことがあります。ジョニーはマンチェスターで生まれたんですの」

「ひどい所ですね」と、彼は同情した。「雨がひっきりなしに降っていて」

「『就職しなくちゃいけないわ』って、あたし言ってやりましたの」と、彼女は言葉をつづけ、そのときのことを思い出し、こぶしを固めて、テーブルをどんとたたいた。「あたし言ってやりましたの。『いつまでもこんなふうじゃ、やっていけないわ。あたしも、子供も、生活できやしない』それにねえ、シムズさん、家賃も払えないんですの。家主《おおや》さんがやって来たら、なんて言ったらいいでしょう？　それに、ここでは外国人ですし、いつも警察といざこざがあるんですの」

「警察？」フェントンはぎくりとして言った。

「証明書のことなんです」と、彼女は説明した。「証明書のことで、いつもごたごたするんです。ご存知でしょうけど、あたしたち、登録しなけりゃなりませんの。シムズさん、あたしの生活って幸福なものじゃありませんでしたわ、何年ものあいだ。オーストリアで、あたし、一時、悪い男に使われていましたの。たまらなくなって逃げ出しましたわ。そのときはまだ十六でした。夫に会ったとき——そのときはまだ夫じゃありませんでしたけど——英国へ行ったら、希望がもてるかもしれないと思ったものですわ……」

彼女はものうげな声で話し、彼を見つめ、しばらくお茶をかきまぜた。ゆっくりしたドイツ訛りのある、聞く耳に快い、軽快な彼女の声は、どこか心を鎮めるようなところがあり、彼の考えの快い伴奏となり、食器戸棚の上の目覚時計のかちかちいう音と、男の子が皿をたたく音とまじり合った。自分は会社にいるのではなく、自宅にいるのでもなく、画家マーカス・シムズになりおおせているのだと思うと、愉快だった。色は使わないにしても、少なくとも犯罪計画の偉大なる芸術家なのだ。そして目の前に、彼の犠牲者が、彼を救済者と考えて、生命を彼の手にゆだねようとしている――たしかに、彼は救済者なのだ。

「妙ですわね」彼女はゆっくり言った。「きのうはあなたを存じ上げなかった。ところがきょうは、そのあなたに身の上話をしている。すっかりお友達になって」

「真実の友ですよ」そう言って彼は彼女の手をなでた。

「ほんとうです」彼は微笑を浮かべ、椅子を押しもどした。

彼女は彼の茶碗と受け皿を取って流しに置くと、プルオーバーの袖で子供の口を拭いた。「ねえ、シムズさん、どちらを先になさいます？　ベッドへおいでになりますか、それともジョニーを描きますか」

彼は目を丸くして彼女を見た。ベッドへ？　聞きちがいだろうか。

「なんておっしゃいました？」と、彼は言った。

彼女は辛抱強くその場に立ち、彼が動き出すのを待っていた。

「それはあなたがおっしゃるものですわ、シムズさん」彼女は言った。「あたしはどっちでも構いません。あなたの自由になりますわ」

彼は首が徐々に赤くなってゆくのを感じた。血は顔からひたいへと上がっていった。もう疑いはなかった。誤解ではなかった。浮かべようとしているかすかな微笑、寝室のほうへぐんと向けた頭。このあわれな女は、ある種の申し出でをしているのだ。彼が期待し……欲しているものと……信じているにちがいない。

「あのう、マダム・カウフマン」と、彼は口を切った——ミセスというよりはマダムと言ったほうが、なんとなくいいような感じがしたし、それに、外国国籍の彼女にはぴったりする——「なにか誤解なさってらっしゃるんじゃないですか」

「あのう」彼女は当惑し、それからふたたび微笑を浮かべた。「心配なさる必要はありませんわ。だれも来ませんし、それに、ジョニーは縛りつけておきますから」

とほうもないことだ。あの子供を縛りつけるなんて……。彼の言葉が誤解を生んだなどということはありえない。だが、ここで腹を立てて出て行ってしまっては、彼の計画が、完璧な計画が、すっかりオジャンになってしまう。どこかほかの所で、もう一度はじめからやり直さなければならなくなる。

「それは……それはたいへんご親切に、マダム・カウフマン」彼は言った。「お申し出で、ほんとうにありがとう存じます。たいへんご寛大なことで。ところが実は、残念なことに、わたしは長年まったくダメなものでして……戦争で負傷して……そういったことは、もうとうの昔に諦めてしまったのです。力はすっかり芸術のほうに、絵のほうにそそいでいるのです。こうしたささやかな隠遁に深い喜びを見出してからというもの、世の中がすっかり変わって見えるようになって。そしてもし、お友達になれれば……」

彼は窮地から抜け出す言葉を探した。彼女はぴくりと肩をすくめた。彼女の顔には、安堵の色も失望の色もなかった。なるようになれ、といった調子だ。

「結構ですわ、シムズさん」彼女は言った。「たぶんお寂しいことだろうと思ったんですの。寂しいってことはどういうことか、あたしにはよくわかるんです。それに、あなたはたいへんご親切ですし。そうしたいというお気持ちになったときは、いつでも……」

「ええ、すぐお話ししますよ」彼は即座に口をはさんだ。「そんなことは問題にしないで。でも今は、残念ながら……。さあ、仕事、仕事」彼は元気をとりもどしたところを見せようとして、ふたたび微笑し、キッチンのドアをあけた。ありがたいことに、彼女は、不吉にもはずしかけていたカーディガンのボタンを、きちんと掛けてしまっていた。そして椅子から子供を抱き上げて、彼のあとについてきた。

「あたし、ほんとうの芸術家が仕事をしているところを、以前から見たいと思ってましたよ」彼女は彼にむかって言った。「やっと、そのチャンスがやって来ましたわ。ジョニーも大きくなったら、こうしたことがわかるでしょう。ところで、どこへ置いたらいいでしょう、シムズさん？　立たせたほうがいいですか、すわらせたほうがいいですか、どんなポーズがいちばんいいでしょう？」

こいつはかなわない。フライパンから飛び出して火中にはいるというやつだ。フェントンは腹が立った。この女はおれを困らせようとしている。このままほうっておくことはできない。このいまわしい子供を片づけなければならないとしたら、母親も処分しなければならぬ。

「ポーズなんかどうでもいいですよ」彼はつっけんどんに言った。「わたしは写真屋じゃありませんからね。それに、がまんできないことが一つあるとすれば、それは、仕事をしているところを見られることですよ。ジョニーをそこの椅子にすわらせてください。静かにすわっているでしょうね？」

「ひもを持ってきますわ」と、彼女は言った。彼女がキッチンへもどっているあいだ、彼は画架《イーゼル》にのっているカンバスを不機嫌に見つめた。なんとかしなければならぬ。それは明らかだ。なにも描かずにほうっておくのは致命的だ。彼女には理解できないだろう。どこかおかしい、と怪しみはじめることだろう。五分前のあの恐ろしい申し出でを、また繰り返すかもしれない……

彼は絵の具のチューブを一つ二つ取り上げ、パレットに絞り出した。黄褐色《ローシエナ》……ナポリ黄色《イエロー》……まったくいい名前をつけたものだ。彼はエドナとともに、何年も前、結婚した当時、一度シエナへ行ったことがある。赤茶色《ローズラスト》の煉瓦造りとあの広場――有名な競馬がおこなわれるあの広場の名前はなんと言っただろう？――を彼は思い出した。ナポリ黄色《イエロー》。彼らはナポリまでは行ったことがない。ナポリを見てから死ね。あれ以来むこうのほうへ旅行したことがないのは残念だ、十年一《じゅうねんいち》日《じつ》のようにスコットランドへ旅行している。だがエドナは、暑い地方が好きではないのだ。空《アズール・ブルー》色……これを見ると、深海の澄み切った色を思い出す。南太平洋の礁湖にとびうお。パレットに絞り出された絵の具は、なんと面白いものだろう……

「さあ……いい子だからね、ジョニー」フェントンは目を上げた。女が子供を椅子に縛りつけ、頭のてっぺんを撫でていた。「なにかご用があったら、呼んでくださいな、シムズさん」

「ありがとう、マダム・カウフマン」

　彼女はそっと部屋を出て、ドアをしめた。芸術家の邪魔をしてはならない。仕事中はそっとしておいてやらなければならない。

「おとうちゃん」ジョニーがとつぜん言った。

「静かに」フェントンが鋭く言った。彼は木炭を二つに折っていた。画家は木炭で頭から描きはじめるということを、どこかで読んだ覚えがある。彼は折った木炭を指にはさみ、口をすぼめ、カンバスの上に満月のような形の円を描いた。それから、一歩後へさがって、なかば目をとじた。妙なことに、目鼻立ちのない丸顔のようにはみえない……。ジョニーは目を大きくみひらいて、彼を見つめている。もっとずっと大きなカンバスが必要なことにフェントンは気づいた。今画架《イーゼル》にのっているカンバスでは、子供の頭しか描けない。頭と肩をすっかりカンバスにのせれば、もっとずっと効果的に見えるだろう。そうすれば、子供の青色のセーターを描くのに、空《アズール・ブルー》色が使えるだろう。

彼は、最初のカンバスを大きなのと取り替えた。そうだ、このサイズのほうがはるかにいい。さて、ふたたび顔の輪郭にとりかかる……目……鼻の小さな穴を二つ、それに口の小さな裂け目……二本の線を引いて首をかく……さらに二本線を引き、ハンガーのように角ばった肩をかく。これで顔ができ上がった。人間の顔が。現在のジョニーには似ていないが、いつかのジョニーには似るだろう。肝心なことは、カンバスに絵の具を塗ることだ。どうしても、いくつか絵の具を使わなければならない。彼はやにわに画筆をえらび、テレビン油にひたしてから、空《アズール・ブルー》色をべったりつけ、それを鉛白と混ぜ、混ぜ合わせたものをカンバスになすりつけた。油が多すぎてきらきら光った明るい色が、カンバスから彼をにらみ返し、もっとよこせと言っているようにみえた。ジョニーのセーターの青とは同じ青ではないが、それがどうしたというのだ。

彼は大胆になって、さらに絵の具をなすりつけた。カンバスの下の部分が、あざやかな縞を描いて青一色となり、不思議な興奮をかもし出し、木炭でかいた顔と対照をなした。すると顔が、ほんものの顔に似てきた。子供の頭のうしろの壁は、彼が最初に部屋にはいってきたときには単なる壁にすぎなかったが、よく見ると色がついている――ピンクがかったグリーン。彼は次々とチューブを取り上げ、絵の具を絞り出した。青をつけた画筆をだめにしないように、別の画筆をえらぶ……ちきしょう、この焼きシエナ土(黄褐色の顔料)は、おれが訪れたころのシエナの色とは似ていない。あれよりずっと泥色が勝っている。拭きとらなければならぬ。ぼろきれかなにかが必要だ。……彼は急いでドアのところへ行った。

「マダム・カウフマン?」彼は呼んだ。「マダム・カウフマン? ぼろきれを探してくださいませんか」

彼女はすぐにやって来て、古下着を細長く引き裂いた。彼は、ひったくるようにしてそれを受け取ると、そのいまわしい焼きシエナ土を画筆からぬぐいとりはじめた。くるりと振り向くと、彼女がカンバスをのぞき込んでいる。

「見ちゃいけません」と、彼は叫んだ。「未完成の段階の画家の仕事を見ちゃいけませんよ」

　彼女はびくっとして、あとずさりした。「失礼しました」そう言ってから、ためらいがちにつけ加えた。

「とてもモダンですのね？」

　彼はまじまじと彼女を見つめた。彼女からカンバスへ、カンバスからジョニーへと視線を移す。

「モダン？」彼は言った。「もちろんモダンですよ。どんなふうだろうと思いました？　あんなふうだろうと思ってたんですか」炉棚の上の、作り笑いを浮かべている聖母マリアの画像を、彼は画筆でさし示した。「わたしは現代人ですよ。見えるとおりに見るんです。さあ、仕事をつづけさしてください」

　色をひととおり絞り出すには、一つのパレットではたりなかった。さいわい、二つ買っておいた。彼は残りのチューブを第二のパレットに絞り出し、混ぜはじめた。大混乱――かつてない日没、日の昇らぬ夜明け。ヴェニス赤は総督《ドージェ》の官邸ではなく、流れ出ない脳溢血の血のしずく。亜鉛白は純粋であって、死ではなく……

……黄土はあふれんばかりの生命であり、再生であり、春であり、他の時代の、他の場所の四月であり……

　暗くなっても何でもなかった。彼はスイッチをひねって電灯をつけた。子供は寝入ってしまったが、彼は描きつづけた。やがて女がはいってきて、八時です、と言った。「夕御飯を召し上がりませんか。おやすい御用ですのよ、シムズさん」と、彼女は言った。

　とつぜんフェントンは、自分がどこにいるのかを思い出した。もう八時か。彼らはいつも八時十五分前に食事をするのだ。エドナが待っているだろう。どうしたのかと心配しているだろう。彼はパレットと画筆を置いた。両手と上着に絵の具がついていた。

「いったいどうしたらいいだろう？」あわてふためいて彼は言った。

　女は理解した。テレビン油とぼろきれをつかむと、彼の上着をこすった。彼は彼女といっしょにキッチンへ行き、流しで手をごしごし洗いはじめた。

「これからは、いつも七時までに帰らなきゃならないんです」と、彼は言った。

「そうですか。では、忘れずにお呼びいたします。あしたもおいでになりますね？」

「もちろん」彼はいらいらして言った。「もちろんですとも。わたしの物にぜったいにさわらないでください」

「かしこまりました、シムズさん」

彼は急いで地下室の階段を上がって家を出、通りを走りはじめた。走りながら、エドナに言う嘘をでっち上げはじめた。クラブに立ち寄ったところが、そこにいた仲間に誘われて、ブリッジの相手をさせられてしまったんだ。ゲームを中断したくなかったので、つい時間に気がつかなかった。それでいい。あしたもそれでいい。彼が会社の帰りにクラブに立ち寄るということに、エドナも慣れるにちがいない。秘密の生活のすばらしい二重性を隠すこれ以上よい口実を、彼は思いつかなかった。

3

かつてだらだらと過ぎていた日々、長たらしく思われた日々が、いつのまにか過ぎてしまうというのは、驚くべきことだ。もちろん、それはいくつかの変化を意味した。エドナに嘘をつかなければならないだけでなく、会社でも嘘をつかなければならなかった。午後早く出なければならぬ急用、新しい得意先、同族会社などをでっち上げた。当分のあいだ会社では半日しか仕事ができない、とフェントンは言った。当然のことながら、財政上の調整をしなければならぬ、と彼はさとった。そのうち社長が彼のやり方がわかってくれたら……驚くほど簡単に、会社の者は彼の話を真に受けた。そしてエドナも――クラブに寄るという話を。もっとも、いつもクラブに寄るという口実ばかりではなかったけれど。ときには都心《シティ》のどこかの、ほかの会社の臨時の仕事を口実にすることもあった。あまり微妙で複雑で論じられないような取引をやってのけたと、謎めいた話をすることもあった。エドナは満足しているようだった。彼女の生活はいつもと変わりなくつづいていた。世界が変わったのは、フェントンのほうだけだった。きまって毎日午後三時半ごろ、彼は八番地の門をはいり、地下室のキッチンの窓をちらと見おろす。マダム・カウフマンの顔がオレンジ色のカーテンのむこうからのぞく。彼女は庭のあるほうの裏口へまわり、彼を中へ入れる。ふたりのあいだでは、表口は使わないことになっていた。裏口を使ったほうが安全だ。人目につかずにすむ。

「こんにちは、シムズさん」

「こんにちは、マダム・カウフマン」

アンナと呼んでくれたっておかしくないのに……彼女はそう思ったことだろう。「マダム」という敬称のために、ふたりのあいだに、適当な均衡が保たれている。彼女はなにかと役に立つ。アトリエ——ふたりはその部屋をさしてアトリエと呼んでいた——と画筆を掃除してくれ、毎日新しいぼろきれを作ってくれ、彼がやって来るとすぐお茶を出してくれる——会社で出すような出過ぎたお茶でなく、いれたてのシューシュー音を立てるほど熱いやつを。それに子供だが……こいつにはまったく興味が湧いてきた。一枚目の肖像画を描きおわるや、フェントンは、この子に対してずっと寛大な気持ちを抱くようになった。この子は彼を通して生まれかわったようだった。いわばフェントンの創造物だった。

いつしか真夏になった。フェントンは子供の肖像画を何枚も描きあげた。子供は彼のことをおとうちゃんと呼びつづけた。しかし、彼のモデルは子供だけではなかった。母親の肖像画も描いた。このほうがいちだんと満足のゆく仕事だった。この女をカンバスの上に描きあげる仕事は、フェントンに非常な充実感を与えた。彼女の目ではなく、造作ではなく、血色でもなかった——この女には色らしい色がなかった！——彼女の形だった。女という生身の人間が、彼の手によって、なにも描いてないカンバスの上で変形しうるという事実。彼の描くものがアンナ・カウフマンというオーストリア出の女と似ていようがいまいが、そんなことはかまわなかった。問題はそんなところにはない。はじめて彼のモデルになったとき、当然のことながら、この女は、チョコレートの箱に描いてあるような似顔絵のようなものを期待したのである。彼はまもなく彼女を黙らせた。

「ほんとうにそんなふうに見えるんですの？」と、彼女は悲しげにたずねた。

「それがどうしたんです？」と、彼は言った。

「いいえ……そのう、ただ……あたしの口を、なにかを呑み込もうとしている大きなお魚の口みたいにお描きになりますのね、シムズさん」

「魚？　なんてばかげたことを！」この女はキューピッドの弓みたいに描いてもらいたいんだ、と彼は思った。

「こまったもんですねえ、あなたは決して満足なさらない。あなたはほかの女とちっとも違うところなんかありませんよ」

彼は腹を立てて絵の具を混ぜはじめた。この女はおれの作品を批評する権利なんかないのだ。

「そんなこと、とんでもありませんわ、シムズさん」しばらくしてから彼女は言った。「あなたが毎週くださる五ポンドには、とても満足していますわ」

「金のことを言ってるんじゃありませんよ」

「それじゃあ、なんの話をしていらっしゃったんですの？」

彼はカンバスに向き直り、腕の肉の部分に二、三筆かすかなバラ色を塗った。「何の話をしていたんでしたっけ？　さっぱり見当がつかない。女の話でしたっけ？　わかりませんな。ともかく、口出しして邪魔しないでください」

「すいません、シムズさん」

そのとおりだ、と彼は思った。じっとしているんだ、その場に。彼が我慢できないことが一つあるとすれば、それは議論する女、出しゃばりな女、がみがみ言う女、自己の権利を主張する女だ。もちろん、女はそういうふうになるように作られてはいないのだ。すなおに、お人好しに、穏やかに、おとなしくなるように神さまが作ったのだ。ただ、困ったことに、現実にはそういう女はめったにいない。それは想像の上だけなのだ。通りがかりとか、窓のむこうとか、バルコニーからのり出しているところとか、額ぶちの絵からとか、いま彼の目の前のカンバスからちらと見たばあいにすぎないのだ——女がなんらかの意味を、なんらかの現実性をもつのは。彼は画筆を換えた。手さばきは実に巧妙になっていた。ちきしょう、魚のような口にしたと言い出すなんて……

「わたしは若かったころ」彼は言った。「大きな野心をもっていたんですよ」

「えらい画家になるという?」彼女が訊き返した。

「いや……特に画家になろうと思ったわけじゃありません。とにかくえらくなって、有名になって、すばらしいことをなしとげようと思っていたんですよ」

「まだおそくはありませんわ、シムズさん」と、彼女は言った。

「おそらく……おそらく……」肌はバラ色じゃだめだ。オリーブ色、あたたかいオリーブ色にすべきだ。エドナの父親はふたりの生活ぶりをひっきりなしにあら探しして、苦労の種だった。婚約してからというもの、フェントンはなに一つしなかった。父親はたえずケチをつけ、たえずあら探しをしていた。「外国へ行って生活するんだって?」と、彼はどなったものだった。「外国じゃ、まともな生活なんてできやしないよ。それに、エドナが辛抱できないだろう。友達から遠く離れ、まったく不慣れな土地では。そんなばかげた話、聞いたこともない」

その彼も死んだ。いいことだ。彼ははじめからふたりのあいだのくさびだった。マーカス・シムズ……画家マーカス・シムズは、それとはまったく違った人間だ。老人は墓のなかで寝返りを打つことだろう。

「七時十五分前です」と、女がささやいた。

「ちきしょう……」彼はため息をつき、画架《イーゼル》からあとずさりした。「このままでやめるのは残念だ。まだ明るいというのに。もうあと一時間以上もつづけられるのに」

「どうしておつづけにならないんですの？」

「ああ！　家庭のきずなですよ。おふくろが発作を起こすかもしれませんからね」

彼は老母をでっち上げていた。寝たきりの老母。毎晩八時十五分前に家に帰ると約束してあるのだ、と彼は言った。時間どおり帰らなければ、医者はその結果の責任を負ってくれない、と。ひじょうな孝行息子というわけだ。

「ここへお連れできればいいんですのにねえ」彼のモデルが言った。「夕方あなたがお帰りになってしまうと、とても寂しくなるんですのよ。この家は、けっきょく取りこわしにならないっていう噂がありますわ。もしそれがほんとうなら、一階を借りることがおできになりますわ。そうすればお母さまもおいでになれますわ」

「母はぜったい引っ越しなんかしませんよ」フェントンは言った。「もう八十過ぎです。習慣がすっかり固まってしまって」二十年近くも住んでいる家を売り払い、ボールティング・ストリート八番地に下宿したほうが快適だろうと話したら、エドナはどんな顔をするだろうか。それを考えて、彼は思わず微笑を浮かべた。ひと騒動もちあがるにきまっている。アリュスンさんが日曜日の夕食にやって来るのよ！

「そのうえ」彼は思っていることを口に出した。「その必要もすっかりなくなるでしょうからね」

「何の必要ですの、シムズさん」

彼にとってはたいへん意味のあるカンバスの上の色のついた形から、ちぢれていない髪の毛とどんよりした目をしてポーズをとってそこにすわっている女へと、彼は視線を移した。何カ月か前、どうしてくすんだ家の石段を上がり、部屋を求める気になったのか、彼は思い出そうとした。エドナに対する、河岸通りの風の強い灰色の日に対する、アリュスン夫妻が一杯やりにやって来るということに対する、一時的ないらだちの気持ちからだったろう。だが、消え失せた日曜日についての心の動きは忘れ去られていた。ただわかっていることは、そのときから彼の生活が変わったということであり、この狭苦しい地下室の部屋が彼の慰めとなったことであり、アンナ・カウフマンという女とジョニーという子供の個性が、無名の、平和の象徴となったという事実なのだ。彼女がしたことといえば、お茶を沸かすことと、画筆の掃除をしてくれることぐらいだ。彼女は背景の一部だ。彼が近づくとごろごろのどを鳴らし、窓敷居にうずくまり、彼がまだひとかけらのパンくずを与えたこともない猫と同じように。

「なんでもありませんよ、マダム・カウフマン」と彼は言った。「近くわれわれは展覧会をひらくんです。あなたの顔も、ジョニーの顔も、この町の話題になるでしょう」

「今年……来年……いつか……決して。それ、ほんとうですの？」と、彼女は言った。

「信用しないんですね。証明してみせます。まあ、みていてください」

彼女はまたしても、オーストリアの横暴な雇い主について、ロンドンで彼女を捨てた夫について、退屈な長談義をはじめた——かげからせりふづけをしてやれるくらい、彼は今ではすっかり知りつくしていた——しかし、苦にはならなかった。背景の一部、幸福なる無名の一部なのだ。しゃべらせておけ、そのうち黙るだろう、大したことはない、と彼は思った。彼は、彼女が吸っているオレンジ、膝の上のジョニーに分け与えているオレンジを、実物よりも大きく、実物よりもきれいに、丸く、大きく、あざやかに描くことに努力を集中できた。

そして、夕方、家に向かって河岸通りを歩きながら——そこを歩くことは、もはやかつての日曜日を思い出させることはなく、新しい生活にとけ込んでいた——彼は木炭画のスケッチとデッサンを川のなかへ投げ込んだ。それらは今やがらくたと化し、どうなろうと構わなかった。それらとともに、使い古した絵の具のチューブと、ぼろきれと、油がこびりついてだめになった画筆を投げ捨てる。彼はそれらをアルバート橋から投げ捨て、それらが一瞬ただよい、ゆっくりと流れて行き、首羽のすすけたかもめを誘《おび》き寄せるさまをじっとながめた。投げ捨てたがらくたとともに、彼の苦労もすっかり消えた。それに、不安も。

4

彼はエドナと相談して、毎年恒例の旅行を九月中旬まで延ばすことにした。これで、今とりかかっている自画像を仕上げる時間ができる。自画像で一連の作が完成するのだ。こんどのスコットランド旅行は楽しいことだろう。ここ何年になく、はじめて楽しいものになるだろう。ロンドンに帰れば楽しいことが待っているだろうから。

会社での短い午前は、今ではほとんどどうでもよくなっていた。きまりきった仕事をどうにかやってのけ、昼食後は決してもどらなかった。ほかの仕事が忙しくなったんで、と彼は同僚に言った。秋のうちに現在の仕事と関係を絶とうと、彼はほとんど心を決めていた。「もしきみのほうから通告がなかったら」と、社長は冷ややかに言った。「こちらから通告しようと思っていたところだよ」

フェントンはぴくりと肩をすくめた。もし彼らがこのことで不愉快な思いをしているのなら、やめるのが早ければ早いほどいいわけだ。スコットランドから手紙を出してもいい。そうすれば、この秋と冬をすっかり絵に没頭できる。適当なアトリエを借りることもできる。八番地の家はけっきょく当座しのぎにすぎない。照明もよくて、簡易台所《キチネット》もついている大きなアトリエがいい――ほんの二、三丁はなれたところに建築中のがいくつかあった――冬までには移れるかもしれない。そういうところに移れば、ほんとうに仕事に打ち込めるだろう。ほんとうにいい仕事ができ、片手間のアマチュアといった感じをいだかずにすむだろう。

　自画像には夢中になった。マダム・カウフマンが鏡を見つけてきて、壁に掛けてくれたので、スタートはきわめて容易だった。だが、自分の目が描けないことに気づいた。目をとじなければならぬ。そうすると、眠っているような感じになる。病人のような。そいつは薄気味悪かった。

「じゃあ、これが気に入らないんですね？」七時ですと言いにきたとき、フェントンはマダム・カウフマンに言った。

　彼女は首を横に振った。「なんだかぞっとしますわ、シムズさん。これ、あなたじゃありませんわ」

「ちょっと高級すぎて、あなたの趣味に合いませんかな」彼は快活に言った。「前衛《アヴァン・ギャルド》という表現が適当だと思いますね」

　彼としてはたいへん気に入っていた。自画像は芸術品だ。

「ところで、当分のあいだ、このままにしておかなければならない」彼は言った。「来週、旅行に出かけるんです」

「行っておしまいになるの？」

　その声には驚愕のひびきがこもっていたので、彼は思わず振り返って彼女を見た。

「ええ」彼は言った。「おふくろをスコットランドへ連れて行くんですよ。なぜです？」

　彼女は苦しげに彼を見つめた。表情がすっかり変わってしまっている。人が見たら、彼がひどいショックを与えたものと思うだろう。

「でも、あたしにはあなただけしかいませんのよ。あたし、ひとりぼっちになってしまいますわ」

「お金はさしあげますから、ご心配なく。前金でお払いします。出かけるといっても、三週間だけですよ」

彼女は彼を見つめつづけた。やがて目が涙でいっぱいになり彼女は泣きだした。

「どうしたらいいかわかりませんわ。どこへ行ったらいいかわかりませんわ」

こいつはちょっとひど過ぎる。どうしたらいいか、どこへ行ったらいいか——この女は、いったいどんなつもりで言ってるんだろう？　金はやると約束したのに。今までどおりやって行けばいいのに。まったくのところ、彼女がこのような振る舞いに出るのだったら、一日も早く自分で別のアトリエを見つけたほうがいい。マダム・カウフマンにお荷物になられてはたまらない。

「ねえ、マダム・カウフマン、わたしは一生いるわけじゃないんですよ」彼は断固として言った。「近いうちに引っ越します。おそらく、この秋に。もっと広い部屋が必要なんです。もちろんそのときは前もってお知らせします。ジョニーを保育園へ入れ、なにかきちんとした仕事におつきになったほうがいいでしょう。そのほうが、けっきょくためになりますよ」

この言葉が打撃だったにちがいない。彼女はぽかんとし、まったく打ちひしがれた顔つきになった。

「あたし、どうしたらいいでしょう？」彼女はほうけたように繰り返した。それから、まだ信じられないかのように、「いつお出かけになりますの？」

「月曜日です。スコットランドへ。三週間旅行します」この最後の言葉がよほどこたえたらしい。それに間違いなかった。困ったことに、この女は実に愚鈍な女だ。流しで手を洗いながら、彼はそう思った。うまいお茶をいれ、画筆をきれいに掃除してくれる。だが、それがこの女の限度だ。「あなたも旅行に出かけるといいですよ」彼は快活に言った。「川をくだり、サウスエンドかどこかへジョニーを連れて行くといい」

返事がなかった。悲しげに見つめ、絶望的に肩をすくめただけだった。

翌日の金曜日は、一週間の労働の終わりだった。三週間分の金を彼女に前金で払うために、その朝、彼は小切手を現金に換えた。そして慰める意味で、五ポンド余計に与えることにした。

彼が八番地の家につくと、ジョニーがかつてと同じように、石段の上の泥落としに縛りつけられていた。彼女はここしばらく子供にこんな仕打ちをしたことはなかった。フェントンがいつものように裏口から地下室へはいったとき、ラジオは鳴っておらず、キッチンのドアはしまっていた。彼はドアをあけ、のぞいてみた。寝室に通ずるドアもしまっていた。

「マダム・カウフマン……?」彼は呼んでみた。「マダム・カウフマン……?」

一瞬ののち返事があった。こもったような、弱々しい声だった。

「なんですの?」

「どうかなさったんですか」

ちょっと間《ま》があってから、「ちょっと具合が悪いんですの」

「それはお気の毒に。なにかわたしにできることでも?」

「結構ですわ」

そうだ。もちろんお芝居だ。これまでも元気そうなことはなかったが、こんなことははじめてだ。お茶の用意をしようともしない。盆も出してない。彼は金のはいった封筒をキッチンのテーブルに置いた。

「お金を持ってきましたよ。全部で二十ポンド。外に出て少しお使いになったらいかがです。いい天気ですよ。外の空気をお吸いになれば、きっとよくなりますよ」

この女の悩みを解消してやるには、きびきびした態度をとるに限る。つられて同情なんかしてたまるものか。

彼は威勢よく口笛を吹きながらアトリエへ行った。驚いたことに、なにもかも前の晩そっくりそのままだった。画筆は掃除がしてなくて、よごれたパレットの上に置きっぱなしになっている。部屋も手がつけてない。これには我慢ならない。彼はキッチンのテーブルからあの封筒を取りもどしたくなった。旅行のことを話したのが、そもそも間違いだったのだ。金を郵送し、スコットランドを旅行していると書いた手紙を同封すべきだったのだ。旅行のことを口にしたばっかりに……ふさぎの虫につき合わされ、仕事をほったらかしにされてしまった。むろん、彼女が外国人だからだ。外国人は信用できない。けっきょくはいつも失望させられる。

彼は画筆とパレットとテレビン油とぼろきれを持ってキッチンへもどり、こうした雑用をいっさい自分でしなければならないことを彼女に知らせるために、ジャージャー水を出し、動きまわり、思いきり音を立てた。そして茶碗をがちゃがちゃやり、砂糖を入れておく缶をがらがらいわせた。ところが寝室からは、かたりとも物音がしない。ええい、ちくしょう、勝手に腐らせておけ……

アトリエにもどると、彼は、だらだらと自画像の仕上げにとりかかったが、気持ちを集中することは困難だった。何ひとつうまく行かない。死んでしまったようだった。彼女のために、一日が台なしになってしまった。けっきょく、いつもより一時間以上も早目に、家に帰ろうと決心した。ゆうべほったらかしにした彼女に、掃除を期待することはできない。なにもかも、三週間でも、ほったらかしにしておきかねない女だ。

カンバスを重ねる前に、彼は壁に立てかけて並べ、展覧会場に掛けるとどんなふうに見えるか想像しようとした。きっと人目を引くだろう。人目を引かずにはおくまい。なんというか……これら一連の作品には訴えかけるところがある！　それが何であるか、彼にはわからなかった。むろん、自分自身の作品を批評することはできない。しかし……たとえば、あのマダム・カウフマンの顔、魚のようだと彼女が言った顔、たしかに口の形が……それとも目だろうか、ぱっちりし過ぎる目だろうか。ともかく、すばらしい。まったくすばらしい、と彼は確信した。それに、未完成だけれど、あの眠れる男の自画像には重要な意味がある。

彼はエドナといっしょにボンド・ストリートのはず

れの小さな画廊の一つにはいって行く自分の姿を想像し、思わず微笑を浮かべた。彼がさりげなく言う。「ある新人がここで個展をやっているそうだよ。激しい論争の的になっているんだ。天才とも狂人とも、批評家にはわからないいんだ」するとエドナが――「あなたがこういうところへはいるのは、これがはじめてね」

なんという充実感、なんという勝利感！　それから、彼が妻に打ち明けると、新たな尊敬の色が彼女の目に差し染める。夫がとうとう名声を勝ち得たということを知って。彼が与えたいと思っているのはショックなのだ。そうだ！　ショックなのだ……

フェントンは見慣れた部屋を最後にちらりと見まわした。カンバスは重ね、画架《イーゼル》は分解し、パレットは掃除し、拭き、包んでおいた。スコットランドから帰ってここを引き払おうと思えば、――マダム・カウフマンがああしたばかげた振る舞いに出たからには、そうするのが唯一の解決策だと彼は確信しかけていた――すぐにでも一つ残らず動かすことができる。あとはタクシーを呼んで荷物をのせさえすればいい。

彼は窓をしめ、ドアをしめ、毎週出るいわゆる〝廃品〟――失敗した絵とかスケッチなど――を小脇にかかえ、もう一度キッチンへ引き返し、とざされた寝室のドア越しに呼びかけた。

「じゃあ、帰ります。どうかお大事に。三週間したらまたお目にかかりましょう」

キッチンのテーブルから封筒がなくなっているのに彼は気づいた。彼女はそれほど具合が悪いはずはない。

寝室から彼女の動く音が聞こえてきて、しばらくしてドアが数インチあき、ドアのすぐ内側に彼女が立っていた。彼はぎくりとした。彼女は幽霊のようだった。顔には血の気がぜんぜんなく、長く伸びて、脂《あぶら》じみた髪は、とかしてもなく、ブラシもかかっていない。腰には毛布を巻きつけている。むし暑い陽気のうえに、地下室が風通しが悪いにもかかわらず、厚いウールのカーディガンを着ている。

「医者にみてもらいましたか」心配して彼はたずねた。

彼女は首を横に振った。

「わたしだったら、みてもらいますね。とても悪そうですよ」それから、まだ石段の泥落としに縛りつけられている子供のことを思い出して、「ジョニーを連れてきましょうか」と、もちかけてみた。

「お願いします」と、彼女は言った。

彼女の目は、苦しんでいる動物の目を彼に思い出させた。彼は心が痛んだ。彼女をこのままにして帰ってしまうのは酷だ。だが、おれにいったい何ができるだろう？　彼は地下室の階段を上がり、荒涼とした玄関ホールを通って、玄関のドアをあけた。子供は背を丸めてそこにすわっていた。フェントンが家にはいってからずっと動けなかったのだろう。

「さあ、ジョニー。お母さんのところへ連れてってやろう」

子供はひもを解いてもらうがままになっていた。この子も母親と同じように無感動だった。どうしようもない母子《おやこ》だ、とフェントンは思った。こういった人間はどこかの福利施設にはいり、だれかの世話を受けるべきだ。こういった人間の面倒をみてくれるところがあるはずだ。彼は子供を地下室へ連れて行って、キッチン・テーブルのそばのいつもの椅子にすわらせた。

「この子のお茶はどうします？」と、彼はたずねた。

「すぐ持って行きますわ」と、マダム・カウフマンが言った。

彼女は毛布を巻きつけたまま、ひもでからげた紙包みを手にして、よろよろ寝室から出てきた。

「それはなんです？」と、彼はたずねた。

「がらくたですわ。持って行って捨ててくださいませんかしら。来週までごみ収集人が来ないんですの」

彼は彼女から包みを受けとり、ほかにしてやれることはないかと思って、一瞬待った。

「お気の毒ですねえ」彼はぎこちなく言った。「して欲しいことは、ほかにありませんか」

「ありませんわ」彼女は言った。シムズさんとも言わなかった。微笑を浮かべようとも、手を差し出そうともしない。非難がましい目つきでもなかった。どんよりした目つきだった。

「スコットランドからハガキをさしあげますよ」そう言ってから、彼はジョニーの頭を撫で、「ごきげんよう」と、つけ加えた――ばかげた表現、彼としてはふつう使わない表現だ。それから彼は裏口から出て、家の隅をぐるっとまわり、門を出て、重い心をいだいてボールティング・ストリートを歩いて行った。まずい振る舞いをしてしまった、同情が足りなかった、無理にでも医者にみてもらえと言うべきだった、などと思いながら。

九月の空はどんより曇り、河岸通りはほこりっぽく荒涼としていた。川むこうのバタシー公園の木々は色あせてぐったりし、いかにも夏の終わりといった風情だ。どんよりした褐色。スコットランドへ出かけ、新鮮な冷たい空気を吸えば、きっと気持ちがいいだろう。

彼は包みを解き、彼のいわゆる〝廃品〟を川へ投げ捨てはじめた。失敗したジョニーの顔。猫の描きかけ。よごれてしまって、二度と使えないカンバス。それらが橋から投げ込まれ、流れに乗る。カンバスは白くてもろいマッチ箱のように漂う。それが流れて視界から消え去るのをじっと見まもる。なんだかもの悲しい感じ。

彼は河岸通りを歩いて家路に向かった。道路を横断しようとしたとき、マダム・カウフマンに頼まれた紙包みをまだ持っていることに気づいた。さっきの廃品といっしょに投げ捨てるのを忘れていた。自分のがらくたが消え去るのを見まもるのに気を奪われていたのだ。

フェントンは、その包みを川に投げ込もうとしたとき、ひとりの警官が道路のむこう側からこちらを見ているのに気づいた。このようにしてがらくたを処分するのは法律違反だという不安感に彼は襲われた。彼は気にしながら歩を進めた。百ヤードほど行ってから、肩越しにちらと振り返った。警官は相変わらず彼のうしろ姿をじっと見つめている。ばかげたことだが、彼は罪悪感を覚えた。法の強い力。彼は無造作に包みをぶらぶら振り、鼻歌をうたいながら足をすすめた。川へ捨てるのはあきらめよう——チェルシー病院わきの公園のくずかごに捨てればいい。

彼は公園にはいり、最初のくずかごのなか、二、三枚の新聞とうずたかく積もったオレンジの皮の上に包みを投げ入れた。これで違反になるまい。さっきの巡査が柵のむこうからじっと見ているのに気づいたが、フェントンは気づいたことを相手に気《け》どられないように充分注意した。人が見たら、爆弾を処分しようとしていると思うだろう。それから、彼は急ぎ足で家まで歩いて帰り、入口の階段を上がりながら、アリュスン夫妻が夕食にやってくることになっているのを思い出した。旅行に出かける前の、おきまりの夕食。それを思い出しても、いままでのようにうんざりはしなかった。ふたりにむかって、何気なくスコットランドのことをしゃべりまくればいい。おれが毎日の午後をどういうふうにして過ごしてきたかを知れば、ジャック・アリュスンは目をみはることだろう！　耳を疑うことだろう！

「お帰りなさい、早いのね」と、エドナが言った。彼女は客間で花を生《い》けていた。

「うん、早目に会社の仕事がすっかり片づいたんだ。旅行計画を練ろうかと思ってね。北へ行くのを楽しみにしてるんだ」

「うれしいわ。年々、スコットランドが飽きてきたんじゃないかと心配していたのよ。でも、疲れた様子はぜんぜんないわね。ここ何年も、とても元気そうだわ」

彼女は彼の頬に接吻し、彼は彼女の頬に接吻した。おたがいに満足しきっていた。彼は地図を取りに行きながら微笑を浮かべた。自分に夫操縦の才能があることを、彼女は知らなかった。

アリュスン夫妻がやって来て、夕食の席につこうとしたちょうどそのとき、玄関のベルが鳴った。

「いったい、だれかしら？」エドナがさけんだ。「まさか、だれかほかの人を招《よ》んでおきながら、すっかり忘れてしまったんじゃないでしょうね」

「電気料金をまだ払ってない」フェントンは言った。「電気をとめにやって来たんじゃないかな。そうだとすると、スフレが食べられないな」

彼は鶏肉を切りかけた手をとめた。アリュスン夫妻が笑った。

「あたしが行くわ」エドナが言った。「料理をこしらえているメイドをわずらわしたくないわ。メニューはもうご存知でしょ。たしかにスフレよ」

しばらくして彼女はもどってきた。半ば面白そうな、半ば当惑したような表情をして。「電気屋さんじゃなくってよ。警察の人よ」

「警察？」フェントンはおうむ返しに言った。

ジャック・アリュスンはゆっくり指を振った。「わかったぞ。とうとうのっぴきならぬ羽目に陥ったな、きみ」

フェントンは肉切りナイフを置いた。「冗談はさておいて、エドナ、用は何なんだい？」

「それがさっぱりわからないの」彼女は答えた。「ふつうの警官がひとりと、もうひとりは私服警官らしいわ。この家の所有主に話があるっていうの」

フェントンは、ぴくりと肩をすくめ、「冗談だろう」と、妻にむかって言った。「お引き取りねがえるかどうか、ひとつやってみよう。たぶん、ほかの家の間違いだろう」

彼は食堂を出て玄関ホールへ行ったが、制服警官を見たとたん、顔色がさっと変わった。河岸通りで彼のうしろ姿をじっと見つめていた男だった。

「こんばんは」フェントンは言った。「どんなご用でしょう？」

私服警官がイニシアチブをとった。

「きょうの午後おそく、あなたはチェルシー病院わきの公園をお通りになりませんでしたか」と彼はたずねた。ふたりともフェントンをじっと見つめている。否定しても無駄なことをフェントンはさとった。

「ええ、たしかに通りました」

「包みを持っていましたね?」

「ええ、たしかに」

「その包みを河岸通り側の入口のそばのくずかごに入れましたか」

「ええ」

「包みの中身は何か、言っていただけませんか」

「わかりません」

「それじゃあ、別の質問をしましょう。あの包みをどこで手に入れたか、お話しくださいませんか」

フェントンはためらった。この男たちは何をもくろんでいるんだろう? 尋問のしかたが気にくわん。

「それがあなたがたとどういう関係があるのか、わかりかねますが」彼は言った。「くずかごにがらくたを入れるのは、違反じゃないでしょう?」

「ふつうのがらくたならばね」と、私服の男が言った。

フェントンはふたりを見くらべた。ふたりはしかつめらしい顔をしている。

「ひとつ質問させていただいても構いませんか」と、フェントンは言った。

「ええ、どうぞ」

「あの包みのなかには何がはいっていたのか、あなたがたはご存知なんですか」

「ええ」

「とおっしゃると、こちらのかたが——巡回しておられるところをお見かけしましたが——わたしのあとをつけて、わたしがくずかごに投げ入れたあとで、包みを取り出してごらんになったんですね?」

「そのとおりです」

「なんて途方もないことをなさるんでしょう。正規の仕事をなさるために雇われておられると思うんですがねえ」

「挙動不審の人間に目を光らせるのも、正規の仕事のうちでしてね」

フェントンはいらいらしはじめた。「わたしの行動には怪しい点は少しもなかったはずです。きょうの午後、会社でがらくたを整理したんです。帰る途中でがらくたを川へ投げ捨てるのは、気まぐれからです。かもめの餌になるかと思いましてね。きょう、いつもの包みを川へ投げ捨てようとしますと、こちらのかたがわたしのほうをちらっと見ているのに気がついたんです。で、川へごみを捨てるのが違法であると思いあったんです。それで、くずかごに入れることにしたんですよ」

ふたりの男は彼をじっと見つめている。

「あなたはさっき」と、私服の男が言った。「包みの中身は何だか知らないとおっしゃった。ところが今度は、会社のがらくただとおっしゃる。どちらが本当なんですか」

フェントンは追いつめられたという感じに襲われた。

「どちらも本当です」彼は嚙みつくように言った。

「きょう、会社の連中に包みを渡されました。何を入れたか、わたしは知りませんでした。ときどき、かもめの餌に、古くなったビスケットを入れてくれるんです。それで、わたしは包みを解いて、家へ帰る途中、かもめにビスケットのくずを投げ与えるんです、さきほどお話ししましたように」

こいつはだめだ。彼らのきつい顔が、そう物語っていた。いかにも薄弱な話だ、と彼は思った――会社の帰りに川へ投げ捨てるためにがらくたをかき集める中年男、むこう岸へ漂って行くさまを眺めるために小枝を橋から投げ捨てる子供のような。しかし、とっさに思いついた話としては、これが最上のものだった。こうなった以上、あくまでこの話に固執するほかはない。結局のところ、犯罪行為ではありえない――どんなに悪くても、エキセントリックだと言われるくらいだろう。

私服警官はぽつりと言った。「メモを読んで聞かせてやりたまえ、巡査部長」

制服警官は手帳を取り出し、読み上げた。

「きょう、六時五分に、河岸通りを歩いていると、むこう側の舗道にひとりの男が歩いており、川へ包みを投げ捨てようとしているのを認めた。男はわたしが見ているのに気づいて、足を速め、まだわたしが見つめていないかどうかと、肩越しにちらと振り返った。挙動不審。男はチェルシー病院わきの公園の入口へ行き、こそこそあたりを見まわしてから、小さなくずかごに包みを投げ入れ、急いで歩み去った。わたしはくずかごのところへ行って包みを取りもどし、男のあとをつけて行くと、男はアナースリー・スクウェア十四番地の家にはいった。わたしは包みを署へ持って行き、当直警官に手渡した。われわれはいっしょに包みを調べた。包みには早産児の死体がはいっていた」

彼は手帳をぱたんととじた。

フェントンはからだから力がすっかり抜けてゆくのを感じた。恐怖と不安が厚いもくもくした雲のように押し寄せ、彼は椅子にがっくり腰を落とした。

「ああ」彼は言った。「ああ、いったいどうしたことだろう……?」

食堂のあいたドアからエドナがこちらを見ているのを、彼は雲間に見た。そのうしろにアリュスン夫妻が立っている。私服の男が言っていた。「署へ来て、陳述していただかなくてはなりません」

5

フェントンは警部の部屋に腰をおろした。デスクのむこうに警部、それに例の私服警官と制服警官、ほかにもうひとり警察医がいた。エドナも来ていた——エドナに来てもらうように、とくに頼んだのだ。アリュスン夫妻は外で待っていたが、恐ろしいのはエドナの表情だった。彼の言うことを信じていないのは明らかだった。警官たちも信じてくれない。

「ええ、六カ月間つづいていたんです」彼はくりかえした。「『つづいていた』という意味は、絵のことなんです。ほかのことじゃありません、ぜったいに……。

わたしは絵を描きたいという欲望にとらえられたんです……うまく説明できません。今後もできないでしょう。ただそういう気持ちに襲われたんです。で、衝動的にボールティング・ストリート八番地の門をはいったんです。すると、その女が出てきたので、貸間はないかとたずねました。ちょっと話し合ったのち、部屋はある、と彼女は言いました――地下室に自分の使っていない部屋が一つ――家主とは関係のない。で、家主には何も言わないことに話が決まりました。で、わたしは荷物を運び入れました。毎日、午後、六カ月間そこへ通っていたんです。そのことについて、妻にはひとことも言いませんでした……言ってもわかってくれないだろうと思って……」

彼は絶望的にエドナのほうを向いた。彼女はすわったまま、じっと彼を見つめている。

「嘘をついたことは認めます」彼は言った。「みんなに嘘をついていました。家で嘘をつき、会社でも嘘をつきました、会社ではほかの商社と関係して、午後はそこへ行っていると話したんです。そして妻には――ゆるしてくれ、エドナ――会社でおそくなったとか、クラブでブリッジをしていたとか言っていたんです。実は、毎日、ボールティング・ストリート八番地へ行っていたんです。毎日」

おれは間違ったことなどなにもしていない。どうしてこいつらは、おれを見つめなければならないんだろう？　どうしてエドナは椅子の肘掛けにしがみついているんだろう？

「マダム・カウフマンは何歳だかわたしは知りません。二十七ぐらいだろうと思います……あるいは三十か、いくつともみえます……そして、ジョニーという小さな男の子がいます……オーストリア人で、とても悲惨な生活を送ってきた女です、夫に捨てられたんです……ええ、家ではほかにだれも見かけたことがありません。ほかの男は……ほんとに……ほんとになにも知らないんです。わたしは絵を描きにそこへ行っていたんです。ほかの目的で行っていたんじゃありません。彼女に訊けばわかります。彼女が真相を話すでしょう。彼女がわたしに愛着を覚えていたことはたしかです……いや、そう言っては言い過ぎかもしれません。愛着を覚えていると言ったのは、わたしが金を払うので感謝していた、という意味です……つまり、部屋代としての五ポンドです。われわれのあいだには、ぜったいに何もなかったんです。ありえようはずはありません。問題になりません……ええ、ええ、もちろん、彼女のからだの状態は知りませんでした。あまり気のつくほうじゃないもんですから……わたしの気のつくようなことじゃありません。それに、そんなこと、彼女はひとことも言いませんでした、ひとことも」

彼はふたたびエドナのほうを向いた。「信じてくれるだろうね？」

彼女は言った。「絵が描きたいなんて、一度だっておっしゃったことがなかったわ。結婚してからずっと、絵だの画家だのと口にしたことはなかったわ」

妻の冷ややかな青い目に、彼は耐えられなかった。

彼は警部に言った。「今すぐボールティング・ストリートへ行くことはできませんか。あの女は、とても苦しんでいるにちがいありません。医者にみせるべきです。面倒をみてやるべきです。マダム・カウフマンに一部始終を説明してもらうために、今すぐ行くことはできませんか、家内もいっしょに」

ありがたいことに、彼の主張が通った。ボールティング・ストリートへ行くことにきまった。警察車が呼ばれ、彼とエドナとふたりの警官がそれに乗り、アリュスン夫妻は自分の車でそのあとにしたがった。ショックがあまりにも大きいから、フェントン夫人をひとりにしておきたくない、と彼らが言っているのを彼は耳にした。もちろん、親切なことだったが、家に帰ってから静かに穏やかに一部始終を説明すれば、ショックを与えることもあるまい。ぞっとするような雰囲気にしたのは、彼を犯罪者のような気持ちにさせたのは、警察署の雰囲気だった。

車は見慣れた家の前に停まり、みんなは車から降りた。彼は先に立って門をはいり、裏口へまわってドアをあけた。彼らが廊下にはいると、まぎれもないガスのにおいが鼻をついた。

「また洩れている」彼は言った。「ときどき洩れるんです。彼女が頼むんですが、来てくれないんです」

だれも答えなかった。彼は急いでキッチンへ行った。ドアがしまっている。ここへはいると、ガスのにおいはいっそう強い。

警部は部下になにやらささやいた。「フェントン夫人はお友達といっしょに車のなかで待っていらしたほうがいいでしょう」

「いや」フェントンは言った。「いや、家内に真相を聞いてもらいたいんです」

だがエドナは、警官のひとりとともに廊下をもどりはじめた。アリュスン夫妻が顔を硬くして彼女を待っていた。それから、みんなは寝室へ、マダム・カウフマンの寝室へはいって行ったようだった。彼らはブラインドをぐいと引き上げ、空気を入れたが、ガスのにおいはひどかった。彼らはベッドへかがみ込んだ。彼女は眠っていた。そのかたわらにジョニーが寝ている。ふたりともぐっすり眠り込んでいた。二十ポンドはいった封筒が床《ゆか》に落ちている。

「彼女を起こしてくださいませんか」フェントンは言った。「起こして、シムズ氏が来たと言ってくださいませんか。シムズ氏が来たと」

警官のひとりが彼の腕をとり、部屋から連れ出した。

マダム・カウフマンもジョニーも死んでいると知らされると、フェントンは首を振って言った。「恐ろしい……恐ろしいことだ……彼女が話してくれさえしたら、どうすべきか、わたしにわかってさえいたら……」だが、警官が家にやって来て、包みの中身を知らされたときのショックがあまりにも大きかったために、こんどの不幸は最初のときほどこたえなかった。なぜか避けられぬことのように思われた。

「たぶん、こうするほかなかったんでしょう」彼は言った。「あの女《ひと》は天涯孤独でした。子供とふたりっきり。天涯孤独でした」

　みんなが何を待っているのか、彼には確信がなかった。マダム・カウフマンとジョニーの死体を運ぶ救急車かなにかを待っているんだろう、と彼は思った。「帰ってもよろしいですか、家内といっしょに」と、彼はたずねた。

　警部は私服の男と目くばせしてから言った。「それは困ります、フェントンさん。われわれといっしょに署へもどってほしいんです」

「しかし、もう真相はお話ししたでしょう」フェントンはうんざりして言った。「これ以上申し上げることはありません。わたしはこの惨事にはなんの関係もありません。まったくなんの関係も」それから、自分の描いた絵のことを思い出した。「わたしの作品をまだごらんになっていませんね。全部ここにあるんです、隣の部屋に。家内にも、友達にも、もどってくるように言ってください。わたしの作品をみんなに見てもらいたいんです。それに、こうなってしまった以上、荷物を運び出したいんです」

「それはわれわれのほうでやります」と、警部が言った。

　あいまいではあったが、断固とした口調だった。無愛想だ、とフェントンは思った。警察の差し出がましい態度だ、と。

「それは大変ありがたいんですが」フェントンは言った。「わたしの持ち物ですし、それに大事なものなんです。どんな権利があってあなたがたがそれに手を触れるのか、わかりかねますが」

　彼は警部から私服の男へと視線を移した——警察医ともうひとりの警官はまだ寝室にいた——そして、彼らの硬い表情から、彼らが彼の作品にはあまり興味をもっていないことがわかった。口実にすぎない、アリバイにすぎない、と思っているのだ。彼らがしたいと思っていることは、彼を警察署に連れもどして、寝室のいたましい死体と早産児の死体についてさらに尋問をつづけることだった。

「よろこんで参ります、警部さん」彼は静かに言った。「しかし、一つだけお願いがあります――家内と友達にわたしの作品を見せてやってください」

警部が部下にうなずくと、部下はキッチンから出て行った。それから、小グループはアトリエへ移って行った。フェントン自身がドアをあけ、一同を案内した。「もちろん」彼は言った。「わたしはひどい状態で仕事をしていました。ごらんのとおり、照明もよくない。それに、快適なところは全然ありません。どうしてここに腰をおちつけたのか、われながらわかりません。実は、旅行からもどったら、引っ越すつもりだったんです。それはあの女にも話しました。たぶん、それがこたえたんでしょう」

彼はスイッチをひねって電灯をつけた。彼らはそこに立って、ちらと周囲を見まわし、分解した画架《イーゼル》、壁ぎわにきちんと積み重ねたカンバスを目にとめた。と、そのとき、こうした立ち退きの準備は彼らの目にうさん臭く映るにちがいないということに彼は思い当たった。実はキッチンの奥の出来事を知っていて、逃走を企てていたのではないか、と。

「むろん、一時しのぎのつもりだったんです」彼はアトリエに似つかわしからぬ小部屋にたいする弁解をつづけた。「ところが、気に入りましてね。家にはほかにだれもいない。詮索するような人間はだれもいない。マダム・カウフマンと男の子以外はだれも見かけたことがありません」

エドナが部屋にはいってきたのに彼は気づいた。つづいてアリュスン夫妻ともうひとりの警官も入ってきた。みんな表情をこわばらせ、彼をじっと見つめている。なぜエドナが？　なぜアリュスン夫妻が？　壁ぎわに積み重ねられたカンバスに心を打たれているのだろうか。過去五ヵ月半の全作品がこの部屋にあって、展覧会を待っていることがわかったのだろうか。彼はつかつかと歩いて行って、いちばん手近のカンバスをつかみ、かかげてみせた。彼のいちばん気に入っているマダム・カウフマンの肖像画――かわいそうなあの女が魚に似ていると言った絵だった。

「伝統的なものじゃありません、そりゃわかってます」彼は言った。「絵本にのっているような絵じゃない。しかし、力がこもっています。独創性がある」彼は別の絵をつかんだ。おなじくマダム・カウフマンを描いたものだったが、今度のはジョニーを膝にのせている。「母と子」と、彼は言って、かすかに微笑を浮かべた。「真の原始人《プリミティブ》、人類の祖先、最初の女と最初の子供」

はじめて彼らと同じようにカンバスを見ようとして、彼は頭をぴんと立てた。エドナの賛成を、感嘆のあえぎを期待したのだが、石のように凍りついた誤解の凝視に出会っただけだった。それから、彼女の顔はしわくちゃになったようにみえた。彼女はアリュスン夫妻のほうを向いて言った。「まともな絵じゃありませんわ。でたらめな絵ですわ、いいかげんに塗ったくった」彼女は涙でかすんだ目で警部を見上げた。「さっき申し上げましたように、この人は絵なんか描けませんわ。今まで一度だって絵なんか描いたことがありません。女といっしょにこの家にいる口実だったんですわ」

フェントンはアリュスン夫妻が彼女を連れ去るのをじっと見まもった。彼らが裏口から出て行き、庭を通って家の正面へと歩いて行く足音が聞こえた。「まともな絵じゃない、でたらめな絵だ」彼は彼女の言葉をおうむ返しに言った。彼は表を壁に向けてカンバスを床《ゆか》におろし、警部にむかって言った。「では、いっしょに参ります」

彼らは警察車に乗り込んだ。フェントンは警部と私服警官のあいだにすわった。車はボールティング・ストリートをあとにした。通りをさらに通ってオークリー・ストリートにはいり、河岸通りに向かった。交通信号灯が黄色から赤に変わった。フェントンは、ひとりつぶやいた。「あいつはおれを信じてくれない——決して信じてくれないだろう」やがて信号が青に変わり、車が勢いよく走りだすと、彼は叫んだ。「そうだ、なにもかも白状してしまおう。もちろん、おれはあの女の愛人だったんだ。あの子はおれの子だ。おれは今晩あの家を出るときに、ガスの栓をひねったんだ。おれがふたりを殺したんだ。スコットランドへ着いたら、妻も殺すつもりだった。白状したい……おれがやったんだ……おれがやったんだ……おれがやったんだ」

青いレンズ

The Blue Lenses

きょうは包帯をとり、青いレンズをはめる日だ。マーダ・ウェストは両眼へ手をもっていき、その手を伸縮包帯に、何枚も重ねてある脱脂綿にあてた。ついに忍耐が報いられるのだ。手術以来、いつしか日がたって何週間かになり、彼女はずっと臥《ふ》せっていたが、肉体的な不快はなく、ただ、ゆえ知らぬ暗黒感と、まわりの世界と生活が自分を置きざりにして通り過ぎてしまったという空しい感じがあるだけだった。最初の数日は痛みがあったが、それも薬のおかげでやわらげられた。やがて痛みも薄らぎ、消えた。すると、ぐったりした疲労感に襲われた。ショックの反応だ、と言わ

れた。手術そのものは成功だった。確約――百パーセントの成功。

「以前よりはっきり見えるようになりますよ」と、外科医は彼女に言った。

「でも、どうしておわかりになりますの？」細い信頼の糸を強くしたくて、彼女は熱をこめてたずねた。

「麻酔がきいているあいだに、あなたの目をしらべてみてわかったんですよ。それから、二度めに麻酔をかけたときに、もう一度。嘘なんか申しませんよ、ウェストさん」

日に一、二度、こうして元気づけられる。何週間かたつ。彼女は心を鋼《はがね》のようにして辛抱しなければならぬ。おそらく二十四時間ごとに一回だけ、彼女はこのことを口にする。それも、わなをかけるように、不意打ちをくらわせるのだ。「そのバラをお捨てにならないで。見たいから」と、彼女は言う。すると、昼勤の看護婦は不意打ちをくらって、思わず口にしてしまうのだ。「見えるようになるまでには、枯れてしまいま

すよ」ということは、つまり、今週も見えないということだ。

　実際の日付を言われたことは一度もない。「今月の十四日に目が見えるようになりますよ」などと言ってくれるひとはひとりもいない。かくして、ごまかしがつづき、彼女は気にかけず、喜んで待つようなふりをする。夫のジムでさえも、今では病院側の人間の部類に入れられ、もはや腹心の人間とは思えない。

　かつて、ずっと前には、不安や懸念はことごとくみとめ、分けあったことがあった。それは手術前のこと。そのころは、苦痛と盲目が心配で、彼女は夫にすがりつき、どうすることもできない、身障者になってしまった自分を思いえがいて、「二度と目が見えなくなったら、どうしましょう？　あたしはどうなるんでしょう？」そう言ったものだった。すると、彼女に劣らず不安に駆られているジムは、こう答えたものだった。「どんなことになろうと、いっしょに切り抜けよう」

　今は、目が見えないために神経過敏になっていることはたしかだったが、なぜか彼女は、目のことを夫と論じ合う気にはなれなかった。彼の手の感触は以前と変わらなかった。接吻も、声のあたたか味も。だが、目が見えるようになる日をこうして待っているあいだ、夫が病院の職員とおなじように親切すぎるということを、彼女は不安に思いはじめていた。聞かせてはならない者にたいする、知っている者の親切さ。だから、夕方の回診のとき、「あしたレンズをはめます」と外科医に言われたときには、喜びよりも驚きのほうが大きかった。彼女はなにも言えなかった。お礼を言おうとしたときには、医者はもう部屋にはいなかった。いよいよ実現するのだ。長い苦痛が終わるのだ。昼勤の看護婦が帰る前に、彼女は最後にちょっとさぐりを入れてみた――「いずれは慣れるでしょうけど、最初はちょっと痛むんでしょうね？」――事実を述べるように、さりげなく質問したのだが、うんざりするほど長いあいだ彼女を看護してきた女の声が答えた。「はめているかどうか、わからなくなりますわ、ウェストさん」

　穏やかな、感じのいい声、枕の直しかた、患者の口へグラスをもっていく手つき、それを使ってあらってくれるモーニー・フレンチ・ファーン石鹸のにおいがかすかにする手、こうしたものが自信をあたえてくれる。この女《ひと》が嘘なんかつくわけがない。

「あした、あなたが見えるようになるのね」と、マーダ・ウェストは言った。すると看護婦が、廊下にいても聞こえるような陽気な笑い声を立てて答えた。「ええ、わたしが最初のショックをあたえますわ、きっと」

　この私立病院にはいったときの記憶がもう薄らいでしまったのは不思議だ。彼女を迎え入れた職員はぼんやりした影となり、彼女にあてがわれた部屋、彼女が今なお横たわっている部屋は、もっぱら罠に陥れるために作られた木の箱のようだ。二度てきぱきと能率よく診察し、すぐ手術するようにすすめた外科医でさえも、どちらかといえば声だけの存在だ。彼は命令をくだす。その命令どおり事が行なわれる。この渡り鳥と、数週間前わたしに任せなさいといった人物、生命ある彼女の目の膜と組織に奇跡を行なった人物とを結びつけることはむずかしかった。

「興奮なさっていませんか」――夜勤の看護婦の低い穏やかな声。この看護婦は、彼女の耐えてきたことを、他のだれよりもよく理解してくれている。昼間はブランド看護婦が昼間の明るさをにじみ出させる。日光の人、みずみずしい花を咲かせ、客をとおす女だ。彼女が説明する外界の天気は、彼女自身がつくり出したもののようだった。「焼けつくような日ですわ」彼女はそう言って、窓をぱっとあけはなつ。すると彼女の患者は、冷たい制服、のりのきいた帽子を思い浮かべる。そうすると、さしとおすような暑さが和らぐような気がするのだ。あるいは、降りつづく雨の音を聞き、それに伴うかすかな冷気を感じる。「植木屋さんは喜ぶかもしれないけど、川遊びはおじゃんね」

　食事も、このうえなくまずい昼食も、いかにもごちそうであるかのように彼女はすすめる。「かれいのバタ焼きはいかが?」すすまない食欲をかき立てようとして、彼女は愛想よくすすめる。すると、出された焼き魚は、まずくても食べなければならぬ。食べないと、せっかくすすめてくれたブランド看護婦を失望させるように思えるからだ。「リンゴのフリッター——二つは食べられますわよ、きっと」すると舌が、フレークのようにかりかりした、甘い、想像上のリンゴをころがしはじめる。ところが実際は、味のない、革のような代物《しろもの》なのだ。で、彼女の陽気な楽天主義は不満に耐えられない——「ほっといて。なにも欲しくないわ」そう言う勇気が出ない。不平を言うのは失礼だろう。

夜は慰めとアンセル看護婦とをもたらす。彼女は勇気を求めたりはしない。初めのうち、痛みのつづいていたあいだ、薬をくれたのはこのアンセル看護婦だった。乱れた枕を直してくれ、かわき切ったくちびるにグラスをもってきてくれたのも彼女だった。それから幾週間、穏やかな声と静かな励まし。「痛みはもうじきとれます。今が峠ですわ」夜、患者はベルを押しさえすればいい。すぐアンセル看護婦が枕もとにとんできてくれる。「おやすみになれませんの? つらいでしょう、よくわかりますわ。薬を二グレン半さしあげますわ。夜がそんなに長く感じないですむでしょう」

同情のこもった、なめらかな、耳ざわりのよいその声。想像力は、強制的な安静と怠惰から、とりとめもない光景を描きだす——病院でない世界にアンセル看護婦といっしょにいる光景——三人で外国へ旅行に出たところ、ジムはだれとも知らぬ男の友達とゴルフをしている、マーダはアンセル看護婦とぶらぶら歩きまわっている。彼女のすることはなにもかも非のうちどころがない。うるさいことは決してしない。夜のあいだのささやかな親密さが、朝になるとともに消える看護婦と患者のあいだに絆《きずな》をつくりあげた。朝八時五分前に勤めを終えて帰るとき、「では、今晩また」と、彼女はささやく。そのささやきは期待をいだかせる。その晩の八時があいびきの約束でもあるように。

アンセル看護婦は苦情を理解してくれる。

「とても長い一日でしたわ」と、マーダ・ウェストがうんざりしたように言うと、「あら、そうでしたの？」彼女の返事は、彼女にとってもその一日は長く、寄宿舎で眠ろうとしたが眠れなかったこと、てきぱき動きまわりたいことなどをほのめかしていた。

彼女は晩の客の来着を告げる。ひそかに思いやりをこめた口調で。「お待ちかねのかたがお見えになりましたわ、いつもよりすこし早く」十年間つれそった夫ではなく、魔法の庭で花をつみ、その花束をバルコニーへもってくる叙情詩人の恋人がやってきたような口調。「まあ、なんてすばらしい百合《ゆり》なんでしょう！」なかばささやきのような、なかばため息のような叫び。美しいエキゾチックな花が天までのび、アンセル看護婦が小さな尼僧と化してひざまずいているところを、マーダ・ウェストは想像する。それから、はにかんだ声がささやく。

「こんばんは、ウェストさん。奥さんがお待ちかねですわ」そっとドアをしめる音、百合をもってつま先立ちで出て行く音、ほとんど音を立てないでもどってくる音、そして、花のにおいが部屋いっぱいにひろがる。

退院しても、最初の一週間は夜勤の看護婦につきそっていてもらおうと、マーダ・ウェストが最初はアンセル看護婦に、それから夫に話したのは、たしか入院生活五週めのことだった。アンセル看護婦の休暇と合わせるようにして。一週間だけ。退院後の生活に慣れるまで。

「わたくしに？」声に遠慮がこもっている。だが、頼もしさも。

「ぜひきていただきたいの。初めは大変でしょうけど」患者は、自分の口にした大変という言葉の意味もわからずに、新しいレンズをはめてもらっても相変わらず無力なものと観念し、現在までアンセル看護婦だけが与えてくれる保護と自信を求めているのだ。「ジム、あなたはどうお思いになる？」

夫の反応は驚きと甘やかしの中間。妻が看護婦を自由にできると考えていることに対する驚き。病気の女の気まぐれだから仕方がないといった甘やかし。少なくとも、マーダ・ウェストにはそう思われた。夫が帰ったあと、彼女は夜勤の看護婦に言った。「主人がいい考えだと思っているのかどうか、わからないわ」

それに対する返事は、静かだが、しっかりしたものだった。「ご心配なさることはありませんわ、ご主人はあきらめていらっしゃいますわ」

あきらめているって、何を？　生活が変わることを？　三人がテーブルをかこむようになることを、その会話を、献身的に女主人の世話をして給料をもらう客を？（最後のことは口にすべきではない。一週間たったら封筒に入れて体裁よくそっと渡すべきだ）

「興奮なさっていませんか」枕もとにいるアンセル看護婦が包帯に手を触れる。あたたかい声。数時間後には見えるようになるのだという確信をいだかせてくれる。つきまとっていた成功への懸念が消える。手術は失敗ではなかったのだ。あした、視力をとりもどせるのだ。

「なんだか、うちに帰ったような気持ちだわ。世の中がどんなふうに見えるか、忘れてしまったわ」と、マーダ・ウェストは言った。

「すばらしい世の中ですわ」アンセル看護婦がささやき声で言う。「入院なさってから、だいぶたちますわね」

思いやりのこもった手は、ここ何週間も包帯を巻くことを主張してきた人びとに対する非難を表わしている。アンセル看護婦が実権をもち、手を振っていたら、もっとわがままが許されたかもしれない。

「妙ですわね」とマーダ・ウェストは言った。「あしたになると、あなたがもう声だけの存在ではなくなるなんて。あなたは人間になるのね」

「じゃあ、今は人間じゃあないんですの？」

軽くからかうような、非難するような口調、患者にとっては慰めになる、ふたりのあいだの伝達様式なのだ。視力が回復すると、これも過去のものとなってしまうだろう。

「もちろん、人間だわ。でも、ちょっと違うわ」

「どうしてだかわかりませんわ」

ブルーネットで小柄だということを知っていても——アンセル看護婦が自分の特徴をそう話してくれた——マーダ・ウェストは最初の出会いの驚きを覚悟しなければならない。頭のかしぎ、目じりの上がり、大きすぎる口、多すぎる歯といったような、思いがけないものに対する驚きを。

「さわってごらんなさいよ……」アンセル看護婦は患者の手をとり、自分の顔をなでさせる。これが初めてではない。患者はちょっと当惑する。これはいわば降服だ。手が生捕《いけど》りになる。マーダ・ウェストは手をひっこめ、笑い声を上げる。「なんにもわからないわ」

「じゃあ、おやすみなさい。すぐにあしたになりますわ」そう言って、ベルと就寝前の飲み薬と錠剤をいつものように枕もとに置いてくれる。それから、おだやかな声で、「おやすみなさい、ウェストさん。ご用があったら、ベルを鳴らしてください」

「ありがとう。おやすみなさい」

ドアがしまり、彼女が行ってしまうと、いつもかすかな喪失感と孤独感、それに、嫉妬の感情に襲われる。こうした情けをかけてもらい、痛むときベルを鳴らす患者がほかにもいるからだ。マーダ・ウェストは目がさめると——二時、三時ごろのことがしばしばだが——家でひとりで寝ている夫のジムの姿を思い浮かべることはもはやなく、だれかのベッドの横に腰をおろし、慰めようと身をかがめているアンセル看護婦のことを思い浮かべるのだ。すると彼女はベルに手をのばし、親指を押しあてる。そしてドアがあくと、こう言うのだ。「居眠りをしてらっしゃったの？」

「勤務時間中は眠りゃしませんわ」

彼女は廊下の中ほどにある詰め所に腰をおろし、お茶を飲んだり、カルテに詳細な図を書き込んだりしているのだ。あるいは、現在マーダ・ウェストの横に立っているように、患者の横に立っているのだ。

「ハンカチが見つからないのよ」

「ここにありますわ。いつも枕の下に置いてありますわ」

肩をぽんとたたく（細心な心づかいだ）。もうちょっといてやろうとしてしばらく話す。それから彼女は、ほかのベル、ほかの要求にこたえるために行ってしまう。

「天気に文句をつけるわけにはいきませんわ！」朝である。ブランド看護婦が早朝の微風のようにはいってきて、晴雨計にぴったり手をあてる。「大事件の用意はできまして？」と、彼女はたずねる。「移動して、ご主人を迎えるために、いちばんきれいな寝巻きを着なくちゃいけませんわね」

手術。今度も前と同じ部屋だけれど、担架にのせられて運ばれるのではなく、外科医とブランド看護婦の器用な手にみちびかれる。まず伸縮包帯、ついで包帯とガーゼがとられ、かすかにちくりとする麻酔の注射。それから、医者が彼女のまぶたになにかをする。ぜんぜん痛みは感じない。なにをされても、包帯のしてあった個所に氷が滑るようなひやりとした感じ。だが、気持ちがいい。

「失望しないでください」と医師が言った。「はじめの一時間ぐらいは、ものの区別がつかないでしょうけど。なにもかもぼんやり見えます。しかし、そのうちにだんだんはっきりしてきます。そのあいだ、静かに横になっていてください」

「わかりました。動かないようにしますわ」

待ちに待った瞬間は、あまり突然やってきてはならない。これで筋が通る。まぶたのなかにはめ込まれた暗色のレンズは、最初の数日間、かりにはめ込まれているだけ。数日たったらはずされ、ほかのレンズがはめ込まれるのだ。

「どの程度見えるんでしょう？」思い切ってたずねてみる。

「なんでも見えます。しかし、すぐには色は見えません。晴れた日にサングラスをかけているようなものです。気持ちがいいものですよ」

医師の快活な笑いが自信を与えてくれる。彼とブランド看護婦が病室から出て行ってしまうと、彼女はふたたび横になり、たとえレンズによって弱められ、和らげられていようとも、霧が晴れ、夏の日が目にとびこんでくるのを待った。

少しずつ霧が薄れていった。最初目にはいったのは、かどばったもの――衣装だんすだった。次は椅子。それから、頭をうごかすと、窓の輪郭、窓台にのっている花瓶、ジムがもってきてくれた花がだんだん見えてきた。通りから聞こえてくる物音がそれらの形と溶け合い、刺激が強いと思われたものが、今は調和がとれてきた。彼女は考えた。「泣くことができるのかしら？　レンズで涙が出ないんじゃないかしら？」だが、視力が回復した喜びと同時に、涙が出てきた。なにも恥ずかしがることはない――一粒か二粒だ、すぐぬぐいとれる。

すべてがピントが合った。花、洗面器、グラス、検温器、化粧着。驚きと安堵のあまり、よけいなことは考えられなかった。

「嘘じゃなかったわ」と、彼女は思った。「言われたとおりになった。ほんとうだったんだわ」

手ざわりを楽しむことしかできなかった毛布を、今は見ることができた。色は重要ではない。青いレンズによってひきおこされるぼんやりした光が、目に映るものの魅力を高め、和らげてくれる。もののかたちに狂喜している彼女にとっては、色などぜんぜん問題ではないように思えた。色を楽しむ時間はこれから先じゅうぶんある。今は、青い光景の均衡そのものだけが重要だった。見ること、感じること、その二つを混ぜ合わせること。それは長らく彼女から奪われていた世界の再生であり、発見であった。

あわてる必要はないように思われた。小さな部屋をつくづく見まわし、いろいろなことをじっくり考えることは、豊かな、賞味すべき経験だった。部屋を見、部屋を感じ、窓から飛び立ち、向かい側の家々の窓へ心を馳《は》せることだけで、知らぬ間に何時間かたった。

「最初目が見えなくて、のちに視力を回復したら、独房にいる囚人だって慰めを見いだすことができるだろう」彼女はそう思った。

外からブランド看護婦の声が聞こえてきた。頭をめぐらし、ドアのあくのを見まもる。

「どう……幸福になれまして?」

制服を着た人影がミルクのはいったグラスをのせた盆をもって部屋にはいってくるのが見えた。彼女は思わず微笑を浮かべる。しかし、不釣合いなことに、ばかばかしいことに、制帽をかぶった頭はぜんぜん女の頭に見えない。彼女に襲いかかってくるのは、牛……女のからだをした牛だった。ひだ飾りつきの帽子が間隔の広い角《つの》の上にちょこんとのっている。目は大きくてやさしいが、牛の目だ。鼻孔は大きくて濡れている。息をしてそこに立っている様子は、牧場に静かに立ち、満足して無感動に、くる日を送り迎えしている牛そっくりだ。

「ちょっと変な感じがなさいます?」

笑い声は女の笑い声、看護婦の笑い声、ブランド看護婦の笑い声だ。彼女は盆をベッドの横の食器棚の上に置いた。患者はなにも言わない。目をとじ、そして目をあける。看護婦の制服を着た牛がまだそこにいる。

「いかがですか」と、ブランド看護婦が言った。「色の点を除けば、レンズをはめていることなどわからないでしょう」

なによりも時をかせぐ必要がある。患者はミルクのはいったグラスに注意深く手をのばした。そして、ミルクをゆっくりすする。故意に仮面をかぶらなければならない。おそらく、レンズのはめ込みと関連のある実験だろう——どんなふうな働きをするのか、彼女には想像できなかったけれど。このような驚くべきことを口にするのは、たしかに冒険だろうし、同じ手術を受けなければならない、彼女より弱い人々にとっては、まったく残酷というものだろう。

「とてもはっきり見えますわ」彼女はようやく口をひ

らいた。「少なくとも、そんな気がしますわ」

ブランド看護婦は腕組みをして立ち、彼女を見つめている。肩幅の広い、制服を着た人影は、マーダ・ウェストが想像したとおりだ。牛の首がかしぎ、滑稽な帽子のひだ飾りが角の上にちょこんとのっている……仮面であるとしても、頭とからだはどこでつながっているのだろう？

「あまり自信がおありにならないようですのね」と、ブランド看護婦が言った。「失望したなんておっしゃらないでください。精一杯のことはしてあげたんですから」

笑い声はいつものように快活だったが、草を嚙んででもいるのだろうか、顎がゆっくりと左右に動く。

「自信はありますわ」と、患者は答える。「でも、あなたに対してはあまり自信がないの。幻覚かしら？」

「何が幻覚なんですの？」

「あなたの様子……あなたの……顔が」

視力は青いレンズによってそれほどぼんやりとはしていなかったので、彼女は表情が変わるのを見分けることができた。牛の顎ががくりと垂れる。

「まあ、ウェストさんったら！」こんどは心からの笑いではなかった。あきらかに驚いたようである。「わたくし、神さまがお作りになったままですわ。もっと上手に作ってくだされればよかったんでしょうけど」

看護婦――牛――は枕もとから窓のほうへ動き、あらあらしくカーテンを引きあけた。光が部屋に充満する。継ぎ目がはっきりしない。頭とからだが溶け合っている。牛が追いつめられて歯向かってくると、どのように頭をさげるかを、マーダ・ウェストは見た。

「お気にさわるようなことを言うつもりはなかったんです」彼女は言った。「でも、ちょっと変なんです。そのう……」

説明は割愛せざるをえなかった。ドアがあいて、外科医が部屋にはいってきたからである。少なくとも外科医の声であることがわかった。「やあ！　いかがです？」黒いコートとチェックのズボンで、高名な外科医とわかる。だが……あのテリアの頭、ぴんと立った耳、さぐるような好奇のまなざしは？　すぐに吠え立て、しっぽをはげしく振るのではないだろうか？

こんどは患者が笑った。効果はこっけいだった。冗談にちがいない。そうだ、きっとそうなんだ。しかし、なぜわざわざそんなことをするんだろう？　ごまかして、結局どんな得をするというのか？　テリアが牛のほうを振り向くのを見ると、彼女はとつぜん笑いやんだ。両者がお互いに話し合う。声は聞こえない。牛が広すぎる肩をぴくりとすくめた。

「ウェストさんはわたくしたちをからかっていらっしゃるんですのよ」と、彼女は言った。だが、あまり楽しそうな声ではない。

「そりゃいいだろう」外科医が言った。「きらわれちゃ困るがね」

彼は近づいて、患者に手をさしのべ、かがみ込んで患者の目を調べた。彼女はじっと横になっている。彼は仮面をかぶっているのではない。少なくとも彼女には見分けがつかない。耳はぴんと立ち、鋭い鼻は獲物を捜しもとめている。特徴がある。一方の耳は黒く、もう一方の耳は白い。彼がきつねの穴の入口でくんくん鼻を鳴らし、においをかぎとって、仕込まれたとおりに穴にはいってゆくさまを、彼女は想像できた。

「先生のお名前、ジャック・ラッセルにすべきだわ」と彼女は口をすべらした。

「え、なんですって？」

彼はしゃんとしたが、なおもベッドのそばに立っていた。明るい目が鋭くなり、片方の耳がぴんと立つ。

「つまり、そのう」――マーダ・ウェストは言葉を探した――「その名前のほうがぴったりしているように思われるんですの」

彼女はどぎまぎした。ハートレー・ストリートの開業医、エドマンド・グリーヴズ先生――あたしのことをどう思っているかしら？

「ジェイムズ・ラッセルというひとを知っていますよ」と、彼は彼女に言った。「しかし、その人は整形外科医で、骨を折ったり継いだりするんです。わたしはあなたにそんなことをしましたかね？」

はきはきした声だが、ちょっと驚きの響きがこもっている。さっきのブランド看護婦の声のように。彼らの腕前に対する感謝の言葉は、まだ出そうにない。

「いいえ、とんでもありません」患者はあわてて言った。「折れたものなんかなんにもありません。ぜんぜん痛みませんわ。はっきり見えます。だいたいはっきり見えますわ」

「そうでしょう」と、彼は言った。それにつづく笑い声は、短い、鋭い吠え声に似ていた。

「ところで、看護婦さん」と、彼は言葉をつづけた。「患者は無理のないことならなんでもしてよろしい。レンズをはずすこと以外は。注意してくださったでしょうね？」

「注意しようと思っていたところなんですの。そこへ先生がお見えになったので」

グリーヴズ医師はとがったテリアの鼻をマーダ・ウェストに向けた。

「木曜日に来ます、レンズを換えにね。それまで、一日に三回、薬で目を洗います。看護婦さんがやってくれますから、ご自分ではさわらないでください。とりわけ、レンズをいじらないでください。いじった患者がいましたが、その人は失明してしまいましたよ。二度と視力をとりもどせませんでした」

「そんなことをなさったら、当然の報いを受けますよ」テリアはそう言っているようだった。「そんなことはなさらないほうがいい。わたしの歯は鋭いんですぞ」

「わかりました」と、患者はゆっくり言った。しかし、チャンスは失われてしまった。もう説明を求めることはできない。わかってもらえないだろう、と本能が彼女に警告した。テリアが牝牛になにか言っている。指示を与えているのだ。鋭い、断音奏《スタッカート》の文章。それに応じて間抜けそうな頭がうなずく。暑い日にはきっと蝿に悩まされるだろう——それとも、ひだ飾りのついた帽子が蝿を追い払ってくれるかしら。

彼らが戸口に行きかけたとき、患者は最後の試みをした。

「永久レンズはこれと同じなんですの?」と、彼女はたずねた。

「まったく同じです」と、外科医が吠え立てた。「ただ色がついていません。自然の色が見えますすよ。では、木曜日にまた」

彼は行ってしまった。看護婦も行ってしまった。ドアの外のささやき声が聞こえてきた。どんなことが起こったのだろう? ためしにやってみたのだとすれば、すぐ仮面をはずすのではなかろうか。それをつきとめることがなによりも重要であるようにマーダ・ウェストは思った。公平なトリックとはいえない。自信を誤らせるものだ。彼女はそっとベッドから抜け出すと、ドアのところへ行った。外科医がこう言っているのが聞こえた。「一グレン半。彼女はちょっと興奮している。反応だね、もちろん」

彼女は思いきってドアをぱっとあけはなった。彼らは廊下に立っていた。まだ仮面をつけたままだ。彼らは振り返って彼女を見た。テリアのきらきらした鋭い目と牝牛の底深い目に非難のきらめき。患者がのこのこ出てくるのは違法だといわんばかりに。

「何かご用ですか、ウェストさん」と、ブランド看護婦がたずねた。

マーダ・ウェストの視線は彼らを越え、廊下を見わたす。みんな寄ってたかって人をだまそうとしている。ちりとりと帚《ほうき》をもって隣の部屋から出てきた雑役係《メイド》は小さなからだにイタチの頭をのっけている。その反対側から出てきた看護婦は踊りはねる子猫、巻き毛の上に帽子をなまめかしくのせている。その横にいる医者は傲慢なライオン。向かい側のエレベーターから出てきた従業員《ボーター》はいのししの頭をつけている。荷物を運び出し、いのししの重々しいうなり声を発する。

マーダ・ウェストは、はじめて恐怖の鋭い痛みを感じた。あたしがドアをあけることが、どうしてわかったんだろう？　どうしてみんな仮面をつけて廊下に出てきたんだろう、あの看護婦、あの医者、あのメイド、あのポーターは？　恐怖がいくぶん顔にあらわれたにちがいない。牝牛のブランド看護婦が手をつかみ、彼女を部屋に連れもどした。

「大丈夫ですか、ウェストさん」と、ブランド看護婦は心配そうにたずねた。

マーダ・ウェストはゆっくりベッドに上がった。これが陰謀だとすれば、いったいなんのためなんだろう？　ほかの患者たちも同じようにだまされるのだろうか。

「ちょっと疲れたわ」彼女は言った。「眠りたいわ」

「それがいいですわ」ブランド看護婦が言った。「ちょっと興奮していらっしゃるようですね」

彼女は薬量グラスでなにやら調合した。グラスを受け取るマーダ・ウェストの手がふるえた。牝牛に調剤のしかたがはっきりわかるのかしら？　もし間違いでもしたら？

「これ、何ですの」と、彼女はたずねた。

「鎮静剤ですわ」と、牝牛が答えた。

きんぽうげと雛菊。みずみずしい青草。想像力があまりにも強いため、調合されたものに、これら三つの味がした。患者は思わず身震いした。横になると、ブランド看護婦がカーテンを引いた。

「さあ、ゆっくりおやすみなさい。目がさめたとき、ずっと気分がよくなりますわ」鈍重な頭が前へのびる――もうすぐ口をあけて、もーと鳴くだろう。

鎮静剤はすぐに効いた。眠気が患者の四肢にみなぎる。

まもなく平和な闇がやってきた。だが、目がさめたのは、望んでいた正気がやってきたためではなく、子猫が昼食を運んできたためだった。ブランド看護婦の勤務時間は終わっていた。

「いったいどのくらいつづくんですの？」と、マーダ・ウェストはたずねた。トリックに対しては諦めができていた。夢をみないで眠れたおかげで、元気が出、ある程度自信もとりもどせた。それが目の回復に必要なことならば、こちらには測り知れないけれど、彼らなりの理由があってそうしているのならば、諦めるよりほかはない。

「それ、どういう意味ですの、ウェストさん?」と、子猫が微笑を浮かべて訊き返した。口をすぼめた、気まぐれな小動物。話しながら帽子に手をあてる。

「あたしの目に対するテストのことですわ」患者はそう言って、皿の上のゆでた鶏肉をむしる。「さっぱりわけがわかりませんわ。みんないろんな恰好をして。いったいなんのためなんですの?」

子猫はしかつめらしい顔をして——子猫がしかつめらしい顔をするとすれば——彼女をじっと見つめた。

「失礼ですけど、ウェストさん、おっしゃることがよくわかりませんわ。まだよく見えないってブランド看護婦におっしゃいましたか?」

「見えないというわけじゃないんです」マーダ・ウェストは答えた。「とてもよく見えます。椅子は椅子、テーブルはテーブルというふうに。あたし、ゆでた鶏肉を食べますわ。でも、どうしてあなたは子猫のように見えるのかしら、それも、斑《ぶち》の子猫のように?」

おそらく、ぶしつけにきこえるだろう。声に落ちつきを失わずにいることはむずかしかった。看護婦は——マーダ・ウェストはその声を覚えていた、スウィーティング看護婦だ、ぴったりした名前だ——移動式テーブルから一歩あとずさりした。

「お言葉ですけど、あたし、ひっかきゃしませんわ。猫って言われたのはこれがはじめてですわ」

ひっかくとはうまく言ったものだ。鉤爪がすでに出ていた。廊下でライオンにむかってごろごろ喉を鳴らしたかもしれないが、マーダ・ウェストに対しては喉を鳴らしそうになかった。

「うそをついているんじゃありませんわ」と、患者は言った。「ちゃんと見えるんですのよ。あなたは猫、ブランド看護婦さんは牝牛」

今度は計画的な侮辱ときこえたにちがいない。スウィーティング看護婦は口もとにりっぱなひげをはやしている。ひげが逆立った。

「ウェストさん、鶏肉をお上がりになって、次のコースが必要になったらベルを鳴らしてくださいませんか？」

彼女はもったいぶって部屋から出て行った。彼女にしっぽがあるとすれば、グリーヴズ先生のしっぽのように揺れてはいない。怒りでねじくれている。

いや、彼らは仮面をつけているわけがない。子猫の驚きと立腹はほんものなのだ。病院の職員がひとりの患者のために、マーダ・ウェストのためだけに、そんなお芝居をするわけがない――そんなことをするとなると、費用が大変だ。とすると、レンズのせいにちがいない。このレンズには、しろうとの測り知れない性質があって、レンズを通して映った人間を変えてしまうに違いない。

突然、ある考えが浮かんだ。彼女は移動式テーブルをわきへ押しやり、ベッドからおりて、鏡台の前へ行った。鏡に映った顔が本人を睨み返す。黒っぽいレンズが目を隠してはいるが、その顔は少なくとも彼女の顔だ。

「やれやれ」と彼女はひとりごちた。だが、たちまち、例のトリックの考えに引きもどされた。彼女自身の顔はレンズを通しても変わらないようにみえるのだから、やはり陰謀くさい。仮面をつけているという最初の考えは、当たっているのかもしれない。しかし、なぜ？そんなことをして、いったいどんな得があるのだろう？　あたしの気を狂わせようという陰謀でもあるのだろうか。彼女はその考えをすぐに捨て去った――あまりにも現実ばなれのした考えだ。ここは評判のよいロンドンの私立病院だ、お医者さんたちも名のとおった人ばかり。あの外科医は王室のかたの手術をしたこともある。それに、もしあたしを発狂させたければ、あたしを殺したければ、薬のほうが簡単だ。あるいは、麻酔のほうが。手術中に麻酔をかけすぎて、死なせることもできる。医者や医局員が動物の仮面をかぶるなんて、まわりくどい方法をとらないでもすむ。

彼女はさらに証拠をつかもうとした。窓ぎわに立ち、カーテンに身を隠し、通行人を見てみようとした。ところが、そのときは、通りにはだれもいなかった。昼食時で、車の往来もほとんどなかった。そのうち、通りの向こうからタクシーが現われた。遠いので運転手の頭が見えない。彼女は待った。病院からポーターが出てきた。入口の段に立って左右を見る。彼のいのししの頭がはっきり見えた。でも、彼は勘定にはいらない。陰謀の荷担者かもしれないからだ。車が近づいてきた。だが、運転手は見えない……やがて、病院の前にさしかかってスピードをおとし、首をのばしたとき、ずんぐりした蛙の頭と出目が見えた。

彼女は胸が悪くなって、窓をはなれ、ベッドにもどった。食欲がなくなり、鶏肉の残りには手をつけず、皿を押しやった。ベルも鳴らさなかった。しばらくするとドアがあいた。現われたのは子猫ではなかった。イタチの頭をした小柄なメイドだった。

「プラムのタルトかアイスクリームをあがりませんか、奥さん」

マーダ・ウェストは、なかば目をとじ、首を横に振った。イタチは皿をとろうとして、おずおずとすすみ出て言った。「それではチーズはいかがです、そのあとコーヒーでも？」

なんの留め具もなく頭が首にくっついている。天才的な発明家が、からだと溶け合い肌と溶け合う仮面を発明したのでもないかぎり、これが仮面であるはずがない。「コーヒーだけ頼むわ」とマーダ・ウェストは言った。

イタチは姿を消した。もう一度ノックの音がして、今度は子猫が、背を弓なりに曲げ、うぶ毛をなびかせてはいってきた。そして、ひとことも言わずにコーヒーをぽんと置いた。マーダ・ウェストは腹を立てた——腹が立つのは彼女のほうではないか？——そして、つっけんどんに言った。「受け皿にミルクを入れてあげましょうか」

子猫は振り返った。「ウェストさん、冗談は冗談、だれとでも笑えます。でも、無礼は我慢できませんわ」

「にゃーご」と、マーダ・ウェストは言った。

子猫は部屋から出て行った。だれも、イタチでさえも、コーヒー茶碗を片づけにきてくれない。覚えがめでたくないのだ、この患者は。彼女は気にしなかった。病院の医局員がこの戦いに勝つと思っているとしたら、それは大間違いだ。彼女はふたたび窓のところへ行った。二本の杖にすがった初老の鱈《たら》が、いのししの頭をしたポーターに助けられて、待っている車に乗せられている。これは陰謀であるはずがない。彼女に見られていることを知っているはずがないからだ。彼女は電話のところへ行き、夫の会社につないでくれるように交換台に頼んだ。頼んでしまってからすぐに、夫がまだ昼食に出ているかもしれないことに思いあたった。電話は通じ、運よく夫は会社にいた。

「ジム……ジム、あなた」

「なんだい？」

聞きなれた愛する者の声を聞いてほっとする。彼女は受話器を耳にあてたまま、ベッドにあお向けになった。

「あなた、いつおいでになれる？」

「晩にならなきゃ行けないな。きょうは、大変な日なんだ、次から次へと用事ができてね。ところで、どうだい？　万事オーケイかい？」

「そうでもないの」

「それ、どういう意味だい？　見えないのかい？　まさかグリーヴズ先生がヘマをやったんじゃないだろうね？」

身にふりかかったことを、どう説明したらいいだろう？　電話ではたいそうばかげてきこえるだろう。

「いいえ、見えますわ。はっきり見えますわ。ただ……ただ、看護婦さんがみんな動物に見えるの。それにグリーヴズ先生も。先生はフォックス・テリアに見えるの。狐の穴にはいらされるジャック・ラッセルの一匹に」

「いったいぜんたい何の話をしているんだい?」

彼は同時に秘書になにか言っている――別の約束について。声の調子から夫がとても忙しいことがわかった。いちばんまずいときに電話をかけたのだ。「ジャック・ラッセルだなんて、そりゃどういう意味だい?」と、夫はくり返した。

「ううん、なんでもないの。あとで話すわ」

「すまんが、ひどく急いでるんでね。レンズがいけなかったら、だれかに話しなさい。看護婦か婦長にでも」

「ええ、ええ」

彼女は電話を切り、受話器を置いた。それから、ジムがいつか置いていったと思われる雑誌を取り上げた。読んでも目が痛まないことがわかってうれしかった。青いレンズを通してもぜんぜん違って見えない。男や女の写真はいつもと少しも変わったところがない。結婚式の人々、社交界の面々、デビューした俳優、すべていつもと変わらない。違って見えるのは、病院のなかにいる人たちと、通りにいる人たちだけだ。

看護婦長が話しにやってきたのは、午後もずっとおそくなってからだった。服装から看護婦長だとわかった。羊の頭をしている。もう驚きもしなかった。

「気分はよろしいでしょうね、ウェストさん」

穏やかな質問調。羊の鳴き声のような?

「ええ、おかげさまで」

マーダ・ウェストの言い方は慎重だった。婦長を怒らせてはいけない。大がかりな陰謀だとしても、婦長を怒らせないほうがいい。

「レンズはぴったり合っていますか」

「ええ、とても」

「それはようございました。大変な手術でしたよ。よく我慢なさいましたね」

そのとおりだわ、と患者は思った。お世辞を言うがいいわ。どうせゲームの一部なんでしょうから。

「ほんの数日間だけだとグリーヴズ先生がおっしゃい

ましたわ。数日したら永久レンズと換えるそうです」

「ええ、そうおっしゃいました」

「色が見えないでがっかりなさったでしょう？」

「でも、ひと安心ですわ」

　思わず口から滑り出た。看護婦長はドレスのしわをのばした。羊の顎の下にテープなんかつけて、ご自分がどんなふうに見えるかわかりさえしたら、あたしの言う意味がわかるはずだわ。

「ウェストさん……」婦長は不愉快になったらしく、ベッドに横たわっている女から羊の頭をそらした。「ウェストさん、こんなことを申し上げてもお気になさらないでくださいね。うちの看護婦たちは立派に仕事を果たしています。わたくしたちはみな、彼女らを誇りに思っています。ご存知のように、彼女らの労働時間は長い。からかったりしてはいけませんわ、あなたとしては冗談のつもりでしょうけど」

　めー……めー……鳴くがいいわ。マーダ・ウェストはくちびるをきゅっと結んだ。

「スウィーティングさんのことを子猫と呼んだからですの？」

「何と呼んだか知りませんけどね、ウェストさん、彼女はとても苦にしていましたわ。泣きそうになってわたくしの部屋にやってきましたわ」

　それをおっしゃるんなら、「つばを吐いて」じゃありません？　つばを吐いて、ひっかいて。あの小さな手には鉤爪がありそうだわ。

「もう二度といたしません」

　もう言うまいと彼女は決心した。あたしの責任じゃない。ひずんだレンズや、トリックや、偽りなど、あたしは求めやしなかった。

「とても高いものにつくでしょうね」と、彼女は言い添えた。「こうした私立病院を経営するのは」

「そのとおりです」と、婦長は言った。いや、羊は言った。「医局員が優秀で、患者が協力してくださるからこそ出来るのです」

　相手の胸に訴えようとして吐かれた台詞《せりふ》だった。羊でもひらき直ることができる。

「婦長さん」と、マーダ・ウェストは言った。「おたがいに言いのがれはやめましょう。目的はいったい何ですの？」

「目的って、何の目的ですか、ウェストさん」

「そうしたばかな真似、服装のことですわ」とうとう言ってしまった。論証を固めるために、彼女は婦長の帽子を指さした。「なぜそんな妙な変装具をおつけになるんですか。おかしくもなんともない」

ひとときの沈黙。婦長はおしゃべりをつづけようと腰をおろそうとしたが、思い直した。そして、ゆっくりとドアのほうへ向かった。

「わたくしたちセント・ヒルダで養成された者は、このバッジを誇りにしているのです。数日して退院なさったら、もっと寛容の目をもってわたくしたちのことを思い出してください。ウェストさん」

彼女は部屋から出て行った。マーダ・ウェストは投げ出した雑誌を取り上げた。だが、おもしろくなかった。彼女は目をとじた。目をあけ、もう一度目をとじる。もし椅子がキノコに、テーブルが干し草の山になったとしたら、責任はレンズにあるのだ。なぜ人間だけ変わって見えるのだろう？　人間だけどうしたというんだろう？

お茶が運ばれてきたときも、彼女は目をとじたままだった。「お花がとどけられましたよ、ウェストさん」声が快活にそう言ったが、彼女は目をあけようともせず、声の主が部屋から出て行くのを待った。花はカーネーション。ジムの名刺がはさんである。「元気を出して。われわれはそれほど悪くはない」と書いてあった。

彼女は思わずにっこりし、花に顔をうずめた。なにもおかしいところはない。においも別に変わったところはない。カーネーションはカーネーション、よいにおい、優美な花びら。花を活《い》けにきた看護婦の小馬の頭を見ても、彼女はいらいらすることはなかった。どう見ても、ひたいに白星のついている恰好のいい小馬だ。競馬場へ行ったほうが似合うだろう。「ありがとう」そう言ってマーダ・ウェストは微笑を浮かべた。

奇妙な日、時のたつのがおそかった。彼女は、おちつきなく八時を待った。顔と手を洗い、ナイトガウンを換え、髪をとかす。カーテンを引き、枕もとの明かりをつける。妙にいらいらした感じに襲われていた。とても妙な一日だったので、アンセル看護婦のことを一度も考えなかったことに彼女は気づいた。元気づけてくれる魅力的なアンセル看護婦。夜八時になるとやってくるアンセル看護婦。あのひとも陰謀に荷担しているのだろうか。そうだとしたら、あたしは窮地に立たされる。アンセル看護婦は決してうそをつかないだろう。彼女のところへ行って、両手を肩にかけ、それから両手で仮面をとって言おう。「さあ、仮面をお取りになって、あたしをだましちゃいけませんわ」だが、もしレンズだったら、もしレンズのせいだったら、どう説明したらいいだろう。

彼女は鏡台にむかって腰をおろし、顔にクリームを塗っていた。ドアがあいたのに気がつかなかった。聞きなれた声、やさしい穏やかな声が聞こえてきた。

「もっと早くこようと思ったんですけど、勇気が出なかったんですの。ばかだとお思いになるでしょうね」

だんだん姿が見えてくる。長い蛇の頭、からみつくような首、とげのあるとがった舌がチョロチョロと出ては、さっと引っ込む。その姿が肩越しに鏡に映し出される。

マーダ・ウェストはうごかなかった。手だけが機械的にクリームを頬に塗りつづける。蛇は動かない。クリーム、香水、おしろい、それらの瓶を調べようとするかのように、ひっきりなしにからだをくねらせている。

「ふたたびご自分の姿が見えるようになって、どんなお気持ちです？」

アンセル看護婦の声は、頭から出てくるだけに、グロテスクで恐ろしく聞こえる。チョロチョロ出る舌とともにとび出す言葉が行動を麻痺させる。マーダ・ウェストは吐き気がこみ上げてきて、喉が詰まった。突然、肉体的反応に耐えられなくなる。彼女は顔をそむけたが、そのとき、看護婦の両手にしっかりつかまれ、ベッドに連れて行かれた。横になり、口を閉じると、吐き気もおさまった。

「何を飲まされたんですの？　鎮静剤？　あなたのカルテにそう書いてありましたわ」心慰まる穏やかな声だ。理解してくれる者だけが出せる声だ。患者は目をあけない。勇気がないのだ。彼女はベッドに横たわって待つ。

「あまり刺激が強すぎたんですわ」声が言った。「第一日目は静かにしているべきでしたわ。お客さんがあったんですの？」

「いいえ」

「でも、安静にしていらっしゃるべきでしたわ。お顔の色がとてもお悪いですわ。こんなではご主人に面会していただくわけにはいきませんわ。おいでにならないようにご主人にお電話しましょうか」

「いやですわ……お願い、あたし主人に会いたいの、どうしても会いたいの」

不安になり、彼女は思わず目をあけたが、目をあけるやいなや、またしても吐き気に襲われた。前よりも長い蛇の頭が看護婦の襟からぬるりと出ていたからだ。はじめて彼女は、帽子に隠されている針の頭を見た。叫び声をおさえようとして口に手をあてる。

心配そうな声がアンセル看護婦の口から出た。

「何のせいかしら、吐き気がするのは。鎮静剤のせいじゃありませんわ。前に何度もお飲みになったことがあるし。今晩の夕食は何でしたの？」

「蒸したお魚、あたしおなかがすいていませんでしたわ」

「新鮮だったのかしら。だれか不平を訴えた者があるかどうか訊いてまいりましょう。それまで、静かにお休みになっていらしてください。興奮なさらないように」

ドアが静かにひらかれ、そしてしまった。マーダ・

ウェストは言いつけを守らず、ベッドから抜け出し、最初に目にした武器、爪切り鋏をつかんだ。それから、ベッドにもどった。心臓が早鐘のように打っている。鋏をシーツの下に隠す。感情があまりにも激変した。蛇が近づいてきたら、身を守らねばならぬ。彼女は確信した——事態は現実に起こっているのだ。ある凶悪な力が、この病院とその住人、婦長、看護婦、外勤医師、外科医を取り巻いているのだ——彼らはみなそのなかに捕えられ、測り知れぬ目的をもった途方もない大犯罪の共謀者なのだ。ここアパー・クルトリング・ストリートで凶悪な陰謀がくわだてられており、彼女マーダ・ウェストはねらわれているのだ。なんらかの方法で彼らは彼女を道具に使うことだろう。

確かなことが一つあった。疑っていることを彼らに気《け》どられてはならぬ。これまでとおなじようにアンセル看護婦にたいして振る舞うようにしなければならぬ。一つ間違えば終わりだ。よくなったふりをしなければならぬ。吐き気に打ち負かされたら、アンセル看護婦が蛇の頭とチョロチョロした舌をもってのしかかってくるかもしれない。

ドアがあき、アンセル看護婦がもどってきた。マーダ・ウェストはシーツの下で両の手をかたく握った。それから、無理に微笑を浮かべた。

「あたしって、なんて厄介者なんでしょう。めまいがしましたけど、もうよくなりましたわ」

ぬるぬるした蛇は瓶を手にしていた。洗面台のところへやってきて、薬量グラスを取り上げ、三滴つぐ。「これできっとおさまりますわ、ウェストさん」と、彼女は言った。恐怖がまたしても患者を捕えた。まぎれもなく脅迫の言葉だったからである。「これできっとおさまりますわ」——何がおさまるというんだろう？　最後の仕上げができるというのだろうか？　その液体は無色。だが、それにはなんの意味もない。彼女は手渡された薬量グラスを受け取り、口実をこしらえた。

「その引き出しのなかからきれいなハンカチを出して

くださいません？」

「はい」

蛇は頭をそらした。そのすきに、マーダ・ウェストはグラスの中身を床にこぼした。それから、すくみあがり、不愉快な思いで、のたうつ頭が鏡台の引き出しのなかをのぞき込み、ハンカチを探し、持ってくるさまを見まもった。蛇がベッドに近づくと、マーダ・ウェストは息を殺した。その首は最初会ったとき滑らかな地蛍《つちぼたる》の首のようにみえたが、実はジグザグのうろこに覆われていることに、このとき彼女は気づいた。妙なことに、看護婦の帽子が似合わなくはなかった。子猫、羊、牝牛の帽子のように不釣合にのっかっているのではない。彼女はハンカチを受け取った。

「いやですわ、そんなにじろじろごらんになっちゃ」と声が言った。「わたくしの心の中を読もうというんですの？」

マーダ・ウェストは返事をしない。質問にわなが仕掛けてあるかもしれないからだ。

「ねえ」と、声はつづけた。「がっかりなさいました？　わたくしの顔、予想なさっていたとおりですか」

これもわなだ。気をつけなければいけない。「そうだと思いますわ」と、彼女はゆっくり言った。「でも、帽子をかぶってらしては、よくわからないわ。髪の毛が見えませんもの」

アンセル看護婦は笑った。目が見えないあいだはとても魅力的に聞こえた、低い、穏やかな笑い声。手を上げると、たちまち、蛇の頭がすっかりあらわれた。平べったい、幅の広い頭。隠しても隠しおおせぬV字形の蛇の頭。「お気に入りまして？」と、彼女はたずねた。

マーダ・ウェストは縮みあがって枕に身をもたせかけた。だが、ふたたび無理に微笑を浮かべると言った。

「ええ、とてもきれい」

帽子がもとへもどされ、長い首がのたうつ。蛇はだまされて、患者の手から薬量グラスを取り、洗面台の上に置いた。なにも知らないのだ。

「ごいっしょにお宅へうかがうときには」と、アンセル看護婦は言った。「制服を着る必要はありませんわ――着てほしくなければ。あなたはプライベートな患者、そのあいだ、わたくしはあなたのプライベートな看護婦なんですもの」

マーダ・ウェストは突然寒気に襲われた。この日の混乱であの計画を忘れていたのだった。アンセル看護婦が一週間付き添うことになっている。それはすっかりきまったこと。肝心なのは恐怖をおもてにあらわさないことだ。変わったところを見せてはならぬ。ジムがやってきたら、すっかり話して聞かせよう。ジムに蛇の頭が見えなければ――レンズのために、ありもしないものが見えるのだとすれば、ジムには見えないということもありうる――説明できないほど深い理由から彼女がもはやアンセル看護婦を信頼しておらず、家に来てもらいたくないということが、ジムにもわかるはずだ。計画を変更しなければならぬ。だれにも面倒をみてもらいたくない。夫といっしょに家に帰りたいだけだ。

枕もとのテーブルの上の電話が鳴った。救いの手でもつかむように、マーダ・ウェストは受話器をつかんだ。夫からだった。

「おそくなってすまん。これからタクシーにとび乗って、すぐ行くよ。弁護士が来てたもんでね」

「弁護士？」と、彼女は訊き返した。

「うん、フォーブズ・アンド・ミルウォール弁護士事務所のさ。信託資金の件でね」

彼女は忘れていた。手術の前に金融上の問題がたくさんあったのだ。例によって、相容れない忠告。そして、とうとうジムは、問題を全部フォーブズ・アンド・ミルウォール弁護士事務所の手に任せたのだった。

「まあ、そうでしたの。うまくいきました？」

「まあね。そっちへ行ったら話すよ」

そこで電話が切れた。目を上げると、蛇がこちらを見つめている。マーダ・ウェストは思った――あんたは電話の話を聞きたいのね、きっと。

「ご主人がおいでになっても、あまり興奮なさらないでくださいね」アンセル看護婦はドアに手をあてて立っている。

「興奮なんかしてませんわ。ただ、無性に主人に会いたいだけですわ」

「お顔がとても赤いですわよ」

「部屋があたたかいせいよ」

のたくる首が上に伸び、それから窓のほうを向いた。はじめてマーダ・ウェストは、蛇もしんから落ちついてはいないのだという印象を受けた。蛇は緊張に感づいていた。看護婦と患者のあいだの空気が変わっていることを知っていた。知らざるをえなかったのだ。

「窓の上のほうをちょっとあけましょう」

もしあんたの全身が蛇だったら、窓から追い出すこともできるのだが、と患者は思った。それとも、あたしの首に巻きついて、あたしを締め殺す気なの？

窓がひらかれた。感謝の言葉を期待してか、蛇は一瞬足をとめ、ベッドの端のところをうろついた。それから首が襟にしっかりとすわり、舌がすばやく出たり引っ込んだりした。アンセル看護婦はすべるようにして部屋から出て行った。

マーダ・ウェストは、通りにタクシーの音がきこえてくるのを待った。病院に泊まってもらうようにジムを説得できるかしら。不安、恐怖を説明すれば、きっとわかってもらえるだろう。ジム自身がおかしいことに感づいたかどうか、彼女にはすぐにわかるはずだ。ベルを鳴らし、口実を見つけてアンセル看護婦になにかたずねてみよう。そうすれば、表情から、声の調子から、あたしに見えるものが夫にも見えるかどうかがわかるだろう。

ようやくタクシーがやってきた。スピードを落とす音がきこえ、ドアがぴしゃりとしまり、ありがたいことに、ジムの声が通りに響いた。タクシーが走り去った。ジムはエレベーターで上がってくるだろう。心臓がどきどきしはじめる。彼女はドアを見つめた。ドアの外に彼の足音がきこえ、それからふたたび彼の声――蛇になにか言っているにちがいない。彼にあの頭が見えたかどうか、すぐにわかるだろう。自分の目が信じられず、びっくりして部屋にはいってくるか、冗談だよ、パントマイムだよと言って笑いながらはいってくるか、どちらかだ。どうしてさっさとはいってこないんだろう？　どうしてあんなところにぐずぐずして声をひそめて話しているんだろう？

ドアがあき、見なれたこうもり傘と山高帽がまず現われ、それから、あのたくましいからだが……大変だ……大変だ……ジムじゃない、ジムじゃない、無理やり仮面をつけさせられ、悪魔の仲間入りをさせられている……ジムは禿鷹の頭をしていた。まがいようもない。じっと考え込んだような目、血のついたくちばし、だぶだぶした肉のひだ。彼女が恐怖と吐き気に襲われ、言葉もなく横たわっていると、彼は隅にこうもり傘を立て、山高帽とたたんだオーバーを置いた。

「あまり元気じゃないようだね」そう言うと禿鷹の頭をくるりとまわして、彼女を見つめた。「ちょっと気分が悪いそうじゃないか。長居はしないよ。一晩ゆっくりやすめば、よくなるだろうからね」

彼女は恐怖にしびれ、返事ができなかった。じっと横たわっていると、彼が近づいてきて、キスしようとして身をかがめた。禿鷹のくちばしは鋭かった。

「反応だとアンセル看護婦が言っているよ」と、彼は言葉をつづけて、「急に目が見えるようになったショックだそうだ。退院すればずっとよくなるだろうと言っている」

アンセル看護婦が付き添う……あの計画はまだ解消していないのだ。

「アンセル看護婦にうちへ来てもらいたくないわ」と、彼女は力なく言った。

「アンセル看護婦に来てもらいたくないって？」彼はびっくりしたようだった。「でも、それを言い出したのはおまえじゃないか。いまさら変えるわけにはいかないよ」

それに答えるひまはなかった。ベルを鳴らさないのに、当のアンセル看護婦が部屋にはいってきたからだ。「コーヒーはいかがですか、ウェストさん」と、彼女は言った。これは毎晩の慣例。だが今夜はちょっと変だった。ドアの外で打ち合わせてあったみたい。

「ありがとう、看護婦さん。いただきます。それはそうと、うちへおいでにならないというのはどういうわけなんです?」禿鷹は蛇のほうを向いた。蛇の頭がのたくった。マーダ・ウェストは、チョロチョロ舌を出している蛇と、頭を肩のあいだに引っ込めている禿鷹とを見やりながら、アンセル看護婦に来てもらうという計画は自分がたてたのではないことを思い出した。それを言い出したのは当のアンセル看護婦なのだ。回復期に付添いが必要だと言ったのはアンセル看護婦なのだ。笑ったり冗談を言ったりしてジムが夜を過ごしたあと、その話が持ち出されたのだ。目を包帯されていたマーダ・ウェストはその話を聞いていた。夫の声を聞いているのがうれしかった。今、そのV字形の頭が看護婦帽に隠されている滑らかな蛇を見て、なぜアンセル看護婦がうちへ来て面倒をみたいのかが彼女にはわかった。なぜジムが反対しなかったのか、なぜそいつはいいと言ってその計画をすぐに受け入れたのかも。

禿鷹が血まみれのくちばしをあけた。「まさか喧嘩をしたんじゃないでしょうね?」

「とんでもない」蛇は首をねじり、禿鷹を横目で見て言い添えた。「奥さんは今晩ちょっと疲れていらっしゃるんですよ。つらかったでしょう、きょう一日?」

何と答えるのがいちばんいいだろう? どちらにも知られてはいけない。禿鷹にも、蛇にも、彼女を取り囲んでいる頭布をかぶったどの動物にも気《け》どられてはいけない、知られてはいけない。

「大丈夫ですわ」彼女は言った。「ちょっとくしゃくしゃしているだけ。アンセルさんがおっしゃったように、朝になればよくなりますわ」

ふたりは黙ったまま意志を通じ合った。ふたりのあいだには共感があるのだ。それがなにより恐ろしいことに彼女は気づいた。動物、鳥、爬虫類は話をする必要がないのだ。身動きし、視線を交わす、それで意志が通じ合うのだ。でも、彼らはあたしを殺しはしないだろう。ひどい恐怖に駆られてはいるが、あたしには生きる意志があるのだ。

「これらの書類でおまえを悩ますのはやめよう」禿鷹が言った。「そう急ぐわけでもないんだから。退院してからサインしてもらうことにしよう」

「何の書類なんですの?」

目をそらしていれば、禿鷹の頭を見ないですむ。声はジムの声。しっかりした、元気づけるような声。

「フォーブズ・アンド・ミルウォールがくれた信託資金の書類だよ。わたしに資金の共同ディレクターになったらどうかと言ってきたんだ」

その言葉は、胸奥の琴線に、手術前の記憶の糸に触れた。目になんらかの関係がある。もし手術が成功しなかったら、署名するのは困難だろう。

「なぜ?」と、彼女は訊き返した。声がうわずっている。「どっちみち、あたしのお金でしょ?」

彼は笑った。声のするほうを向くと、くちばしがあくのが見える。くちばしはわにみたいに大きくひらかれ、そしてふたたびとじられる。

「そりゃそうだよ」彼は言った。「だが、問題はそんなことじゃないんだ。おまえが病気をしたり留守だったりしたとき、わたしが代わって署名できるということなのさ」

マーダ・ウェストは蛇を見やった。蛇は気がついて首を縮め、足を忍ばせてドアのほうへ向かった。「あまり長居はなさらないでください、ウェストさん」アンセル看護婦はささやいた。「奥さんは今晩、ゆっくりおやすみにならなければいけませんから」

彼女はすべるようにして部屋から出て行き、マーダ・ウェストは夫とふたりだけになった。禿鷹と。

「あたし、もう留守にしたり、病気になったりしませんわ」

「そう願いたいね。しかし、問題はそんなことじゃないんだ。保証が必要なんだよ、彼らは。ま、今は、こいつでおまえを退屈させるのはよそう」

ことさらさりげない声を出しているのだろうか。書類をオーバーのポケットにねじ込んでいるあの手は、鉤爪なのだろうか。ありうることだ。きたるべき恐怖。人びとのからだが変化し、手足はあるいは翼となり、あるいは鉤爪となり、あるいはひづめとなり、人間らしさが完全に消失してしまう。最後に残るのは人間の声。人間の声が消失してしまったら、絶望だ。周囲はジャングルと化し、幾百にものぼる喉から、おびただしい叫びや鳴き声が発せられることだろう。

「アンセル看護婦に来てもらいたくないっていうのは、本気なのかね?」と、ジムがたずねた。

禿鷹が爪をとぐのを彼女は静かに見まもった。彼はやすりをポケットに入れて持ち歩いているのだ。これまで一度も考えたことがなかったが——やすりは万年筆やパイプ同様、ジムの一部なのだ。だが今は、これにはわけがある。禿鷹は餌食を引き裂くために鋭い爪が必要なのだ。

「目が見えるようになったんだから、看護婦さんにうちへ来てもらうなんて、ばからしく思えたの」

彼はすぐには返事をしない。頭が肩のあいだに深く沈む。その黒い背広は、巣についている大きな鳥の羽毛のよう。「実に重宝だと思うんだがなあ。最初のうちはおまえもふらふらするだろうから、計画を変えないほうがいいと思うんだがねえ。もしうまくいかなかったら、いつでも追い出せるしね」

「そりゃそうでしょうね」

彼女は信頼できる人間が残っているかどうか考えようとしていた。家族の者はちりぢりになってしまっている。結婚した兄は南アフリカへ行ってしまっているし、ロンドンにはそれほど親しい友達はいない。看護婦が蛇になり夫が禿鷹になってしまったということを話せるくらい親しい友達はいないのだ。絶望的な立場——地獄に落ちたも同然だ。まさに地獄だ。まったくのひとりぼっち。周囲の憎悪と無残な仕打ちが痛いほどよくわかる。

「今夜はどうなさるの?」と、彼女はそっとたずねた。

「クラブで食事をすることになるだろう、たぶん。そろそろ飽きてきたよ。ありがたいことに、あと二日の辛抱だ。そうすればおまえも退院だからね」

たしかにそうだ。だが、退院して家に帰っても、禿鷹や蛇といっしょでは、自由がきかないのではないだろうか。

「木曜日にまちがいないってグリーヴズ先生がおっしゃいまして?」

「今朝電話したら、そう言っていたよ。木曜日になったら、色の見えるレンズに換えるんだそうだ」

からだも見えるレンズ。そう言ったわけ。青いレンズだと頭しか見えない。これが最初のテストなのだ。もちろん、外科医のグリーヴズ先生もこれに荷担している、この陰謀の枢要な地位を占めている――おそらく買収されたのだろう。最初に手術をすすめたのは誰だったっけ? 彼女は思い出そうとした。かかりつけの医者が、ジムと話し合ったあとで、すすめたんだっけ? いっしょにあたしのところへやってきて、目を救うにはこれしか方法がないって言ったのではなかったろうか。陰謀は過去に、何カ月か前に、何年か前に、深く根ざしているにちがいない。しかし、いったい、何のために? 彼女は、自分の人格あるいは正気にたいするこの恐るべき陰謀のきざしとなる顔つきや言葉を思い出そうとして、夢中になって記憶の糸をたぐった。

「かなりやつれているようだね」突然彼が言った。

「アンセル看護婦を呼ぼうか」

「やめて……」泣き声に近かった。

「そろそろ帰ったほうがよさそうだな。長居しないようにって言われたからね」

彼はどっしりした、ぼんやりしたからだを椅子からもち上げた。彼女は目をとじて、おやすみのキスを受けた。「ぐっすりおやすみ、気を楽にして」

恐怖でいっぱいだったにもかかわらず、彼女はわれ知らず彼の手につかみかかった。

「何だね？」と、彼はたずねた。

忘れもしないいつものキスだったならば、元気をとりもどしたろうけれど、禿鷹のくちばし、とがった血まみれのくちばしではだめだった。彼が行ってしまうと、彼女は寝返りをうち、うめき声を立てはじめた。

「どうしたらいいだろう？　どうしたらいいだろう？」

ドアがふたたびあいた。彼女は口を押さえた。泣き声を聞かれてはいけない。泣いているところを見られてはいけない。彼女は全身の力をふりしぼって立ち直った。

「ご気分はいかがですか、ウェストさん」

蛇がベッドのすそのところに立っている。その横に住み込みの内科医師が立っていた。彼女はこの医者が気に入っていた。明るい青年医師。この医者もほかの者と同じように動物の頭をしていたけれど、彼女は恐怖に駆られなかった。犬の頭。アバディーン・テリアの頭。その褐色の目は彼女をじろじろながめまわしているようだった。ずっとむかし、子供のころ、彼女はアバディーン・テリアを飼っていたことがあった。

「先生とふたりだけでお話しできませんかしら？」と、彼女はたずねた。

「結構ですとも。よろしいでしょうね、看護婦さん」

彼はドアのほうへ頭をぐいと動かした。看護婦は出て行った。マーダ・ウェストはベッドに起きあがり、ぐっと手を握り合わせた。

「あたしのこと、とてもばかだとお思いになるでしょうけど」と、彼女は切りだした。「じつはレンズのことなんですけど、慣れることができないんです」

彼、信頼できるアバディーン・テリアは、思いやり深げに頭をぴんと立てて近づいてきた。

「それはお気の毒です。でも、痛くはないんでしょう？」

「ええ、妙な感じはありません。ただ、だれもかれも変に見えるんですの」

「そりゃそうですよ。色が見えないんですからね」その声は快活で、親しさがこもっていた。「長いあいだ包帯をしてらしたので、ちょっとショックを受けるんですよ。それに、ちょっと手荒に扱われたこともお忘れになっちゃいけませんね。目の裏の神経がまだとても弱っているんですよ」

「そうですか」と、彼女は言った。彼の頭も、彼女に自信をあたえてくれる。「以前こうした手術を受けた人をご存知ですか」

「ええ、何十人も知っていますよ。二、三日すれば、すっかりよくなりますよ」彼は彼女の肩をやさしくたたいた。親切な犬。とうのむかし死んでしまったアンガスのような、快活な、感じのいい犬。「それにね」と、彼は言葉をつづけた。「手術しない前よりもよく見えるようになるかもしれませんよ。あらゆる点で、前よりもはっきり見えるようになります。ある患者の話によると、それまでずっとめがねをかけていたような感じだったのが、手術をしたおかげで、友達や家族の者がありのままに見えるようになったことに気がついたそうですよ」

「ありのままに？」と、彼女はおうむ返しに言った。

「そのとおりです。その女の患者はずっと視力がよくなかったんです。夫の髪の毛は茶色だと思っていた。ところが、実際は赤なんです、真っ赤なんです。最初のうちはちょっとショックだった。だが、とても喜びましてね」

アバディーン・テリアはベッドから離れ、聴診器で診察着を軽くたたき、うなずいてみせた。

「グリーヴズ先生がすばらしい手術をしてくださいましたよ。だめになったと思われていた神経を強くすることができたんです。以前、あなたはその神経をお使いになったことがなかった——その神経は働いていなかったんですよ、ウェストさん。ま、ぐっすりおやすみになって、幸運をおつかみください。それでは、あすの朝またお目にかかりましょう。おやすみなさい」

彼は小走りに部屋から出て行った。彼が廊下でアンセル看護婦におやすみの挨拶をしているのが聞こえてきた。

慰めの言葉がにがにがしいものに変わった。ある意味では救いでもあった。彼の説明は彼女にたいする陰謀などないことをほのめかしているように思われたからである。その代わりに、色彩感覚が深まった女患者のように、彼女は視力を与えられたのだ。彼女は医師の使った言葉を真似た——マーダ・ウェストは人びとをありのままに見ることができる。ありのままとは、もっとも愛し信頼していた人びとが実は禿鷹であり、蛇であるということ……。

ドアがあき、アンセル看護婦が鎮静剤をもって部屋にはいってきた。

「おやすみになる用意ができましたね、ウェストさん?」

「ええ、おかげさまで」

陰謀などないのかもしれない。だが、信頼はすっかり失せてしまっていた。

「置いといてください、水といっしょに。あとで飲みますから」

彼女は蛇が枕もとのテーブルの上にグラスを置くのを見まもる。蛇がシーツの端をきちんとくるみ込むのを見まもる。それから、ねじれた首がじっと近づき、看護婦帽の下の目が枕の下に隠してある爪切り鋏をみつける。

「それ、何ですの?」

舌がすばやく出て引っ込む。手が鋏へとのびる。

「怪我をなさるといけませんわ。危ないから、片づけておきましょうね」

彼女の武器の一つがポケットにおさめられる。鏡台の上にもどされたのではない。鋏をポケットに滑り込ませたところをみると、マーダ・ウェストの疑いに感づいたらしい。アンセル看護婦はマーダ・ウェストを無防備状態にしておきたかったのだ。

「では、なにかご用がありましたら、ベルを鳴らして

ください ね」

「ええ」

かつてはやさしいと思われた声が、流暢すぎ、うつろにきこえる。耳というものはなんとあてにならないものだろう、真実の裏切者だ、とマーダ・ウェストはおもった。はじめて彼女は、おのれの潜在力、真実と虚偽を見分け、正と邪を見分ける力に気づいた。

「おやすみなさい、ウェストさん」

「おやすみなさい」

横になったまま目を覚ましていると、枕もとの時計がかちかちと時を刻み、聞きなれた往来の音が通りからきこえてくる。マーダ・ウェストは計画をたてた。十一時まで待とう。十一時といえば、患者がひとり残らず眠ってしまっている時刻だ。彼女は明かりを消した。これで蛇の目をごまかせるだろう、万一ドアののぞき窓からのぞかれても。蛇はあたしが眠っているものと信じ込むことだろう。マーダ・ウェストはそっとベッドからおりた。衣装だんすから服を取り出し、着はじめる。上着を着、靴をはき、頭にスカーフを巻きつける。用意がととのうと、ドアのところへ行き、静かに把手をまわした。廊下はひっそりと静まりかえっている。彼女は身動きもせずそこに立ちつくした。敷居をまたぎ、左のほうを見る。そこには当直の看護婦がすわっている。蛇がいるのだ。蛇はうずくまって本を読んでいる。天井の明かりがその顔を照らし出している。まがいようもなかった。きちんとした制服、のりのきいた白衣、堅そうなカラー。だが、カラーから出ているのはくねくねした蛇の首、長い、平べったい、不吉な頭だ。

マーダ・ウェストは待った。何時間でも待つ覚悟だった。すぐに、待ち望んでいた音がきこえてきた。患者が鳴らしたベルの音。蛇は本から頭をもたげ、壁の赤ランプをしらべた。それから、袖口のボタンをはめ、廊下を滑るようにして病室へ向かった。ノックし、病室にはいる。その姿が消えるやいなや、マーダ・ウェストは部屋を出、階段の頂上へ行った。ひっそりしている。彼女は注意深く耳を澄まし、そっと階段をおりて行った。階段は四つあったが、階段そのものは夜勤の看護婦の詰め所からは見えない。運が彼女に荷担した。

メイン・ホールの明かりはそれほど明るくはなかった。彼女は見られていないという確信がもてるまで階段の下で待った。夜勤のポーターの背中が見えた——机の上にのしかかっているので、頭は見えない——だが、背がのびたとき、幅の広い魚の顔が見えた。彼女はぴくりと肩をすくめた。魚を見て胆をつぶすほど、いじけてはいない。彼女は思いきってホールを歩いて行った。魚は彼女をじっと見つめて、

「なにかご用ですか、奥さん」と、たずねかけてきた。

彼は予想したとおりの間抜けだった。彼女は首を横に振った。

「出かけるんですの。おやすみなさい」そう言って彼女は、彼のわきを通り過ぎ、自在ドアを押して外へ出、石段をおりて通りに出た。彼女は急いで左に曲がり、遠くにタクシーを見つけると、手を上げて呼びとめた。タクシーはスピードをおとし、とまった。ドアのところへ行ってみると、運転手はずんぐりした、黒い、猿の顔をしていた。猿は歯をむいてにやりとした。タクシーに乗ってはいけない、と本能が彼女に警告した。

「すみません、まちがえました」と、彼女は言った。

猿の顔から笑いが消えた。「しっかりしてくださいよ、奥さん」と叫ぶと、クラッチを入れ、方向を変えて走り去った。

マーダ・ウェストは通りを歩きつづけた。右に曲がり、左に曲がり、もう一度右に曲がると、遠くにオックスフォード・ストリートの明かりが見えた。彼女は足を速めた。なつかしい車の往来が、遠くの明かりが、遠くの男女が、磁石のように彼女を引きつけた。オックスフォード・ストリートにつくと、彼女は足をとめ、どこへ行こうか、誰にかくまってもらおうかと考えた。だれもいない、ひとりもいないのだということに、彼女はまたしても思いあたった。彼女の横を通り過ぎる

ふたり連れ、黒いずんぐりしたからだに蛙の頭をのっけ、豹《ひょう》の腕をつかんでいるカップルを見ると、どうみても安心できない。通りの角に立っている警官は狒々《ひひ》、警官に話しかけている女はめかし込んだ小さな豚。ひとりとして人間らしいのはいない。ひとりとして安心できるのはいない。彼女の一、二歩うしろにいる男は、ジムと同じように禿鷹。向こう側の歩道にも禿鷹が何羽かいる。笑いながら彼女のほうにやってくるのはジャッカル。

彼女はくるりと向きを変え、走った。ジャッカルに、ハイエナに、禿鷹に、犬に突き当たった。世界は彼らのもの、人間はひとりも残っていない。彼女が走って行くのを見ると、彼らは振りかえり、指さし、金切り声をあげ、吠え立て、追いかけた。うしろから彼らの足音が……。彼らに追いかけられながら、彼女はオックスフォード・ストリートを走った。四囲は真の闇、彼女にはもう光はなかった。動物の世界にひとりぼっち。

「静かに横になっていらしてください、ウェストさん、小さな注射を一本うつだけです、痛くはありませんから」

外科医グリーヴズ先生の声だとわかった。とうとうつかまってしまった、と彼女はぼんやり自分に言いきかせた。病院に連れもどされたのだ。もうどうでもよかった――どこにいてもおなじこと。少なくとも病院のなかでは、顔なじみの動物ばかりだ。

彼女はふたたび目を包帯された。ありがたかった。ありがたい暗黒。夜の悪が隠される。

「さあ、ウェストさん、さっぱりしますよ。このレンズだと痛みもなく、はっきり見えます。もとどおり世の中が色つきで見えますよ」

包帯が軽くなる。次々にはがされてゆく。突然、すべてのものがはっきり見えだす。朝だ。グリーヴズ先生の顔がほほえみかける。その横に丸々とした快活な看護婦が立っている。

「あなたがたのマスクはどこにあるんですの？」と、患者はたずねた。

「このようなちょっとした仕事にはマスクはいらないんですよ」外科医が言った。「仮のレンズを取り出しただけです。よくなったでしょう？」

彼女は部屋を見まわした。もとどおりになったのだ。形がはっきり見える。衣装だんすがあり、鏡台があり、花瓶には花がいけてある。みんな自然の色だ、もうヴェールでおおわれてはいない。だが彼らは、夢をみていたのだといって彼女をだますことはできなかった。ゆうべ病院を抜け出す前に頭に巻きつけたスカーフが椅子の上に置いてある。

「なにかあったんでしょうね？」彼女は言った。「あたし、逃げ出そうとしたわ」

看護婦はちらと外科医を見た。外科医はうなずいて、

「ええ、そうなんです。でも、正直言って、あなたを責めやしません。わたしが悪かったんですよ。きのう入れたレンズが小さな神経を圧迫していたんです。そのために、あなたはバランスを失ったんですよ。だが、それももうすっかり終わりました」

自信を与えてくれる微笑だった。ブランド看護婦の大きなあたたかい目――きっとブランド看護婦にちがいない――が、思いやり深げに彼女をじっと見おろしている。

「とても恐ろしかったわ」患者は言った。「どんなに恐ろしかったか、説明ができませんわ」

「説明しようなどとなさらないでください」グリーヴズ医師が言った。「もう二度とあんなことにはなりませんからね」

ドアがあいて、若い内科医がはいってきた。やはり微笑を浮かべている。「患者さんはすっかり回復しましたか」と、彼はたずねた。

「そう思いますね」外科医は言った。「どうです、ウェストさん？」

マーダ・ウェストは、グリーヴズ医師、住み込みの内科医、ブランド看護婦の三人をしげしげと見つめて、

いったいどんな組織が傷つき震えて、この三人を動物王国の原形に変えてしまったのだろうか、どんな細胞があんな想像力を生み出したのだろうかと考えた。

「あたし、先生がたを犬だと思いましたわ」彼女は言った。「グリーヴズ先生がテリアの猟犬、先生がアバディーン・テリア」

住み込みの内科医は聴診器に手を触れ、失笑した。

「ところが、わたしはそのとおりなんですよ。アバディーンはわたしの故郷でしてね。あなたの判断はあながち狂っていたわけじゃありませんよ、ウェストさん。おめでとう」

マーダ・ウェストは笑わなかった。

「先生はそれでよろしいでしょうけど、ほかのかたがたはあんまり愉快じゃありませんわ」そう言って彼女はブランド看護婦のほうを向き、「あなたを牝牛だと思ったんですの。親切な牝牛。でも、鋭い角がはえていたわ」

今度わらったのはグリーヴズ医師だった。「それごらんなさい、看護婦さん。わたしがよく言うとおりでしょう。草原に出て雛菊を食べる時間だとね」

ブランド看護婦はそう言われても腹を立てなかった。患者の枕をきちんと直し、優しい微笑を浮かべて、

「ときどきおかしな名前で呼ばれるんですのよ。慣れてますわ」

ふたりの医師はなおも笑いながらドアのほうへ歩いて行った。マーダ・ウェストは緊張の解けた空気を感じとって、「だれがあたしを見つけたんですの？　どんなことが起こったんですの？　だれがあたしを連れもどしたんですの？」

グリーヴズ医師はドアのところからちらりと彼女を振り返った。「あまり遠くまで行かなかったんですよ、ウェストさん、助かりましたよ。ポーターがあとをつけて行ったんです」

「それもすっかり終わりました」と、住み込みの内科医が言った。「たった五分間の出来事でした。なんの事故も起こらないうちにこのベッドに連れもどされ、

わたしが駆けつけたんです。ま、そういったわけなんですよ。大きなショックを受けたのは、あなたのベッドがもぬけの殻なことに気がついたときのアンセル看護婦です」

アンセル看護婦……ゆうべの感情の激変は容易には忘れられない。「まさかあのかわいい看護婦さんまで動物だったというわけじゃないんでしょうね」と、内科医は微笑を浮かべて言った。マーダ・ウェストはさっと顔を赤らめた。嘘をつかなければならぬ。「ええ」彼女は即座に言った。「もちろん、そんなことありませんわ」

「アンセル看護婦はまだここにいます」ブランド看護婦が言った。「勤務時間が終わっても、とても心配していて、寄宿舎に寝に行こうとしないんです。お話しなさりたいですか」

不安が患者を捕えた。ゆうべ恐怖に駆られ、熱に浮かされて、アンセル看護婦にどんなことを言ったろう？　彼女が返事をためらっていると、内科医はドアをあけ、廊下に声をかけた。

「ウェストさんが、あんたにおはようを言いたいそうですよ」満面に笑みをたたえている。グリーヴズ医師は手を振って出て行った。そのあとからブランド看護婦も出て行った。内科医は聴診器をもてあそんでふざけたようなお辞儀をし、壁際にさがって、アンセル看護婦を部屋に通した。マーダ・ウェストは目をみはり、おずおずと微笑を浮かべ、手をさし出した。

「ごめんなさい。ゆるしてくださいね」と、彼女は言った。

いったいどうしてアンセル看護婦が蛇に見えたんだろう？　はしばみ色の目、きれいなオリーブ色の肌、ひだ飾りのついた帽子の下の手入れのゆきとどいている黒い髪。そしてあの微笑、ゆっくりと浮かぶ、ものわかりのよい微笑。

「ゆるしてくださいですって、ウェストさん？」アンセル看護婦は言った。「何をゆるせとおっしゃるんですの？　あなたは恐ろしい試練を経験なさったんですわ」

　患者と看護婦は手を握り合い、微笑を交わした。ああ神様、とマーダ・ウェストは思った。やれやれ、助かったわ。わかってみればなんでもないこと。疑惑と絶望の重荷もこれで一掃されたわ。

「どんなことが起こったのか、まだわかりませんの」そう言って彼女は看護婦にすがりついた。「グリーヴズ先生が説明してくださいましたけど。神経がどうかしたとか」

　アンセル看護婦はドアのほうへしかめつらをしてみせた。「ご自分でもおわかりにならないんですわ」と、ささやき声で、「それに、おっしゃりたくもないでしょ、ご自分の責任ですからね。レンズを深く入れすぎたんです、それだけですわ。神経のすぐそばに。でも、よかったですわ」

　彼女は患者を見おろし、目で笑った。とてもきれいだった。とても優しかった。「今までのこと、きれいさっぱり忘れましょう。これからは幸福になると約束してくださいますわね？」

「約束しますわ」と、マーダ・ウェストは言った。

　電話が鳴った。アンセル看護婦は患者の手をはなし、受話器に手をのばした。「だれだかおわかりでしょ。ご主人からですわ」そう言って受話器をマーダ・ウェストに渡す。

「ジム……ジム、あなた？」

　むこうから心配そうな夫の声。「もういいのかい、おまえ？　婦長さんに二度電話したんだが、追って知らせるという返事だった。いったいどうしたんだい？」

　マーダ・ウェストはにっこりし、受話器を看護婦に渡して、

「あなたから話してくださいな」

　アンセル看護婦は受話器を耳にあてた。手の皮膚はオリーブ色でなめらか、爪はやわらかなピンク色に光っている。

「もしもし、ウェストさん？　患者さんにはびっくり

させられましたわね」彼女は微笑を浮かべ、ベッドの女にうなずいてみせる。「もう、ご心配なさることはありませんわ。グリーヴズ先生がレンズを入れ換えましたので。レンズが神経を圧迫していたんですの。でも、もうすっかり大丈夫ですわ。完全に見えるそうです。ええ、あす退院してもよろしいってグリーヴズ先生がおっしゃいました」

やさしい声が、やわらかい血色と、はしばみ色の目と溶け合う。マーダ・ウェストはふたたび受話器に手をのばした。

「ジム、とても恐ろしい夜だったわ。やっとわかりかけてきたわ。脳神経が……」

「そうだろうと思ったよ。いまいましいったらありゃしない。しかし、原因がわかってなによりだった。あのグリーヴズって男のせいだよ」

「もう二度とあんなことはないそうよ。適当なレンズをはめたので、もう大丈夫よ」

「二度とあんなことになったら、あの男を訴えてやるよ。気分はどうかね？」

「上々よ。ちょっとどぎまぎしてるけど」

「そりゃよかった。興奮しないようにね。あとで行くよ」

声が切れた。マーダ・ウェストが受話器を渡すと、アンセル看護婦はそれを架台にかけた。

「あした、退院してよろしいってグリーヴズ先生がほんとにおっしゃったの？」と、マーダ・ウェストはたずねた。

「ええ、よくなったらね」アンセル看護婦は微笑を浮かべ、患者の手を軽くたたいた。「退院後もわたしに付き添ってほしい？」

「ええ、もちろんよ。もうすっかり決まってるでしょ」

マーダ・ウェストはベッドに起きあがった。日光が窓からさし込み、ばら、ゆり、茎の長いあやめの上に光がこぼれる。通りの物音が手にとるようにきこえる。彼女は、自分の帰りを待ち受けている庭のことを、寝室のことを、持ち物のことを、目がすっかりよくなったらふたたびはじめるべき日々の家事のことを考えた。過ぎ去った何ヵ月かの不安や恐怖とも永久におさらばだ。

「世の中でいちばん大事なものは目ね」と、彼女はアンセル看護婦に言った。「はじめてわかったわ。なくしそうになって、はじめてわかったわ」

　アンセル看護婦は前にぐっと手を握り合わせ、うなずいた。「あなたは視力をとりもどした。奇跡ですわ。もう永久になくすことはありませんわ」

　彼女はドアのほうへ歩いて行った。「寄宿舎に帰って、少しやすみますわ。あなたがもう大丈夫とわかったので、安心して眠れますわ。帰る前に、なにかご用はありませんか？」

「クリームとおしろいを取ってくださいな。それから、口紅とブラシと櫛を」

　アンセル看護婦は言われた物を鏡台から取り出し、ベッドの上の手のとどくところに置いた。それから、手鏡と香水を持ってきて、親しみのこもった微笑を浮かべ、香水の瓶の栓のところをくんくん嗅いだ。「まあすてき」と、彼女はささやき、「これ、ご主人からの贈りものなんでしょ？」

　アンセル看護婦とはうまくいきそうだわ、とマーダ・ウェストは思った。彼女は小さな客間に花を置き、適当な本をえらび、ポータブル・ラジオを調節している自分の姿を思いえがいた。晩などアンセル看護婦が退屈するといけないから。

「八時になったら参りますわ」

　何日も、何週間も、毎朝くりかえされてきた聞きなれた言葉が、メロディーのように彼女の耳に快くひびく。ついにその言葉が、微笑し、友情と忠誠を約束する目をもった一個の人間と結びついたのだ。

「では、今夜また」

　ドアがしまる。アンセル看護婦が行ってしまう。病院の日課、ゆうべの熱で破られた病院の日課が、いつもの型《パターン》をとりもどしたのだ。闇ではなく光。死ではなく生命。

　マーダ・ウェストは香水の瓶の栓を抜き、耳のうしろに香水をつけた。芳香がひろがり、あたたかい、明るい陽光と溶け合った。手鏡を取り上げ、のぞき込む。部屋のなかはなにひとつ変わっていない。通りの音がはいり込んでくる。やがて、きのうイタチのようにみえた小柄なメイドが部屋の掃除にやってきた。

「おはようございます」だが、患者は返事をしない。たぶん疲れているのだろう。メイドはかまわず掃除した。

　マーダ・ウェストは鏡を手にとり、もう一度のぞいてみた。そうだ、まちがいない。彼女を見返している目は、いけにえに捧げられる前の、油断のない雌鹿の目。おずおずした鹿の頭が、すでにおとなしく垂れている。

美 少 年

Ganymede

1

ひと呼んで小ヴェニス。そこがまずわたしをひきつけた。不思議と似ていることは認めざるをえない——少なくとも、わたしのような想像力に富む人間は。たとえば、運河が湾曲し、それに面して、段々になった家々が立ち並び、とりわけ夜など、水面はまったく波立たず、パディントン停車場の転轍器の音や、列車の音など、昼間のあいだひどく目立つ不協和音や醜さは、すっかり消えてしまう。それに代わって……黄色い街灯が、くずれかけた宮殿《パラッツオ》の隅にとりつけられた古い灯籠のはなつような謎めいた光を投げかける。その窓は、横の運河のよどんだ水に目をつむり、鎧戸をおろす。

くりかえして言うが、想像力をもつことは大切である。その点、周旋屋は賢明だ——わたしのような気迷いする人間の目をひくような広告を考案する。「アパート。二間。運河を見おろすバルコニーあり。小ヴェニスとして知られるしずかな入江にあり」たちまち、飢えた心、うずく心は、二間のアパートとバルコニーを思い浮かべる。目がさめると、太陽がペンキのはげかけた天井に水の模様をうつし出し、ヴェニスのささやき、「オエ！」という威勢のいい声とともに、すっぱいヴェニスの匂いが窓からはいり込んでくる。ゴンドラが角を曲がり、姿を消す。

小ヴェニスにも交通がある。むろん、静かに左右に揺れる、先のとがったゴンドラではない。はしけが煉瓦や石炭を積んで窓の下を通る——石炭の粉がバルコニーをよごす。突然の汽笛にびっくりして目をとじ、はしけのエンジンのポッポッという音に耳を傾けると、同じように目をとじて波止場で蒸汽船《ヴァポレット》を待っているような気分になる。べちゃくちゃしゃべっている群衆に取り巻かれ、わたしは板張りの船着場に立っている。蒸《ヴァ》船が勢いよく後進するると、大きなうねり波が立つ。蒸《ヴァ》汽船《ポレット》が横づけになると、わたしはおしゃべりしている群衆とともに乗り込む。船はふたたび岸をはなれ、さざ波を立ててすすんでゆく。まっすぐサン・マルコへ行き、それから広場へ行っていつものテーブルにつこうか、それとも、大運河をずっとさかのぼってから蒸《ヴァ》汽船《ポレット》をおり、そうして強烈な期待をのばそうか、わたしは心を決めようとする。

汽笛がやむ。はしけが通る。どこへ行くのかわたしにはわからない。パディントンの近くで運河が二つに分かれている。だが、わたしはそんなことには興味がない。わたしの興味があるのは、はしけの汽笛の響きとエンジンの響き――わたしが歩いている場合には――運河の水に描き出されるはしけの航跡。岸からちらと見おろすと、泡のあいだに油の薄い層が見え、やがて油が散り、泡も散り、波が消えさる。

さあいらっしゃい。あるものをお見せしましょう。ほら、運河のむこうに通りが見えますね。店の並んでいるあの通りは、パディントン駅に通じている。その途中にバスの停留所と、青い文字の書いてある看板が見えるでしょう。ここからではあの字は読めないでしょうが、**マリオ**と書いてあるんです。小さなレストランの名前です。バーに毛のはえた程度のイタリアン・レストラン。そこの連中はわたしを知っている。わたしは毎日そこに出かけて行く。そこにいる給仕見習中の少年を見ると、わたしはガニメデ（ギリシャ神話――ゼウスのために酒の酌をしたトロイの美少年）を思い出す……

2

わたしは古典学者。それがそもそも不幸のはじまりだったと思う。わたしの興味の対象が科学か地理か歴史だったら、なにも起こらなかったろうと思う。ヴェニスへ行って休暇を楽しみ、それほど夢中にならずに戻ってくることができたであろう……ところが、そこで起こったことは過去のすべてのものとの完全な断絶を意味した。

ところで、わたしは仕事をやめてしまった。上司はその点とても同情的だったが、彼の言ったように、彼らとしては危険をおかすわけにはいかず、雇い人のひとりが――ということは、むろん、わたしに当てはまるのだが――彼のいわゆる『不快な』ことに係わり合いができては……彼はそうした言葉を使った……ひきつづき働いてもらうわけにはいかなかったのだ。

『不快な』というのは、いまわしい言葉だ。辞書に載っている言葉のなかで、もっともいまわしい言葉だ。生のみならず、死における醜悪なものすべてを連想させる言葉だ。快いものは、歓喜であり、活力《エラン》であり、心身一致に伴う情熱である。不快なものは、悪臭を放つ植物の腐敗であり、腐った肉であり、運河の底の泥である。さらに、『不快』という言葉は、不潔さを連想させる。取り替えないシャツ、干してあるシーツ、櫛から落ちた毛、くずかごのなかの破れた包み、など。そうしたものにわたしは我慢できない。わたしは潔癖なのだ。ことのほか潔癖なのだ。で、『不快な』という言葉を上司が口にしたとき、わたしは去らねばならぬと悟った。彼にせよだれにせよ、行動を誤解され、けがらわしいと取られては、黙ってはいられない。で、わたしは辞職した。そうするよりほかなかったのだ。わたしは手を切って自由の身となった。そして周旋屋の広告を見て、この小ヴェニスにやってきたのだ。

その年はいつもよりおそく休暇をとった。毎年八月に三週間、デヴォンに住んでいる姉のところで過ごすことにしていたのだが、先方に支障ができたからだ。長年献身的につとめてくれたお気に入りの料理人がやめてしまい、家の秩序がみだれてしまったという。姉からの手紙によると、姪たちはトレーラーハウスを借りたいと言っているそうだ。みんなでウェールズにキャンプに行くことにきめたという。おいでになるんなら歓迎するが、おそらくお気に召さないだろう、とのことだった。姉の言うとおりだった。すさまじい風のなかでテントの杭を打ち込んだり、姉とその娘たちが缶詰め料理の昼食をつくっているあいだ、狭いテントのなかで四人並んで背を丸めてすわっていることなどを考えると、わたしは不安で胸がいっぱいになった。わたしは料理人を呪った。料理人が出て行ってしまったために、年中行事になっていた楽しい怠惰な日々もオジャンになってしまったのだ。本来なら、たらふく食べ、愛読書を手にして長椅子にくつろぎ、八月の日々をのんびりと過ごすところなのだが。

どこも行くところがない、とわたしが長距離電話でこぼすと、姉は言った――というより、電話が遠かったので、さけんだといったほうがいいかもしれない。「気分転換に外国へでも行ってみたら。思いきって、いつもと変わったことをやったほうが、からだにいいわよ、きっと。フランスかイタリアへでも行ってみなさいよ」それから、航海に出たらどう、と言ってきたが、こいつにはトレーラーハウス以上にぎょっとした。「結構ですよ」と、わたしは冷ややかに言った。料理人が出て行ってしまい、わたしの楽しみがオジャンになってしまった責任を、ある意味で姉に帰せたのだ。

「ヴェニスへ行きます」型を破らなければならないのなら、思いきって破ってみようと考えながら……。旅行案内片手に、旅行者の天国へ行こう。だが、八月には行くまい。ぜったい八月には行くまい。大西洋の向こうの同胞や友人が去るまで待とう。それからのりだすのだ。そのころには日盛りの暑さも終わりを告げ、美しいはずの場所に平和がふたたび訪れていることだろう。

わたしは、十月の第一週に着いた……ときとして旅行が、それも週末に友人を訪ねるというような短い旅行が初めから狂うことがあるのは、読者諸賢ご存知だろう。雨のなかを出発したり、列車の連絡におくれたり、目がさめたとき寒けがしたりすると、いらいらの織り交じった不運の糸が、毎時間を台なしにしてしまうことがある。だが、ヴェニスの場合はそうではなかった。知っている人間が会社のデスクにもどってしまった十月になってから出かけたのは、なんといっても幸運だった。

　わたしは夕暮れちょっと前に目的地に着いた。万事順調にいった。寝台車で眠り、道連れの客になやまされることはなかった。前の晩の夕食と当日の昼食の消化は上々。余計なチップをやる必要もなかった。すばらしいヴェニスが目の前にあった。わたしは手荷物をまとめて列車から降り立った。足もとには大運河が横たわり、ゴンドラが群がり、波が岩を洗い、すばらしい邸宅《パラッツィ》と、まだらの空がある。

　ホテルからボーイが迎えにきていた。このボーイ、亡くなったさる王室のかたにそっくりなので、早速〝ハル王子〟というあだ名を奉った。彼はわたしから荷物をひったくった。わたしはこれまでの多くの旅行者と同じように、うんざりする二等車のがたがたから、すぐさまロマンスの夢の世界へと、ふんわりと運ばれていった。

ボートに迎えられる。水路の旅。クッションにだらりとよりかかり、船の振動に身をまかせる。〝ハル王子〟が、ぞっとするような英語で、声を張りあげて景色の説明をはじめる。そうしたことが緊張を解きほぐしてくれる。わたしはカラーをゆるめ、帽子を脱いだ。そして、大型の手提げかばんに突っ込んであるステッキとこうもり傘とバーバリ・レインコートから目をそらす——わたしは旅行するときはきまって手提げかばんをもって行くのだ。巻きタバコに火をつけ、生まれて初めて解放感を味わった。現在からも、未来からも、過去からも解放され、変わることなきヴェニス時間、ヨーロッパの、いや世界の外にあり、魔術的にわたしのためだけに存在する時間に、属しているような感じ。

　だが、わたしは気がついた。ほかにもいるにちがいない。漂うあの黒いゴンドラのなかにも、あの広い窓辺にも、われわれが下を通ったとき、のぞき込んでいた人影が突然ひっこんだあの橋の上にも、わたしとおなじように、頭で理解したヴェニスではなく、身内で感じとったヴェニスに突然魅せられてしまった人間がいるにちがいない。旅人が行きついたが最後、決してもどることのない、天国ならざる地上の都市……

ところで、わたしは何を言っているのだろう？　停車場からホテルまでの半時間のあいだに現われなかった出来事や考えを期待しているのだ。わたし同様、ひと目見て魅せられ、永遠に救われぬ身となった人間がほかにもいるにちがいないと、いまになって振り返ってみて、ようやく気づく次第。もちろん、そのほかの連中、見えすいた連中のことはすっかり知っている。カメラをパチパチやる連中、さまざまな国籍のわいわい連中、学生、女教師、芸術家たち。それにヴェニス人自身――たとえばボーイの〝ハル王子〟とか、ゴンドラの舵を操り、パスタの夕食と妻子とチップにもらうリラ銀貨のことを考えている男とか、バスや地下鉄で家路を急ぐイギリスの連中と少しも変わらない、蒸汽船《ヴァポレット》で家路を急ぐ連中――そうした人間が今日《こんにち》のヴェニスの一部なのだ、彼らの祖先が過去のヴェニスの一部だったように。それに、王公、商人、恋人たち、凌辱された娘たち。いや、われわれは違った鍵をもっている。違った秘密を。それはわたしが前に述べたこと――われわれの心のなかのヴェニスなのだ。

「右に見えますのは」と、〝ハル王子〟が声を張りあげた。「有名な宮殿《パラッツォ》でして、現在、あるアメリカ紳士の手に渡っております」こうした説明はなんの足しにもならないばかばかしいものだったが、ある実業界の大立者が金もうけに飽きて妄想をいだき、段の下につないである高速モーターボートに乗り込んで、おのれを不死身と信じ込んだらしいということぐらいは見当がついた。

それはわたしが感じたこと。停車場を出て岸を洗う水音を聞いたとたん、時間がわたしを包含したという不滅感をいだいた。といっても、幽閉されたわけではない。しっかりといだかれたのだ。やがて大運河を出て入江にはいると、〝ハル王子〟は黙りこんだ。音といえば、狭い流れに船を進ませる長いオールのたてる水音だけ。わたしは――妙なことだが――われわれをこの世に生み出す水、子宮のなかでわれわれを包んでいる水のことを考えていたのを覚えている。その水もこれと同じ静けさ、これと同じ力をもっているにちがいない。

われわれは暗闇から光のなかへと出た。橋の下を矢のように通り過ぎる――それが〝ため息の橋〟であることに気がついたのは、あとになってからのこと――目の前に潟《かた》が現われ、幾百という、刺すような、ゆらめく光。押し合いへし合い、行ったり来たりしている人影。わたしはすぐさま、慣れない金《かね》、ゴンドラの船頭、ホテルにのみこまれるまえの〝ハル王子〟、フロント係の教える設備、鍵、部屋に案内してくれるボーイなどに対処しなければならなかった。わたしの行ったホテルは、有名なホテルの近くにある小さなホテルの一つで、少々風通しが悪かったが、一見きわめて快適だった――客が到着するまで部屋をしめきっておくというのは妙なことだ。鎧戸をぱっとあけはなつと、潟からあたたかい湿った風がゆっくりとはいり込んできた。荷を解いていると、通りを散歩している人びとの笑い声や足音が漂ってくる。わたしは着替えをして階下《した》へおりて行ったが、がらんとしている食堂をひと目見るなり、ここでは食事をすまいと決心した。わたしは外へ出て、潟のほとりをぶらぶら歩いている人びとの群れに投じた。

わたしの味わった感じは妙なものだった。いまだかつて味わったことのない感じ。旅行者がよく第一夜に経験する、夕食と新しい環境の楽しみを期待する気持ちとは違う。けっきょくのところ、姉は冷やかすけれど、わたしは典型的英国人《ジョン・ブル》ではないのだ。かつてはパリをかなりよく知っていた。ドイツに行ったこともある。戦前、スカンジナビア諸国を旅したこともある。毎年のローマで復活祭の休暇を過ごしたこともある。近年もの休暇をデヴォンで過ごすようになったのは、面倒くさくなり、すすんで計画をたてるのが面倒くさくなり、ついでに金のほうも節約しようという気持ちになったからにすぎない。

必然的に総督官邸の前を通り過ぎ――それは絵はがきで見て知っていた――サン・マルコ広場にはいったときに味わった感じは……どう説明していいかわからないが……一種見覚えがあるといった感じだった。といって、「以前ここに来たことがある」という感じとはちがう。「生まれ変わったのだ」というロマンチックな夢とも違う。あたかも直観的に、ついに自分自身になったというような感じだった。わたしは到着したのだ。ほかならぬこの瞬間がわたしを待ち受けていたのであり、わたしのほうもこの瞬間を待ち受けていたのだ。奇妙なことに、それは酔いの最初の感じに似ていたが、あれよりももっと強烈なものだった。それに、深く底知れない感じ。これは覚えておく必要がある――深く底知れない感じ。この感じはどうやら触知できるもので、わたしの全身に、手のひらに、頭皮に侵入した。喉がからからになった。からだに電流を通されたような感じ、はじめて見るこのヴェニスの湿った大気のなかに光を放出する一種の発電所になったような感じ。電流は充電され、ふたたびわたしのもとにもどってくる。興奮は激しく、ほとんど耐えられないほどだった。そんなわたしを見ても、だれもなにひとつ推測できないだろう。ヴェニスの第一夜をステッキ片手にぶらぶら散歩する、シーズンはずれの英国の観光客くらいにしか思わないだろう。

九時近かったが、広場の人込みは相変わらずだった。このなかの何人が、わたしと同じ電流を、わたしと同じ直観を感じているのだろうか。だが、それはともかく、食事をしなければならぬ。わたしは群衆を避けて右に曲がり、広場を半分ほど歩いた。すると、暗く静まりかえっている運河の支流の一つのほとりに出た。運よく、近くにレストランがあった。わたしはすばらしいぶどう酒を飲み、うまい夕食をとった。値段は思ったよりはるかに安かった。わたしは上等の葉巻きに火をつけ――ささやかなぜいたくの一つだ――前と同じ電流を感じながら、ふたたびぶらぶらと広場へもどった。

　人込みはまばらになり、人びとはぶらぶら歩きまわることをやめ、二つのグループに分かれて、二つのオーケストラの前に集まっていた。その二つのオーケストラは――ライバルとみえた――これまたライバル同士の二つのカフェの前に陣どっていた。七十ヤードばかり離れ、おたがいに、陽気に、無関心に演奏している。それぞれのオーケストラのまわりにはテーブルと椅子がならべられ、カフェの客が半円をえがいて酒を飲み、おしゃべりをし、音楽に耳を傾け、ライバルのオーケストラに背を向けている。それぞれ、相手の拍《ビー》子《ト》とリズムが耳ざわりなのだ。わたしはたまたま広場のまんなかのオーケストラのすぐ近くにいた。あいたテーブルを見つけて腰をおろす。教会の近くにいる第二の観衆からどっと喝采が起こり、ライバルのオーケストラがレパートリの中休みにきたことが知れた。こちらのオーケストラがもっと大きく演奏してもよいという合図だ。もちろん、プッチーニ。夜がふけるにつれて、現代の歌、昨今流行のヒット曲が演奏されたが、わたしが腰をおろし、リキュールを頼み、黒いショールを羽織った老婆のさし出すバラを――金を払って――受けとろうと、給仕をさがしているときに、オーケストラが演奏していたのは『蝶々夫人』だった。わたしはくつろぎ、楽しんでいた。そしてそのとき、わたしは彼を見たのだ。

　前にも述べたように、わたしは古典学者だ。だから、その瞬間起こったことが変質《トランスフォーメーション》だったということは、わかっていただけると思う。夕方からずっとわたしに充電していた電気が、ほかのすべてを除いて脳中の一点に集中し、ほかの部分はゼリーのようになった。わたしのテーブルにきて手を上げ、盆を運んでいる白服の若者を呼んでいる男に感づいたが、わたしは超然として、彼の属する時間のなかには存在しなかった。この存在しない自己は、全神経繊維、全脳神経細胞、全血球で、この男が生死の施主、不死の者、愛人たるゼウスであり、彼のほうにやってくる少年がその愛人、酌取り、奴隷たるガニメデであることを知った。わたしはからだのなかに平衡を保っているのでもなく、世界のなかに平衡を保っているのでもなかった。わたしはその少年を呼んだ。少年はわたしを認め、やってきた。

やがて、すべてが終わった。涙が頬を伝って流れ、わたしは声を耳にした。「どうかなさいましたか、シニョーレ」

若者は心配そうにわたしを見まもっている。だれも気がつかない。みんな飲みものか、友達か、オーケストラに夢中になっている。わたしは手探りでハンカチをさがし、鼻をかんでから言った。「キュラソーを頼む」

3

わたしは顔を上げる気にもなれず、葉巻きをふかしたまま、目の前のテーブルをじっと見つめていたのを覚えている。するとかたわらに足早な足音がきこえた。彼は飲みものを置いて立ち去った。まっ先に心に浮かんだのは、「彼は知っているのだろうか」という疑問だった。

認知のひらめきは圧倒的な速さでやってきた。生涯にわたる眠りから突然さまされたのに似ていた。自分がだれであり、どこにいるのかという絶対的確信と、われわれのあいだの絆《きずな》がわたしをとらえた。パウロがダマスカスの路でとらえられたと同じように。ありがたいことに、わたしは、幻想にとらわれて目が見えないわけではなかった。ひとにホテルまで送ってもらわなければならないわけでもなかった。ヴェニスにやってきて小さな弦楽団の演奏に耳を傾け、葉巻きをくゆらしている一介の観光客にすぎないのだ。

五分かそこらたってから、わたしはさりげなく、いともさりげなく頭を上げ、人びとの頭ごしにカフェのほうを見やった。彼は両手をうしろにまわしてひとり立ち、オーケストラをながめていた。十五歳ぐらいにみえる。それ以上とは思えない。年のわりには小さく、痩せ形。その前開きの短い上衣と黒のズボンを見ると、わたしは英国海軍地中海艦隊の士官服を思い出した。イタリア人には見えない。高いひたい、ブラシ状のうすいとび色の髪。目はとび色ではなく青、顔色はオリーブ色ではなく白。給仕はほかにもふたりいて、テーブルのあいだをうろついている。ひとりは十八、九、ふたりとも明らかにイタリア人。十八歳ぐらいのは浅黒く、肥っている。ひと目見れば、ふたりとも生まれながらの給仕で、ほかの職業の人間にはなれないということがわかるが、わたしのガニメデは、その誇りに満ちた頭恰好といい、顔つきといい、オーケストラを見まもっている、落ちついた、寛容に満ちた様子といい、どう見ても違った種類の人間……わたしと同類、不死の人間の特徴をそなえている。

わたしはひそかに彼を見まもった。ぐっと握りしめた小さな手、黒い靴をはいた小さな足が、音楽に拍子をとっている。わたしを認めればこっちを見るだろう、とわたしは思った。この逃避、オーケストラを見まもるというこの遊びは、一つの口実にすぎない。時間を超越したその瞬間にわれわれが共に感じていたものは、どちらにとっても強すぎるものだったから。突然――喜びと不安の入りまじった微妙な気持ちをもって――わたしは起ころうとしていることを知った。彼は決心したのだ。オーケストラから目をはなすと、まっすぐわたしのテーブルのほうを見、落ちついた、もの思わしげな表情を浮かべたまま、わたしのところへやってきて言った。

「シニョーレ、ほかに何か……」

ばかばかしいことだったが、わたしは口がきけなかった。首を横に振ることができただけ。すると彼は、灰皿を片づけ、代わりにきれいなのを持ってきた。やさしい、思いやりのある手つきだった。わたしは喉がきゅっと詰まり、たしかベニヤミンに関してヨセフの用いた聖書の文句を思い出した。文脈は忘れたが、旧約聖書のどこかに「彼の臓腑、弟を慕えり」とあったはずだ。わたしが感じたのは、まさにそれだった。

わたしは真夜中までそこにすわっていた。すると、大きな鐘が空気をふるわせて鳴りひびき、オーケストラは――双方とも――楽器を片づけ、まばらになった観衆は夜闇に溶けて散って行った。わたしは彼が灰皿の横に置いていった伝票に目をおとした。わたしが走り書きの数字をちらと見て金を払ったとき、彼の見せた微笑とうやうやしいお辞儀は、わたしの求めていた答えだった。彼は知っているのだ。ガニメデは知っているのだ。

わたしはひとり、人通りのなくなった広場をはなれ、背中を丸めた老人が眠っている、総督官邸わきの柱廊の下を通った。明かりはもう薄暗く、湿った風が水を波立たせ、黒い潟に並んでいるゴンドラを揺り動かしていたが、あの少年の心はわたしとともにあった。そして、少年の面影も。

わたしはまばゆいばかりの光のなかで目をさました。ながい一日をうずめなくてはならぬ。なんという日だろう！ 経験すべきこと、見るべきものがいっぱいある。サン・マルコと総督官邸の内部見学から、大学訪問、大運河遊覧旅行まで。わたしは観光客のすることはなんでもした。鳩に餌をやることを除いては。鳩は肥ってつやつやしていたけれど、きらいなので、よけて通った。フロリアンの店でアイスクリームを食べた。姪のために絵はがきを買った。リアルト橋にもたれた。その一瞬一瞬を楽しんだこの幸福な一日は、夜の前奏曲にすぎなかった。わたしは故意に広場の右側のカフェを避け、反対側を歩いた。

六時ごろホテルにもどり、ベッドに横になって、一時間ほどチョーサーを――ペンギン版の『カンタベリー物語』を――読んだことを覚えている。それから入浴し、着替えをして、ゆうべ食事をしたレストランへ食事に行った。食事はゆうべ同様上等で、安かった。わたしは葉巻きに火をつけ、ぶらっと広場へ出た。オーケストラが演奏している。わたしは群衆のはずれのテーブルをえらんだ。一瞬葉巻きを置いたとき、手がふるえていることに気づいた。興奮、不安は耐えがたかった。そばのテーブルについている家族づれが、わたしの感情に気がつかぬはずはないように思えた。さいわい、わたしは夕刊を持っていた。わたしは夕刊をひろげ、読んでいるふりをした。だれかがわたしのテーブルクロスをぽんとたたいた。見ると、色の浅黒い給仕、見苦しい若者。注文を訊きにきたのだ。わたしは彼を追い返した。「そのうち」と、わたしは言って、夕刊を読みつづけた――というより、読みつづけるふりをした。オーケストラがジッグ舞曲を演奏しはじめた。目を上げると、ガニメデがこちらを見ていることに気づいた。両手をうしろで組み合わせオーケストラのそばに立っている。わたしはなにもしなかった――頭ひとつ動かさなかったが、彼はすぐにやってきた。

「キュラソーですか、シニョーレ」と、彼は言った。

今夜は、見覚えがあるというパッとしたひらめきだけではなかった。金の椅子と、わたしの頭上には雲が感じとれた。少年はわたしのかたわらにひざまずき、わたしに差し出すカップもやはり金。彼の態度は奴隷の見せるあさましい卑下ではなく、主人にたいする、神にたいする愛されたる者の尊敬だった。やがて、そうしたひらめきは消え、ありがたいことに、わたしは感動を抑えた。わたしはうなずき、「うん、頼む」と言って、キュラソーといっしょにエヴィアン水の小壜を注文した。

彼がテーブルのあいだを縫ってカフェのほうへ向かうのを見つめていると、白いレインコートを着てつば広の中折れ帽をかぶった大きな男が柱廊の陰から出てきて、彼の肩をぽんとたたくのが見えた。少年は頭を上げ、微笑した。一瞬、わたしは不吉な感じを覚えた。災いの予感。白い大きななめくじのようなその男は、ガニメデに微笑を返し、注文した。少年はふたたび微笑を浮かべると、姿を消した。

オーケストラが仰々しくジッグ舞曲を奏しおわると、どっと拍手が起こった。ヴァイオリニストはひたいの汗をぬぐい、ピアニストに笑いかけた。色の浅黒い給仕が彼らに飲みものを持って行った。ショールを羽織った老婆がゆうべのようにわたしのテーブルにやってきて、バラを差し出した。今度はわたしも言いなりにならず断わった。白いレインコートを着たさきほどの男が、円柱の陰からわたしを見つめているのにわたしは気づいた……

あなたはギリシャ神話をご存知だろうか？　わたしがこの事実に言及するのは、ゼウスの弟ポセイドンも彼のライバルだったからなのだ。彼はとりわけ馬と関連があり、馬は——翼のない場合は——堕落の象徴。白いレインコートの男は堕落している。わたしはそう直感した。直観が警戒するようわたしに命じた。ガニメデがキュラソーとエヴィアン水をもってもどってきたが、わたしは目を上げもせず、新聞を読みつづけた。オーケストラは心機一転してふたたび演奏をはじめた。『わが心静かにめざむ』の旋律が、教会のちかくのライバル・オーケストラの奏でる『ボギー大佐』のマーチと覇を競う。ショールを羽織った老婆は、バラがひとつも売れず、やけになって、ふたたびわたしのテーブルへやってきた。わたしは邪険に首を横に振り、そうしながらも、白いレインコートを着て中折れ帽をかぶった男が柱の陰からやってきて、わたしの椅子の近くに立ったのを目にとめた。

災いの匂いは致命的なもの。侵入し、喉を詰まらせ、同時に戦いをいどむ。わたしはこわくなった。たしかにこわかったが、こっちのほうが強いんだということを見せるために、攻撃にのり出そうと決心した。わたしは椅子にゆったりとそり返り、灰皿に捨てる前に葉巻きの煙をふかぶかと吸い込んで、彼の顔にまともに煙を吐きかけた。すると、途方もないことが起こったのだ。最後に煙を思いきり吸い込んだためかどうか知らないが、一瞬めまいがし、目の前で煙が輪をつくり、にやにや笑っている残忍な彼の顔が、波凹《なみくぼ》と泡のようにみえるもののなかにしずんでいった。しぶきを感じることさえできた。葉巻きを吸い込んだために起こった咳の発作がおさまると、いつしか空気は澄んでいた。白いレインコートの男の姿は消えていた。そしてわたしは、エヴィアン水の小壜をひっくり返して割ってしまったことに気がついた。破片を拾ってくれたのはガニメデ、ふきんでテーブルを拭いてくれたのもガニメデ、わたしが注文しないのに、小壜をもう一本もってきましょうかと言ったのもガニメデだった。

「お怪我はありませんか」と、彼は言った。

「うん、大丈夫」

「キュラソーをおとりかえしましょう。ガラスのかけらがはいっているかもしれませんから。その分のお代は結構です」

　穏やかな自信のこもった、厳然とした口調だった。この十五歳の少年は、王子の優雅さをそなえている。それから、尊大と優雅の入りまじった態度で、戦友である色の浅黒い若者のほうを向き、イタリア人らしい優雅な手つきで破片を手渡した。それから、新たにエヴィアン水の小壜一本とキュラソーを一杯もってきた。

「鎮静剤だ《ウン・セタティーヴォ》」そう言って彼は微笑した。

　彼は気どっているのではなかった。なれなれしくしているのでもなかった。これまでと同じように、わたしの手がふるえ、わたしの心臓がどきどき搏っていることを知っていたのだ。わたしは落ちつきたい、落ちつきたいと思った。

「雨です《ピオヴェ》」と彼は言って、顔を上げ、手をさし上げた。たしかに雨が降りだしていた。突然、何の理由もなく、星をちりばめた空から。だが、彼が話しているうちに、巨大な手のような、もくもくした黒雲が星をかき消し、広場に雨を降らした。きのこのようにいっせいに傘がひらき、傘を持たない連中は広場をつっ切り、巣へ急ぐかぶと虫のように家路を急いだ。

　たちまち、見る影もなくなった。テーブルクロスがはがされ、その上に椅子がひっくり返しにのせられた。ピアノには防水帆布がかぶせられ、楽譜台はたたまれ、カフェの内部の明かりがうす暗くなる。ひとり残らず消えてしまう。まるでオーケストラなどなかったよう、拍手を送る観衆などいなかったようだった。なにもかも夢。

だが、わたしは夢をみているのではなかった。傘もささず、ばかみたいにそこをはなれた。人気《ひとけ》のなくなったカフェのそばの柱廊の下で雨宿りする。近くの樋《とい》から出る雨が、目の前の地面を打つ。五分前まであれほど人がごった返し、にぎやかだったとは信じられないくらい。今は冬のようにさびれ果てている。

コートの襟を立て雨降る広場をつっ走って行こうと肚を決めかけたとき、カフェから柱廊の下に駆け込むきびきびした足音がきこえてきた。ガニメデだった。しゃんとした小柄なからだを白い前開きの上衣につつみ、大きな傘を長旗のようにささげもっている。

わたしの進路は左、教会のほうだ。彼は右のほうへ歩いて行く。たちまち姿を消してしまうだろう。心を決めるべき瞬間だった。誤った決心をした、と読者はおっしゃるだろうか。ともかく、わたしは右に曲がり、彼のあとをつけた。

妙な、気違いじみた追跡だった。生まれて初めての経験だった。どうしようもなかったのだ。彼は前方を足早に歩いて行く。暗い静かな運河のほとりを曲がりくねっている狭い道に、足音が高らかにひびく。彼の足音と雨の音のほかには物音はしない。彼は一度も振り返らない。一、二度わたしはつまずいた。その音が彼にきこえたにちがいない。橋を渡り、闇のなかへと、彼はずんずん歩いて行く。傘が上下にひょいひょい揺れ、傘を高く上げたとき、白い前開きの上衣がときどきちらっと見える。雨はまだ、静まり返った家々の屋根から、道路のごろ石へ、舗道へ、三途《ず》の川のような運河へと降りそそいでいる。

やがて、彼の姿を見失った。急に角を曲がってしまったのだ。わたしは駆けだした。とあるせまい道に駆け込むと、高い家々が向かい側の家々とほとんど軒を接して建っている。彼は、前に鉄格子のある大きなドアの前に立ち、ベルをひっぱっていた。ドアがあくと、彼は傘をたたみ、なかにはいって行った。ドアががらんとしまる。彼はわたしの駆けてくる足音を聞いたにちがいない、角を曲がって不意に足をとめたわたしの姿を見たにちがいない。わたしは一瞬立ちつくし、重そうな樫の扉の上の鉄格子をじっと見つめた。腕時計に目をやる。十二時五分前。追跡の愚かさがどっとわたしを襲った。ずぶ濡れになり、寒けがし、道に迷った以外、なんの得るところもなかったのだ。

　わたしは帰ろうとして、くるりと向きを変えた。すると、鉄格子のある家の向かい側の家の戸口から人影が現われ、わたしのほうへやってきた。白いレインコートを着てつば広の中折れ帽をかぶった男だった。

　男はひどいアメリカ訛りで言った。「どなたかお捜しですか」

4

　あなたがわたしの立場に立たされたら、どうなさったであろうか。わたしはヴェニスでは右も左もわからない一介の観光客。そこは人通りの絶えた路地。イタリア人と復讐《ヴェンデッタ》、刃物を背中に突き刺す話は、だれしも読んだことがあろう。一歩誤まれば、そうしたことがわが身にふりかかるかもしれないのだ。

「散歩していたんですが、道に迷ったらしいんです」とわたしは答えた。

　彼はすぐそばに立っている。気味の悪いほどの近さ。

「ああ!　道に迷ったんですね」と、彼はおうむ返しに言った。アメリカ訛りが、ミュージック・ホールのイタリア語の調子とまじっている。「ヴェニスじゃ、しょっちゅうあることですよ。お送りしましょう」

　頭上の角灯の明かりが、つば広帽子の下の彼の顔を黄色に変えている。話しながら、微笑を浮かべる。見事に金の詰まった歯がのぞいた。不気味な微笑だった。

「ありがとう。折角ですけど、なんとか帰れると思います」と、わたしは言った。

　わたしはくるりと向きを変え、角のほうへもどりはじめた。彼はわたしと並んで歩きだした。

「なあに、おやすい御用ですよ」と、彼は言った。

両手を白いレインコートのポケットにつっ込んでいる。並んで歩くと、肩が擦れ合う。われわれは路地を出て、運河の支流沿いの狭い通りにはいった。まっ暗だ。雨のしずくが屋根の樋から運河のなかに落ちる。

「ヴェニスはお気に入りましたか」と、彼がたずねた。

「ええ、とても」わたしはそう答えてから――たぶん、愚かにも、――「これが初めてなんです」と言い添えた。

護送されている囚人のような気持ちだった。どしんどしん歩くわれわれの足音がうつろにこだました。われわれの足音を聞いている者はだれもいない。ヴェニス全市は眠りに沈んでいる。彼は、満足そうに鼻を鳴らして、「ヴェニスは実に物が高い、ホテルはふんだくるし。どこにお泊まりです?」

わたしはためらった。所を教えたくなかったが、彼がどうしてもいっしょに来ると言い張ったら、どうしようもない。

「ホテル・バイロンです」と、わたしは言った。

彼は冷ややかに笑って、「あすこの勘定は二割増しですよ。コーヒー一杯頼んでも二割増し。万事その調子。観光客からふんだくるんですよ」

「わたしの場合、条件は穏当です。文句は言えません」

「いくら払っているんです?」と、男がたずねた。

ぶしつけな質問に、わたしはおもわずよろめいた。だが、運河沿いの道は狭く、足をはこぶたびに肩が擦れ合う。わたしが宿泊料と宿泊条件を話すと、彼はピューと口笛を吹いた。

「背中の皮まではごうってんですよ。あしたにでも出ておしまいなさい。小さなアパートを見つけてあげますよ――とても安くて、とてもいい」

小さなアパートなど見つけてもらいたくはなかった。一刻もはやくこの男を追っ払って、サン・マルコ広場の文明世界へもどりたかった。「ありがとう」と、わたしは答えた。「折角ですけど、ホテル・バイロンの居心地は上々なんです」

　彼はにじり寄ってきた。わたしはいちだんと運河の黒い水に近づいた。

「小さなアパートに移れば」と、彼は言った。「自由に振る舞えますよ、友達を連れ込んでも、文句は言われないし」

「ホテル・バイロンでも文句は言われませんよ」と、わたしは言った。

　わたしが足を速めると、彼も歩調を合わせた。突然、彼はポケットから右手を抜いた。わたしの心臓は一瞬鼓動を停止した。ナイフを取り出したと思ったからだ。だがそれは、ラッキー・ストライクのぼろぼろの袋をわたしにさし出すためだった。わたしがかぶりを振ると、彼は自分で一本引き抜いて火をつけた。

「小さなアパートを見つけてあげますよ」と、彼はなおも言い張った。

　われわれは橋を渡り、別の通りにはいった。さっきの通りと同様、暗くひっそりと静まり返っている。歩きながら彼は、アパートを見つけてやった人たちの名前を挙げた。

「あんた、イギリス人でしょう？　そうだろうと思いましたよ。わたしは去年、サー・ジョンスンにアパートを見つけてあげたんですよ。サー・ジョンスンをご存知でしょう？　とてもいい人ですよ、とても分別があって。それから、映画俳優のバーティ・プールにもアパートを見つけてあげましたよ。バーティ・プールをご存知でしょう？　五十万リラ節約させてあげましたよ」

　サー・ジョンスンという名前も、バーティ・プールという名前も、聞いたことがなかった。ますます腹が立ってきたが、どうすることもできない。二つ目の橋を渡ると、前に食事をしたレストランの近くの角へ出たのでほっとした。ここでは運河はいわば湾状をなしており、ゴンドラが何艘か並んでつなぎとめてある。

「もう結構です、この先は道がわかりますから」と、わたしは言った。

そのとき、信じられぬことが起こったのだ。われわれはいっしょに角を曲がったのだが、その先は道幅が狭くて並んで歩けないために、彼は一歩うしろにさがった。そのとき、彼は足をすべらしたのだ。あえぎ声がきこえたかと思うと、彼は運河に落ちていた。白いレインコートが天蓋のようにひろがり、大きなからだがもがくたびにゴンドラが揺れる。わたしは一瞬目をみはった。あまりの驚きに、とっさには行動に移れなかったが、やがて恐ろしいことをしてしまったのだ。つまり、逃げてしまったのである。サン・マルコ広場に通ずる道に駆け込み、広場に出ると、きびきびした足どりで横切り、総督官邸の前を通ってホテルに戻った。途中だれにも会わなかった。前にも言ったように、ヴェニス全市は眠りに沈んでいた。ホテル・バイロンに着いてみると、〝ハル王子〟がデスクのむこうであくびをしていた。眠い目をこすりこすりエレベーターで階上に運んでくれる。わたしは部屋にはいるなり、まっすぐ洗面所にとんで行って、旅行の際必ず持ち歩いている薬用ブランデーの小壜をつかんだ。そして、中身をひと息に飲みほした。

5

当然のことながら、その夜はよく眠れず、恐ろしい夢をみた。ポセイドン、海神ポセイドンが怒れる海から立ち現われ、わたしに三叉《みつまた》の矛《ほこ》を突きつける。海がやがて運河となり、ポセイドンはブロンズの馬、コレオニ（十五世紀ヴェニスの戦術家）のブロンズの馬にまたがり、前の鞍にガニメデのしなやかなからだを乗せて走り去った。

わたしは、コーヒーといっしょにアスピリンを二錠のみ、おそくなってから起きた。外出したが、何を見るつもりだったのかわからない。新聞を読んで話し合っている人たちか、あるいは警察か――昨夜の出来事を暗示するものでも。ところが、外はうららかな十月の日、ヴェニスの活気がつづいている。

　わたしは汽船に乗ってリドへ行き、そこで昼食をとった。そして面倒なことに巻き込まれるといけないと思って、わざとリドで一日をつぶした。わたしが心配だったのは、ゆうべの白いレインコートの男が助かって、わたしに恨みをいだいたとしたら、警察に届け出て——おそらく、わたしが突き落としたのだとにおわすかもしれない、ということだった。ホテルにもどると、警察が待っているかもしれない。

　わたしは六時まで時間をつぶし、日没ちょっと前に汽船に乗った。今夜はにわか雨はない。空は穏やかな黄金《きん》色を呈し、ヴェニスは柔らかな光につつまれ、痛いほど美しかった。

　わたしはホテルにはいり、鍵を請求した。フロントは上機嫌に「おかえりなさい《ブオナ・セラ》、シニョーレ」と言い、鍵といっしょに姉からの手紙を手渡した。わたしに面会を求めにきた者はだれもいなかった。わたしは部屋に上がって着替えをし、ふたたび階下《した》におりて、ホテルのレストランで夕食をとった。食事はゆうべとおとといの晩レストランでとった夕食ほど上等ではなかったが、べつだん気にもならなかった。大して腹がすいてもいなかった。それに、いつものように葉巻きを吸いたくはなかった。代わりに、紙巻きタバコに火をつける。十分ばかりホテルの外に立ってタバコをふかし、潟に映る灯をながめていた。気持ちのいい晩だった。あのオーケストラは広場で演奏しているだろうか、ガニメデは給仕をしているだろうか、そんなことが頭をかすめる。ガニメデのことを思うと心配になった。ガニメデとあの白いレインコートの男となんらかの関係があるとすれば、あの出来事に心を痛めているかもしれない。夢が予告となることもありうる——わたしは夢の大の信者なのだ。ポセイドンが前の鞍にガニメデを乗せていたっけ……わたしはサン・マルコ広場にむかって歩きだした。教会の近くに立って、二つのオーケストラが演奏しているかどうか見るだけにしよう、とわたしは心に言いきかせた。

広場に来てみると、すべていつものとおりだった。同じ群衆、同じライバル同士のオーケストラが、これまた同じレパートリで演奏を競い合っている。わたしは広場を横切って、第二のオーケストラのほうへとゆっくり歩いていった。そして変装用の黒めがねをかける。彼がいる。ガニメデがいる。そのふんわりした髪の毛と白い前開きの短い上衣がすぐ目についた。色浅黒い仲間といっしょにせっせと働いている。あたたかいせいか、オーケストラを取り巻く群衆はいつもより多い。わたしは聴衆と柱廊のうしろの陰をひとわたり見まわした。白いレインコートの男の姿は見えない。もっとも賢明な方法は、即刻この場を立ってホテルにもどり、ベッドにはいってチョーサーでも読むことだ。だが、わたしは去りかねていた。バラ売りの老婆が巡回している。わたしは近づいて行った。オーケストラがチャップリンの映画のテーマ・ソングを演奏している。『ライムライト』だったろうか？　思い出せない。だが、容易に忘れられない曲だ。ヴァイオリニストがありったけの情緒をしぼり出している。この歌が終わるまで待ち、それからホテルにもどろう、とわたしは決心した。

だれかが注文しようとして指をぱちんと鳴らした。ガニメデがくるりと向きを変えて注文を受けに行った。そのとき、すわっている群衆の頭越しにまっすぐわたしを見た。わたしは黒めがねをかけ、帽子をかぶっていた。だが、彼にはすぐわかった。にこやかな歓迎の微笑を浮かべると、客の注文を無視してこっちへとんできて、椅子をぐっとつかみ、あいているテーブルの前に置いた。

「今夜は雨が降りませんよ」と、彼は言った。「みなさん喜んでいらっしゃいます。キュラソーですね、シニョーレ」

にこやかに笑い、懇願せんばかりの態度に出られては、どうして断わることができよう？　もしどこかおかしいのなら、もし彼が白いレインコートの男のことを心配しているのだったら、それとなく態度に出たり、警戒のまなざしを向けたりしただろう、とわたしは思った。すぐに彼はキュラソーを持ってもどってきた。

おそらく、ゆうべのより強かったのだろう。それとも、こちらの心が乱れていたために、よけい効《き》いたのだろうか。ともかく、キュラソーは頭へきた。神経の興奮が消える。白いレインコートの男とその不吉な影になやまされなくなった。あの男はたぶん死んでしまっただろう。それがどうしたというのだ？　ガニメデは少しも傷ついていない。好意を示すために、わたしのテーブルから数フィートはなれたところに立ち、うしろ手に手を組んで、わたしの気まぐれにすぐさま応えようと気を配っている。

「疲れることはないかね？」と、わたしは思い切ってたずねかけた。

彼は灰皿をとりのけ、テーブルを布巾《ふきん》でかるくはたいた。

「ええ、ありません、シニョーレ。仕事が楽しみですから。こういった仕事が」そう言って彼は軽く一礼した。

「学校へ行かないの？」

「学校ですか」彼は親指をぐいと動かし、払いのけるような仕草をした。「卒業《フィニート》しましたよ、学校は。ぼくはもうおとなです。生計を立てるために働いているんです。母と妹を養うために」

わたしは心打たれた。この少年は自分をおとなだと信じ込んでいるのだ。すぐさまわたしは、たえずぐちをこぼしている悲しそうな母親と小さな妹の姿を思いえがいた。三人は、あの鉄格子のついたドアのある家に住んでいるのだ。

「このカフェは、給料はいいのかね？」と、わたしはたずねた。

彼はぴくりと肩をすくめた。

「シーズン中は悪くはありません。しかし、シーズンももう終わりです。もう二週間もすれば終わりです。みんな行ってしまいます」

「そしたら、どうするの？」

彼はまたしても肩をすくめた。

「どこかよそへ行って、仕事を見つけなければなりません。たぶんローマへ行くことになるでしょう。ローマに友達がいるんです」

わたしは彼がローマにいるところを想像したくなかった——このような子供があんな都市にいるところを。それに、友達というのはいったいどんな人間なんだろう?

「どんなことがしたいと思う?」と、わたしはたずねた。

彼はくちびるを噛んだ。一瞬、かなしげな顔になる。

「できればロンドンへ行きたいと思います。どこか大きなホテルへ。でも、そんなこと不可能です。ロンドンには友達がいませんから」

わたしはわたし自身の直接の上司のことを思い出した。その男は、数ある仕事のなかで、パーク・レインのマジェスティック・ホテルの重役もやっている。

「ちょっと手をつくせば、手はずを整えてあげられるかもしれない」と、わたしは言った。

彼はにっこりわらい、両手を操るような仕草をした。

「やり方がわかれば簡単ですが、わからないと、どうも……」彼はくちびるをチュッと鳴らし、目を上げた。

その表情はそれとなく敗北を示している。そんなこと忘れてしまえ。

「当たってみよう。有力な友達がいるんだ」と、わたしは言った。

彼は、好機にとびつこうというような真似はしなかった。

「それはご親切に、どうもご親切に」と、彼はつぶやいた。

そのとき、オーケストラの演奏がやんだ。群衆が喝采すると、彼もいっしょになって手をたたいた。その丁重さは完璧だった。

「ブラボー……ブラボー……」と、彼は言った。わたしはあやうく涙が出そうになった。

後刻、わたしは勘定を払うとき、彼が気を悪くしないかと思って、チップをはずむのをためらった。それに、彼に一介の観光客と思われたくなかったのだ。われわれの関係はもっと深まったはずである。

「おかあさんと妹さんのために」そう言ってわたしは、彼の手に五百リラ押しつけ、大柄な母親と、黒い晴れ着を着たガニメデと、初の聖餐式のためにヴェールをかぶった小さな妹の三人が、聖マルコ教会のミサにしずしずと出かけて行くさまを心眼に描いた。

「どうもありがとうございます、シニョーレ」彼はそう言ってから、「では、またあした《ア・ドマーニ》」と、言い添えた。

「では、またあした《ア・ドマーニ》」彼が次の出会いを楽しみにしていることがわかると、わたしは心動かされ、おうむ返しに言った。白いレインコートの破廉恥漢は、いまごろはアドリア海の魚の餌になっていることだろう。

あくる朝わたしはショックを受けた。客室予約係がわたしの部屋に電話をかけてきて、正午までに部屋をあけてもらえないかというのである。部屋は二週間予約してあったはずだ。彼は弁解たらたらだった。手違いがあったのです、と彼は言った。実はこの部屋は何週間も前から予約があったので、旅行案内業者が説明してくれたものとばかり思ってた、という。仕方がない、どこかほかへ入れてくれ、とわたしはむっとして言った。彼は繰り返し詫びの言葉を述べたてた。実はホテルは満員なので、経営者側がときどき別館として使っている、とても居心地のいい小さなフラットなら推薦できるのですが、という。朝食はお運びしますし、個人用の浴室もついています、という。

「いまいましいったらありゃしない」わたしはぷりぷりして言った。「荷物をぜんぶ解いてしまったよ」

またしても詫びごとの数々。ボーイに荷物を運ばせ、それに荷造りもさせますから、あなたは手足を動かすにはおよびません、という。ついにわたしは、新しい取りきめに同意した。もっとも、荷物はだれにもいじらせるつもりはなかったけれど。階下《した》へおりて行くと、〝ハル王子〟がわたしの荷物をのせる手押し車を持って待っていた。わたしは契約を破棄されたために腹を立て、別館の部屋はひと目見るなり断わってやり、別の部屋を探させようと決心した。

われわれは潟のへりを通った。〝ハル王子〟が手押し車を押して行く。そのうしろを、ばかみたいに、わたしはゆっくり歩いて行く。散歩している連中に突き当たったり、ホテルの部屋のことでヘマをしたらしい旅行案内業者を呪ったりした。

だが、目的地に着くと、わたしは態度を変えざるをえなかった。〝ハル王子〟のはいって行った家は、構えが立派で美しく、広い階段はしみひとつないほどきれいだったからである。エレベーターがないので、彼は荷物をかついで階段を上がって行った。二階で足をとめると、鍵を取り出し、左手のドアに差し込んでぱっとひらく。

「どうぞおはいりください」と、彼は言った。

とても美しい部屋だった。かつては大邸宅《パラッツオ》の非公式な客間《サロン》だったにちがいない。窓はホテル・バイロンのような鎧戸式の窓ではなく、バルコニーにむかって広くひらいており、うれしいことに、そのバルコニーからは大運河が見晴らせるのだ。これほどいい部屋はない。

「この部屋がホテルの部屋と値段が同じだというのは確かなのかい？」と、わたしはたずねた。

〝ハル王子〟は目を丸くした。わたしの質問の意味がわからないらしい。

「何ですって？」と、彼は言った。

わたしは二度とたずねなかった。とにかく、客室予約係がそう言ったのだ。わたしは周囲を見まわした。浴室が部屋からつづいている。ベッドのそばには花まで生けてある。

「朝食はどうしたらいい？」と、わたしはたずねた。

〝ハル王子〟は電話を指さして、「お掛けになれば、階下《した》が出ます。そうしたら持ってきますよ」そう言ってから、鍵を手渡した。

彼が行ってしまうと、わたしはふたたびバルコニーに出て、外をながめた。運河はざわめき、活気を呈している。ヴェニス全市がわたしの眼下にある。高速モーターボートも蒸汽船《ヴァポレット》も気にならない。目まぐるしく変わる活気に満ちた景色は、決して飽きないものの一つだと思った。そうしたいと思えば、一日中ここにぼんやりすわっていることもできる。信じられないほどの幸運。旅行案内業者を呪うどころか、感謝したいくらいだった。荷物を解くのは三日目にして二度目だったが、こんどはホテル・バイロンの三階の何番さんではなく、ささやかな宮殿《パラッツォ》の主人なのだ。わたしは、王様になったような気がした。鐘塔の大鐘は正午に鳴る。早く朝食をとったので、もっとコーヒーがほしくなった。受話器を取り上げるとブザーがきこえ、次いでかちりという音。声が言った——「はい？」

「カフェ・コンプレ」と、わたしは注文した。

「はい、ただいま」と、声が答えた。その声は……聞き覚えのあるあのアメリカ訛りだったろうか？　わたしは手を洗いに浴室へはいった。もどると、ドアにノックの音がした。「おはいり《アヴァンティ》！」と、わたしは叫んだ。

盆を持ってきた男は、白いレインコートを着ておらず、中折れ帽もかぶっていなかった。プレスの行きとどいた薄グレイの背広。ひどいスエード靴は黄色。そして、ひたいにはバンソウコウが貼ってある。

「いかがです？　万事わたしが手配したんですよ。とてもいいでしょう。オーケイでしょう」

6

彼は窓ぎわのテーブルに盆を置き、バルコニーと、運河からきこえてくる音のほうに手を振ってみせた。

「サー・ジョンスンもここで一日過ごしたんですよ。一日中バルコニーに寝そべってね、あれを持って——あれ何て言ったかな？」

彼は両手を上げて、双眼鏡のかたちをつくり、左右に方向を変えてみせた。にっこり笑うと金歯がのぞく。

「バーティ・プール氏は、それとは全然別でね」と、彼は言い添えた。「高速モーターボートでリドまでとばし、暗くなってから帰ってくるんですよ。友達と夕食を共にしたり、小さなパーティをひらいたり、陽気に騒いでましたよ」

その如才ないウィンクに、わたしはうんざりした。差し出がましくも彼はわたしのためにコーヒーをつぎはじめた。やりきれなかった。

「ところで」とわたしは言った。「わたしはあんたの名前も知らないし、どうしてこんなことになったのかも知らない。あんたがホテル・バイロンのフロントとうまく折り合ったとしてもそんなことはわたしと何の関係もない」

彼は驚いて目をみはった。

「この部屋が気に入らないとでもいうんですか」と、彼は言った。

「もちろん、気に入りましたよ。だが、問題はそんなことじゃない。問題は、わたしが自分で契約し、そしていま……」

ところが、彼はわたしの話をさえぎった。

「心配ご無用、心配ご無用」手を振って彼は言った。「ホテル・バイロンよりもここのほうが安くてすみます。わたしにお任せください。それに、だれにも邪魔されませんよ、だれにも」

彼はまたしてもウィンクし、のそのそとドアのほうへ歩いて行った。「ご用があったら、ベルを鳴らしてくだされば結構。オーケイ？」

彼は部屋から出て行った。わたしはコーヒーを大運河に投げ捨てた。もしかすると毒が入れてあるかもしれない。わたしは事態を考え抜こうと腰をおろした。

ヴェニスに来て三日になる。ホテル・バイロンの部屋は二週間予約したのだった。だから、休暇はまだ十日残っていることになる。あと十日、このぽんびきのおかげで、割増し料金も払わずにこの快適な部屋ですごせるというのだろうか。どうやら彼は、運河に落ちたことでわたしに恨みをいだいてはいないらしい。バンソウコウが落ちたなによりの証拠だが、そのことにはひとことも触れない。薄グレイの背広を着ていると、白いレインコートを着ていたときほど不吉には見えない。おそらくわたしは、想像に駆られたのかもしれない。しかし……わたしはコーヒーポットに指を浸し、その指をくちびるにもっていった。べつに変な味はしない。ちらと電話を見やる。受話器を取り上げれば、鼻もちならぬアメリカ訛りの声がこたえるだろう。外部からホテル・バイロンに電話したほうがいい。出向いて行ってたずねれば、なおいい。

わたしは戸棚とたんすとスーツケースに鍵をかけ、鍵をポケットにしまった。それからドアに鍵をかけ、部屋を出た。むろん彼は合鍵を持っているだろうが、それは仕方がない。わたしは攻撃を受けた場合の用意にステッキを持って階下《した》へおり、通りへ出た。敵影はどこにも見えない。わたしはホテル・バイロンへもどり、係の者かえる。わたしはホテル・バイロンへもどり、係の者から事情を聞き出そうとしたが、あいにく、受付にいたフロント係は、今朝電話で部屋の変更を知らせてきた男ではなかった。新しく来た客が所定の手続きをしようと待っており、フロント係はいらいらしていた。もう宿泊していないわたしのような人間には興味がないのだ。彼は言った。「ええ、ええ、そうです。こちらが満員のときには、ほかのところにお客さまをお泊めするように手配するんですよ。そのことで今まで苦情を言われたことはありませんが」手続きをしようと待っていた二人連れが、ふうとため息をついた。わたしは彼らの邪魔をしていたのだ。

希望もむなしく、わたしはデスクをはなれ、ホテルを出た。どうしようもなさそうだった。太陽が輝き、そよ風が潟の水面にさざ波を立て、上着も帽子もぬいだ連中がのんびりと散歩している。そうした連中にならってもいいわけだ、とわたしは思った。けっきょくのところ、とりたてて重大なことが起きたわけでもない。おれは大運河を見晴らす部屋の仮の所有者なのだ。これら全観光客の羨望の的。なんでくよくよすることがあろう？　わたしは蒸汽船《ヴァポレット》に乗って出かけて行き、大学のそばの教会に腰をおろして、幼児キリストを抱いた聖母マリアに見入った。神経が鎮まった。

昼からは、バルコニーで眠ったり読書したりして過ごした。サー・ジョンスン——どんな男か知らないが——とちがって、双眼鏡の恩恵は受けなかった。わたしの近くにやってくる者はだれもいない。見た限りでは、荷物をいじられた形跡はなかった。仕掛けておいたささやかな罠——二つの結び目のあいだの百リラ紙幣——はそのままだった。わたしは安堵のため息をついた。万事うまくいくかもしれない。

夕食に出かける前に、上司に手紙を書いた。彼はいつもわたしに目をかけてくれる。ヴェニスでいちばん眺めのいい快適な部屋を見つけたと知らせるのも一興だと思った。「ところで」と、わたしは書いた。「マジェスティック・ホテルで若い給仕を養成するチャンスはないでしょうか。容姿、態度ともすばらしい、実にいい少年が当地にいるのです。マジェスティックにはうってつけのタイプの少年です。希望をあたえてやることができましょうか。彼は夫に先立たれた母親と父を失った妹の唯一のささえなのです」

わたしは気に入りのレストランで食事をし——わたしはもう好ましい人物《ペルソナ・グラタ》になっていた——なんの不安も覚えず、サン・マルコ広場へとぶらぶら歩いて行った。あのぽんびきが白いレインコートを着て現われるかもしれなかったが、うまい食事を腹に詰め込んだばかりなので、気にもならなかった。オーケストラのまわりには、潟に停泊した駆逐艦の乗組員が群がっていた。帽子を交換したり、笑い声を立てたり、流行歌を所望したりしている。聴衆はどっと沸き、ふざけてヴァイオリンを引ったくろうとした水兵に拍手を送る。わたしもつられて大笑いした。わたしのそばにはガニメデがいる。姉はデヴォンなんかに来ないでヴェニスにでも行きなさいとすすめてくれたが、まさにそのとおりだった。姉の家の料理人の気まぐれを祝福したいくらいだった。

わたしが別世界へ運び去られたのは、笑っている最中だった。わたしの頭上、わたしの足もとに雲が流れ、見ると、かたわらの空《あ》いている椅子に伸ばした右腕が翼になっている。両腕が翼となり、わたしは地上高く舞い上がっている。それに、鉤爪もはえている。鉤爪は少年の生気のないからだをしっかりつかんでいる。その目はとじている。風の流れが上方へとわたしをはこぶ。雲を抜ける。わたしは勝利感に酔いしれていた。少年の動かないからだが、いちだんと貴重なものに、確実に自分のものに思われてくる。はっと我に返ると、オーケストラの音、笑い声、拍手。気がついてみると、ガニメデの手をしっかりつかんでいた。彼はその手をひっこめず、握られるままにしている。

わたしはどぎまぎした。あわてて手をひっこめ、いっしょになって拍手する。それから、キュラソーのグラスを取り上げた。

「ご幸運を祈る」とわたしは言い、オーケストラにむかって、群衆にむかって、全世界にむかって、乾杯した。この少年ひとりだけに乾杯するのはよくないと思ったからだ。

ガニメデは微笑を浮かべ、「楽しそうですね、シニョーレ」と言った。

それだけだったが、わたしのムードに共感していることが感じられた。わたしは衝動に駆られて身をのり出した。「ロンドンの友達に手紙を出したよ。大きなホテルの重役をしている友達にね。数日中に返事がくるだろうと思う」

彼はおどろきの色を見せなかった。一礼してから、うしろ手に両手を組み、群衆の頭越しにあらぬかたを見やった。

「それはどうもご親切に」と、彼は言った。

どの程度わたしを信頼しているのだろうか、わたしに寄せる信頼はローマの友達に寄せる信頼にまさっているのだろうか。

「名前とかいろいろなことを教えてくれないかね」と、わたしは言った。「ここの経営者から聞いてもいいんだが」

　彼は短くうなずいた。わかってくれたらしい。「証明書を持っています」と、彼は誇らしげに言った。わたしは学校からの報告書や雇い主に提出する推薦書などのはいっている一束の書類を思い浮かべ、微笑を禁じえなかった。「伯父も話してくれるでしょう」と、彼は言い添えた。「伯父にお訊きになるといい」

「伯父さんというと?」と、わたしは訊き返した。

　彼はわたしのほうに顔を向け、はじめてやや遠慮がちな、恥ずかしそうな色を浮かべた。「旦那さまは、ゴルドン通りにある伯父のアパートにお移りになったんでしょう。ぼくの伯父はヴェニスの大実業家なんです」

　伯父……あのぞっとするようなぽん引きが彼の伯父なのだ。これで事情がわかった。それは血縁関係。心配することはなかったのだ。あの男はがみがみいう母親の兄なのだ、とすぐさまわたしは思い込んだ。ふたりして、きっと、ガニメデの感情をもてあそんでいるのだろう。それでガニメデは彼らからはなれ、独立して生活したがっているのだろう。それにしても、きわどいところだった。あの男が運河にはまり込んだとき、ひどく感情を害することになったかもしれないのだ。

「もちろん、もちろん」わたしはとうに知っているようなふりをした。彼はそれを額面どおりに受け取ったようだった。他人の目にばかに見えるのはわたしの望むところではなかった。わたしは言葉をつづけた。

「とても居心地のいい部屋だよ。知ってるの?」

「もちろん知ってます」彼は微笑を浮かべた。「毎朝旦那さまのところへ朝食を持って行くことになっているのは、このぼくなんです」

　わたしはあやうく気を失いそうになった。ガニメデが朝食を運んでくるとは……わたしはキュラソーをもう一杯注文して感動を隠した。彼は注文を受けてとんで行った。わたしは、フランス風にいえば、狼狽《ブルヴェルセ》していた。きわめて快適な部屋に住むというのと――それも割増し料金をとられないで――ガニメデに朝食を持ってころがり込まれるというのとは、わけがちがう。

血のかよったわたしとしては、それはほとんど耐えられないことだ。わたしは彼がもどってくるまでに心を落ちつけようと努力したが、彼の言葉に動揺してしまって、じっと席にすわっていることができないくらいだった。彼はキュラソーのグラスを持ってもどってきた。

「楽しい夢をごらんください、シニョーレ」と、彼は言った。

楽しい夢か、なるほど……わたしは彼を見つめる勇気がなかった。わたしはキュラソーを飲みほすと、まだ真夜中には大分間《ま》があったけれど、彼が別の客に呼ばれた機に乗じて、こっそり出て行った。そして、意識的というよりもむしろ本能的に——自分がどこへ行くのかわからなかった——アパートにもどった。ロンドン宛の手紙がまだ投函されないまま、テーブルの上に載っていた。夕食に出かけるとき持って行こうと思っていたのだが。朝になってからでもよかろう。動揺のあまり、今夜もういっぺん出かける気にはなれなかった。

わたしはバルコニーに立って、葉巻きをもう一本ふかした——前例のないほどの吸い過ぎ——それから、朝食を持ってきたときガニメデにプレゼントしようとおもって、持ってきたささやかな蔵書を調べた。彼の英語はとてもいいので、賞讃のしるしになにか贈る必要があったが、チップをやるという考えはなんとなくいやだった。トロロプ（十九世紀の英国の小説家）は彼には向かないし、チョーサー（十四世紀の英国の詩人）も向かない。それに、エドワード王朝の回想録は彼には理解できないだろう。それとも、すり切れるほど読んだシェイクスピアの十四行詩《ソネット》集を手ばなす気になれるだろうか。決心のつきかねること。抱いて眠りたいくらいだ——もし眠れるものなら。なかなか眠れそうにない。わたしは催眠薬《セコナル》を二錠のみ、眠りについた。

目がさめたときは九時過ぎだった。運河を行き交う船を見ると、日盛りのよう。うららかに晴れ渡った日だ。わたしはベッドからとび起きて浴室へ行き、ひげを剃った——いつもは朝食を終えてから剃るのだが。それから化粧着を着てスリッパーをはき、テーブルと椅子をバルコニーへ運び出す。電話のところへ行き、ふるえる手で受話器を取り上げる。ブザーの音、かちっという音、次いで彼の声。血が心臓にわっと押し寄せる。

「お早うございます、《ブオン・ジョルノ》シニョーレ。よくおやすみになれましたか」

「ぐっすり眠れたよ。カフェ・コンプレを持ってきてくれないかね？」

「カフェ・コンプレですね」と、彼はおうむ返しに言った。

わたしは受話器を置き、バルコニーに出て腰をおろした。ドアの鍵をあけてなかったことを思い出す。わたしは鍵をあけ、バルコニーにもどった。ばかばかしいほど興奮している。ちょっと気分が悪くなるほどだった。永遠のように思われた五分間ののち、ドアにノックの音がした。彼が肩の高さに盆を捧げ持ってはいってきた。その態度は非の打ちどころなく、そのものごしは堂々としていて、コーヒーとバターつきロールパンを持ってきたというよりも、神饌《しんせん》か白鳥でも持ってきたみたいだった。クラブのボーイの着るような、細い黒い縞のはいったモーニングを着ている。

「じゅうぶんお召しあがりください」と、彼は言った。

「ありがとう」と、わたしは答えた。

わたしは膝の上にささやかなプレゼントを用意していた。シェイクスピアの十四行詩《ソネット》集を犠牲にしなければならぬ。この版はかけがえがないが、構うものか。ほかのものではだめだろう。だが、進呈する前に、まず探りを入れてみよう。

「ちょっとした贈りものをしたいんだが」と、わたしは言った。

彼は丁重に一礼し、「いつもご親切に」とつぶやいた。

「きみは英語がとてもうまいから、最上のものだけを聞く必要がある。ところで、もっとも偉大な英国人は誰だと思うかね?」

彼は問題を真剣に考えているようだった。サン・マルコ広場のときと同じように、両手をうしろ手にしっかり組んで立っている。「ウィンストン・チャーチルです」と、彼は言った。

それは予想しておくべきだった。むろんこの少年は現代に生きているのだ。あるいは、この場合、近い過去の人物を挙げるのが当然かもしれない。

「ご名答」わたしは思わず微笑を浮かべて、「だが、もう一度考えてもらいたいね。いや、質問のしかたを変えてみよう。もしお金があって、きみのほしいもので、英語に関係のあるものに使っていいとなったら、まっさきに何を買うかね?」

今度はためらうことなくすぐに答えた。「LPのレコードを買います。エルヴィス・プレスリーかジョニー・レイのLPレコードを」

わたしはがっかりした。わたしが期待していたのはそんな答えではなかった。それにしても、プレスリーとかレイとかいうのはいったい何者だろう。流行歌手だろうか。わたしは考え直した。十四行詩《ソネット》集を手ばなすのはよそう。

「そうかい」と、わたしは言った。ぶっきらぼうに聞こえなければよいが、とわたしは思った。わたしはポケットに手を入れ、千リラ紙幣を取り出した。「だが、わたしとしては、モーツァルトを買うことをすすめるね」

紙幣はもみくしゃにされ、彼の手のなかに消える。巧妙な手さばきというべきか。それにしても、紙幣の数字をちらとでも見ることができたのだろうか。どのみち、千リラは千リラだ。どうやってカフェの仕事をのがれてわたしに朝食を持ってくるのか、とたずねると、カフェの仕事は正午にはじまるとのことだった。どのみち、カフェの経営者と彼の伯父とのあいだに話がついているのだろう。

「きみの伯父さんはいろんな人と気脈を通じているらしいね」と、わたしは言った。ホテル・バイロンの客室予約係のことを考えていたのだ。

ガニメデは微笑を浮かべて、「ヴェニスでは、みんながみんなを知っているんです」

彼がわたしの化粧着を感嘆のまなざしでちらと見やったのに気づいた。旅行用に買ったとき、ちょっと派手すぎると思った化粧着を。わたしはレコードのことを思い出し、要するに彼は子供なのだ、あまり多くを期待すべきではない、と悟った。

「休みの日はあるの?」と、わたしはたずねた。

「ええ、日曜日です。ベポーと交替で休むんです」

ベポーとは不似合いな名前だが、カフェにいるあの色の浅黒い若者にちがいない。

「で、休みの日には何をするの?」と、わたしはたずねた。

「友達と出かけます」

わたしは自分でもう一杯コーヒーをつぎ、思い切って言ってみようかどうか迷った。ひじ鉄砲をくらえば傷がつく。

「もし今度の日曜日きみがひまで、大してすることがなかったら、リドへ連れてってあげよう」わたしは顔が赤らむのを覚え、コーヒーポットにのしかかるようにしてそれを隠した。

「高速モーターボートに乗って?」と、彼は即座に訊き返した。

わたしは当惑した。いつものように蒸汽船《ヴァポレット》に乗って行こうと考えていたのだ。高速モーターボートを借りるとなると、とても高くつくだろう。

「時と場合によるよ」わたしは言葉を濁した。「日曜日だと、全部予約済みじゃないかね?」

彼は断固として首を振って、「ぼくの伯父さんが高速モーターボートを貸している人を知っていますよ。丸一日借りられます」

そうなると、ずいぶん取られるだろう! 言質をあたえるのはよくない。「まあ、天気次第だね」と、わたしは言った。

「晴れですよ、きっと」彼はにっこりした。「今週いっぱい晴れですよ」

彼の熱が感染した。かわいそうに、この子には大きな楽しみがほとんどないのだ。昼から夜まで観光客のために立ち働いているのだ。高速モーターボートで風を切るのが、天国のように思われるのだろう。

「そうかい」と、わたしは言った。「天気がよかったら行こう」

わたしは立ち上がり、化粧着にこぼれたパン屑を払い落とした。それを、退出を命ずるジェスチュアと解したのか、彼は盆をつかんだ。

「ほかになにかご用はございませんか」と、彼はたずねた。

「手紙を出してくれないか。ゆうべ話した手紙だよ。ホテルの重役をしている友達宛の」

彼は慎しみ深く目を落とし、手紙を渡されるのを待った。

「今晩きみに会えるかね?」と、わたしはたずねた。

「もちろんです。いつもの時間にテーブルをとっておいてさしあげましょう」

わたしは彼をかえし、ひと風呂浴びようと立ち上がった。不愉快な考えが胸に浮かんだのは、湯につかってからだった。ガニメデはサー・ジョンスンとやらにも朝食を運び、パーティ・プールといっしょに高速モーターボートでリドへ行ったのではなかろうか。わたしはそうした考えを払いのけた。あまりにも不愉快な考えだ……

その週は彼の予言どおり晴天つづきで、わたしは日毎に環境に魅惑されていった。アパートはひっそりしている。わたしのベッドは、まるで魔法によるかのようにととのえられる。伯父はずっと姿を見せない。朝になり、受話器を取り上げると、ガニメデが出、朝食を持ってくる。毎晩、カフェのテーブルがわたしを待っている。椅子がひっくり返しに置かれ、キュラソーのグラスとエヴィアン水が並べてあるのだ。これ以上妙な幻想をいだかず、これ以上夢をもたなかったら、少なくとも幸福な休暇気分に浸っていられるのだ。なにひとつ思いわずらうこともなく、ガニメデとのあいだに精神感応《テレパシー》的意志疎通と異常な共感を保って。わたし以外には客は存在しないのだ。彼は本分を尽くしてはいるが、わたしの思うままに動く。そしてバルコニーでの朝食が一日の最高頂《ピーク》。

夜が明ける。日曜日は晴天。蒸汽船《ヴァポレット》にしたくなるような強風は吹きそうにない。彼がコーヒーとロールパンを運んでくる。興奮を隠しきれない微笑。

「リドへいらっしゃいますね?」と、彼はたずねた。

わたしは手を振って、「もちろんだよ。約束は破りゃしないよ」

「ぼくが準備しておきましょう。十一時半までにあそこの桟橋へいらしてください」

そして、それ以上話をしないで姿を消した。こんなことは初めてだった。それほど彼は急いでいたのだ。ちょっと驚くべきことだった。値段を訊くひまもなかった。

わたしは聖マルコ教会のミサに列席した。心が高揚する、感動すべき経験だった。道具立てはすばらしく、歌は非のうちどころがなかった。小さな妹の手を引いてはいってくるガニメデの姿を捜そうとして周囲を見まわしたが、大群衆のなかに彼の姿は見当たらなかった。高速モーターボートに乗れるという興奮で、それどころではないのだろうか。

わたしは教会からまぶしい太陽の下に出、黒めがねをかけた。潟の水面はさざ波ひとつ立っていない。彼がゴンドラを選んでくれればよかったのだが、とわたしは思った。ゴンドラなら、ゆったりと全身をのばして横たわることができ、トルセロへ行けるのだが。シェイクスピアの十四行詩《ソネット》集をもっていき、その一、二篇を彼に読んで聞かせることもできるのだが。ところがこれから、彼の若さの気まぐれに身をまかせ、スピード時代にとび込まなければならないのだ。費用なんかかまうもんか! もう二度とこんなことはしないから。

彼が水際に立って、半ズボンと青シャツに着替えているのをわたしは見た。いちだんと若く、まったくの子供のように見える。わたしはステッキを振り、にっこり笑いかけた。

「準備完了かね？」と、わたしは快活に叫んだ。

「準備完了です」と、彼は答えた。

わたしは桟橋にちかづき、足をとめた。ワニスを塗ったすばらしいモーターボートだ。へさきには小旗、ともには大きな国旗が掲げられている。燃えるようなオレンジ色のシャツの胸をはだけ、胸毛をのぞかせて、操縦装置のかたわらに立っている不恰好な大男をひと目見るなり、わたしは気が滅入った。あの男だ。彼はわたしを目にすると、クラクションを鳴らし、エンジンの回転速度を上げ、轟音をたてた。

「ほうぼう回りましょう」そう言って彼は胸のわるくなるような微笑を浮かべた。「ビッグ・ニュースになりますぜ。大いに楽しみましょう」

7

わたしは鉛のような心をいだいて乗り込んだが、恐ろしい操縦者がエンジンにギアを入れたので、たちまちバランスを失った。倒れまいとして、猿のような彼の腕につかみかかる。彼はわたしをかたわらの椅子にすわらせてくれ、同時にスロットルを全開にしたので、わたしは鼓膜が心配になった。ボートは、真二つに裂けんばかりの恐ろしいスピードで、潟の水を切ってすすんでゆく。両側にそびえ立つ水の壁で、ヴェニスの優雅さも色もぜんぜん見えない。

「こんなに速く走らなければいけないんですか」わたしは耳を聾するエンジンの響きにも負けじと絶叫した。ぽんびきは金歯をむいてにやっと笑いかけ、叫び返してきた。「レコード破りです。こいつはヴェニス一のボートですよ」

わたしは運命とあきらめた。こうした試練を覚悟していなかったばかりか服装も十分ではなかった。濃紺の上着にはすでにして塩水がはねかかり、ズボンには油のしみがついている。日除けに買った帽子も役に立たない。飛行士のかぶるヘルメットと保護めがねが必要だった。吹きさらしの席を立って船室に這い込もうとすると、手足を怪我するかもしれない。そのうえ、わたしには閉所恐怖症の恐れがある。狭い所に閉じ込められたうえにこの騒音では、なお悪い。われわれのボートはあたりの船という船を揺り動かし、アドリア海めざして疾走する。操舵手としての腕前を見せびらかそうとして、わたしのかたわらの怪物は曲芸を演じはじめ、大きく輪を描きわれわれのボートが立てたうねりに突っ込んでゆく。

「ほら、すごい波乗りでしょう」と彼はわたしの耳もとで吠えた。たしかにすごい波乗りだった。急降下のたびに胃がひっくり返り、しぶきが襟からはいり込み、ちょろちょろ背中を流れ落ちる。へさきに立っているのは、われわれの立てる軟風に淡色の髪をなびかせ、一瞬一瞬に打ち興じているガニメデ。快活で自由な海の妖精。

わたしの唯一の慰めは彼。ときどき振り返って微笑を向ける彼を見ると、即刻ヴェニスへ引き返せとは言い出せなくなる。

リドに着いたときには——蒸汽船《ヴァポレット》なら愉快だったろうが——濡れねずみになっていたばかりか、耳も聞こえなくなっていた。しぶきとエンジンの轟音が右の耳をふさいでしまったのだ。わたしはふるえながら、むっつりおし黙って岸に立った。ぽんびきがなれなれしくわたしの腕をとり、待っていたタクシーに案内したときには、やりきれなかった。ガニメデはひらりと助手席に乗り込んだ。どこへ行くのだろう、とわたしは自問した。空想とはなんとたわいないものだろう。教会でのミサのあいだじゅう、わたしは、どこのだれとも知らぬ慎重な人物に操縦された船から、ガニメデといっしょに上陸し、前に来たときマークしておいた小さなレストランへふたりしてはいってゆくところを想像していたのだ。彼といっしょに片隅のテーブルにつき、メニューを選び、彼の幸福そうな顔を見、その顔がぶどう酒で赤らむのをながめ、自分のこと、これまでのこと、不平を言う母親や小さな妹のことを彼に話させるのはなんと楽しいことだろう、とわたしは考えていた。そして食後のリキュールがくるころ、ロンドンの上司宛の手紙が効を奏した場合の将来の計画を話し合おうと思っていたのだ。

ところが、そんなことはなにひとつ起こらなかった。タクシーはリド海水浴場に面したモダンなホテルの前で、カーブを切ってとまった。シーズンも終わりに近いにもかかわらず、ホテルは混んでいた。ぽんびきはホテルの支配人と知り合いらしく、おしゃべりしている群衆をかき分けて、風通しのわるいレストランへはいって行った。人目につく、燃えるようなオレンジ色のシャツを着た彼のあとについて行くのは具合が悪かったが、もっと悪いことが待ち受けていた。中央のテーブルは、声をかぎりに話し合っている陽気なイタリア人に占められていたが、彼らはわれわれの姿を見るといっせいに立ち上がり、椅子をうしろに押しやって席をあけた。ばかでかいイヤリングをして香水の匂いをぷんぷんさせ、髪をブロンドに染めた女が、わたしにむかってイタリア語でまくし立ててきた。

「妹です」とぽんびきが言った。「歓迎してるんです。彼女、英語話せません」

これがガニメデの母親なのだろうか。そのかたわらにいる、爪を真っ赤に塗り、腕輪をじゃらじゃら鳴らしている、胸の隆起の豊満な女――これがガニメデの妹なのだろうか。わたしは頭がくらくらした。

「ぼくの家族を昼食にお招きくださって、たいへん光栄です、シニョーレ」と、ガニメデがささやいた。

わたしは打ちのめされ、腰をおろした。だれも招いた覚えはない。だが、事態はもはやわたしの手に負えなかった。伯父が――この怪物、ぽんびきがほんとうに伯父だとすれば――プラカードくらいの大きさのメニューをみんなにまわしている。ホテルの支配人は機嫌をとろうとして、からだを二つに折っている。そして、ガニメデは……ガニメデは、いやらしいいとこの目にほほえみかけている。口ひげをはやした水夫刈り《クルー・カット》のそのいとこは、ずんぐりしたオリーブ色の手で、水を切ってすすむ高速モーターボートの仕草をしている。

わたしは破れかぶれになって、ぽんびきの方を向いた。「パーティがあろうとは思ってもいませんでしたよ、金が足りないかもしれませんが」

彼はホテルの支配人との話を中断して、「心配ご無用……心配ご無用……」と、手を振り動かして言った。「勘定書はわたしにお渡しください。あとで清算しましょう」

あとで清算する……いやはや、なんとも結構なことだ。夕方になるころには、清算する気になれなくなるかもしれない。ミート・ソースのたっぷりかかったヌードルの大皿がわたしの前に置かれ、真っ昼間のんだら死んだようになってしまいそうな特製バロロ酒がグラスにつがれた。

「おもしろかったですか」ガニメデの妹が、そう言って足を押しつけてきた。

何時間かたった。わたしは彼女と彼女の母親にはさまれて海岸に腰をおろしていた。ふたりともビキニに着替え、いるかのようにわたしの両側に横たわっている。いとこや伯父や伯母たちは、きゃあきゃあ騒ぎながら海にとび込んだり、上がったりしている。そして、天使のように美しいガニメデは、とつぜん宇宙から現われたかと思われる蓄音機で、わたしがやった千リラで買ったレコードを繰り返しかけている。

「母が心からお礼を申しあげたいと言っています」と、ガニメデは言った。「ロンドンへ手紙を書いてくださって。ぼくが行くことになれば、母も行きます。それに、妹も」

「みんなで行きますよ」と、彼の伯父が言った。「一連隊でね。みんなでロンドンへ出かけて行って、世間をあっといわせますよ」

やっと終わった――海にとび込むことも、妹が真っ赤な足指でつつくことも、ぶどう酒のびんも。頭が割れるように痛み、腹が反逆する。親類がひとりずつわたしに握手を求めてきた。母親は感謝の言葉をまくしたて、わたしを抱擁した。みんないっしょに高速モーターボートでヴェニスへ引き返し、そこでパーティをつづけようと言い出さなかったのが、惨憺たる日の終わりにわたしに残された唯一の慰めだった。

われわれは船に乗り込んだ。エンジンがかかり、船は岸をはなれる。今度こそ、わたしが空想していた帰航になるはずだった——船は澄んだ水の上を、ゆっくりと穏やかに進み、わたしのかたわらにはガニメデがいる。何時間もいっしょに過ごしたために新たな親密さが育ち、水平線近くの太陽が、ヴェニスの島の前面をバラ色に染めている。

行程を半分ほどすすんだとき、ガニメデは船のともに巻きつけてあるロープをやっきになってほどきにかかった。伯父はスロットルをゆるめ、船の速度を急に落とした。われわれは気持ちの悪くなるくらいに左右に揺れはじめた。

「どうしようっていうのかね?」と、わたしは叫んだ。

ガニメデは、目にはいり込もうとする髪を払いのけ、にっこり笑って、「水上スキーですよ。スキーに乗ってヴェニスまでお送りしますよ」

彼は船室にもぐり込み、スキーを持って出てきた。伯父と甥はいっしょになって、ロープとスキーを用意した。それから、ガニメデはシャツと半ズボンをぬぎ捨て、水泳パンツ一つになって、小さなブロンズの彫像のようにまっすぐ立った。

伯父がわたしをさし招いた。「ここにすわって、ロープを繰り出してください」

彼はともの繋《けい》柱にロープを結びつけ、その端をわたしの手に握らせてから、急いで操縦席にもどり、エンジンを響かせはじめた。

「どういうことなんです?」と、わたしは叫んだ。

「どうすればいいんです?」

ガニメデはすでに船側を越えて水のなかにはいり、

素足をスキーの長孔《スロット》に固定させていた。そして、船が進みはじめると、彼は立った姿勢をとった。伯父はクラクションを鳴らし、耳をつんざくような音をたてた。

船は勢いを増し、全速力で波を切って進んで行く。繋柱にくくりつけられたロープがぴんと張る。わたしはまだその端をしっかりつかんでいる。われわれのあと、踊るスキーの上、岩のようにゆるがないガニメデの小さな姿が、消えかかるリドを背景にシルエットを描いている。

ボートのともに腰をおろし、彼を見まもる。まるで二輪戦車《チャリオット》の御者のよう。二本のスキーは疾走する軍馬。両手は前にのばされ、手綱を引き締める二輪戦車《チャリオット》の御者のようにロープを握っている。われわれが一度二度と旋回すると、それにつれて彼も弧を描いて旋回し、勝利の微笑を浮かべ、手を上げてわたしに挨拶した。

海は空。海面に立つさざ波はちぎれ雲。少年とわたしは太陽にむかって舞い上がり、流星を追い散らす。彼はあるときはわたしの肩に乗り、あるときはすべりおりる。そして、空でもなく海でもない、星を取り囲む発光体の輪――溶けた霧のなかへと、ふたりして、まっさかさまに突入して行くような感じのときもあった。

船がふたたび直進しはじめると、彼は片手を上げてわたしに合図し、繋柱のロープを指さした。ゆるめてくれというのか、もっとしっかり締めてくれというのか、わからない。わたしはぐいとロープをひっぱった。それがいけなかったらしい。彼はたちまちバランスを失い、海中にほうり出された。泳ごうともしない。怪我をしたにちがいない。

わたしは狼狽し、伯父にむかって叫んだ。

「エンジンをとめろ！　後進《ゴースターン》！」

正しい処置は、ボートをぴたりととめることだったのだろうか。伯父はぎくっとして振り返ると、動顚したわたしの顔しか見えないので、エンジンを一杯に逆転させた。わたしはひっくり返った。起き上がったときには、船は少年のほとんど真上にきていた。水が攪拌され、ロープがもつれる。とつぜん、木の裂片が浮かんできた。船側から身をのり出してみると、ガニメデのほっそりしたからだがプロペラに吸い込まれ、両脚が巻き込まれている。わたしは彼を引き上げようと身をかがめた。彼の肩をつかもうと両手をのばした。「ロープに注意して」と、伯父がわめいた。「ぐっとひっぱって」

だが彼は、少年がわれわれの横にいることを、われわれの下にいることを、知らないのだ。やっきになって引き上げようとしているわたしの手から、すでに少年がすり抜けてしまっていることを、彼は知らないのだ……すでに……海水が彼の血で朱《あけ》に染まりはじめていることを。

8

わたしは伯父に言った。ええ、ええ、補償金はお払いします。請求なさるだけお払いします。わたしがいけなかったのです。判断を誤ったのです。わからなかったのです。ええ、明細をお書きくださっても結構です。請求なさるだけお払いします。ロンドンの銀行に電報を打ちます。おそらく英国領事が援助し、助言してくれるでしょう。すぐに金を調達できなければ、週いくら、月いくら、年いくら、というふうにお払いします。ええ、死ぬまで送金をつづけます、遺族の扶養をつづけます。わたしの責任です、たしかにわたしの責任です。

わたしが判断を誤ったために事故が起きたのだ。英国領事はわたしの横に腰をおろし、伯父の説明に耳を傾けていた。伯父は手帳と勘定書の束を取り出した。「このかたは二週間の契約でわたしのアパートを借りたのです。わたしの甥は毎日このかたに朝食を運んでいました。花も持って行きました。コーヒーとロールパンを持って行きました。甥の世話を受けたいというのが、このかたのたっての希望だったのです。このかたはあの子がとても気に入っていました」

「まちがいないかね？」

「ええ、まちがいありません」

アパートの電灯代は別勘定らしかった。それに、風呂の燃料費も。風呂は特別に階下《した》から沸かさなければならないという。鎧戸の修繕にきた男の手間賃もあった。正午までカフェに行かず朝食を運んでくれた少年の手間賃もあった。それに、正規の休日でない日曜日に休暇をとらせた賠償金も。このかたがこれらの代金を払ってくださるかどうかわかりませんが、と男は言った。

「すでに申しあげたように、なんでもお払いします」とわたしは言った。

ふたたび手帳をしらべる。高速モーターボートのエンジンの修理代。修繕のきかないほどめちゃめちゃになってしまった水上スキーの代金。意識不明のガニメデを腕に抱いたわたしと彼を乗せた、故障した高速モーターボートをヴェニスまで引っぱって行くために呼んだ船の料金。波止場から救急車を呼んだ電話料、入院費、薬代、手術料。

「このかた、なんでも払うと言っています」

「まちがいありませんか」

「ええ、まちがいありません」

黒服と対照的な黄色い顔が、前より肥ったようにみえる。泣きはらした目が領事を横目で見る。

「このかた、わたしの甥のことで、ロンドンの友達に手紙出したんです。おそらく、いまごろ、仕事があの子を待っているでしょう。あの子、もうその仕事につけません。わたしには息子がいます。ベポーといいます。これもとてもいい子です。このかたも知っています。ベポーとわたしの甥、ふたりとも毎晩カフェで働き、このかたに給仕してました。このかた、ふたりがとても好きでした。うちまでつけて行ったこともあります。ベポーは死んだいとこの代りにロンドンへ行きたいでしょう。このかた、手を打ってくださるでしょうね？　もう一度ロンドンの友達に手紙出してくださるでしょう」

領事は慎重に咳払いした。「まちがいありませんか、うちまでつけて行ったというのは?」

「ええ、まちがいありません」

伯父は大きなハンカチを取り出し、鼻をかんだ。

「甥は手のかからない子供でした。わたしの息子も同じです。面倒を起こしたこと、いちどもありません。稼いだ金はぜんぶ家に入れます。甥はこのかたをとても信頼していました。このかたがロンドンへ連れてってくれると、わたしにも、母親にも、妹にも話しました。母親は新しいドレス買いました。妹も。それに、あの子がロンドンへ行くときに着せる服も買ったんです。もう着せられない、役に立たない、と母親は嘆いています」

なんでもお払いします、とわたしは領事に言った。

「かわいそうに、母親はひどく悲しんでいます」と、声はつづけた。「妹も。仕事をする気力もなくなり、神経衰弱になり、病気になってしまいました。甥の葬式代はだれが出すんでしょう? するとこのかたは、どんな費用も惜しみはしない、と言ってくださる」

どんな費用も惜しみはしないか。ま、そういうことにしておけ。葬式代、ヴェールの代、花輪の代、音楽の代、泣き男や泣き女の代、果てしなくつづく行列の代。ええい、なんでもはらおう――カメラをパチパチやったり、鳩に餌をやっている、事件をなにも知らない観光客のためにも、ゴンドラのなかで抱き合って横たわっている恋人たちのためにも、鐘楼からきこえてくるお告げの鐘の響きのためにも、潟の岸を洗う波のためにも、パディントン運河では石炭船に変わる、桟橋をはなれる蒸汽船《ヴァポレット》のポッポッという音のためにも。

もちろん消え失せるだろう――あそこを通る石炭船のことではない、恐怖のことだ。事故の恐怖、突然の死の恐怖。事故というよりも戦争。この事故がなかったら、彼はロンドンにやってきて成長し、肥りだし、伯父のようなぽんびきになり、やがては老醜をさらしたことだろう。わたしはいかなる弁解をしたいとも思わない。なにひとつ弁解をしたいとも思わない。しかし――この事故があったために――わたしの人生はかなり変わってしまった。前にも述べたように、ロンドンの住居からこの地区に移った。仕事をやめてしまったし、友達とも絶交してしまった。要するに……わたしは変わってしまったのだ。いまでも、姉や姪とはときどき会う。そう、血のつながった者がほかにはひとりもいないのだ。弟がいたがわたしが五つのとき死んでしまった。いまではぜんぜんおぼえていない。考えたこともない。それからというもの、身内で生きているのは姉だけだ。

さて、失礼して時計を見よう。わたしの腕時計では、かれこれ七時。道路の下手《しもて》にあるレストランがあく時間だ。遅れずに行きたいと思う。実は、今晩、そのレストランの給仕見習いの少年が十五歳の誕生日を祝うことになっているのだ。わたしはささやかな贈りものを用意している。べつに大した物ではない――こうした少年をスポイルするなどとは信じていないが――若い人たちのあいだで大変人気のある、ペリー・コモという歌手がいるらしい。わたしはその最新盤のレコードをここにもっている。それに、彼はあざやかな色が好きなのだ――このブルーと金のネクタイは彼の目をひきつけると思うのだが……

皇　女

The Archduchess

1

南ヨーロッパのロンダ公国が共和国になってからすでに久しい。ロンダは専制君主制の鎖を断ち切った最後の国で、そこに起こった革命はまことに血なまぐさいものであった。七百年にわたりこの国に君臨してきた王家の血を引く大公の専制から、のちに人民戦線有限会社の名で知られるに至った大企業と共産主義思想の合弁組織である啓蒙的人民戦線政府への政権移行は、西欧世界を震駭《しんがい》させた。ところで、西欧世界はつとに危険信号を見てとり、面倒を避けんがために、とうに残余の王国ことごとくを梱包《こんぽう》し、巨大な外航船に船積みしてしまっていたのだった。彼らはここに住みつき、幸福に日々を送り、陰謀をたのしみ、血族結婚をくりかえし、そして解放されたヨーロッパの国民にふたたび騒ぎをもたらさぬよう、下船することはなかった。

革命は衝撃だった。ロンダはながらく民主主義国家群にとって他山の石だったからであり、また観光客お好みの遊楽地だったからである。この国が魅惑的だったことに不思議はない。小国であることがロンダを他に類を見ない国にしていた。この国はまことに狭小であったが、人の心が求めるすべてを備えていた。そこにそびえる唯一の山、ロンダーホフは一万二千フィート、その頂上へは四方いずれの斜面からも登ることができ、山麓の斜面はヨーロッパ最良のスキー場になっていた。唯一の川、ロンダクィヴァーは首都まで船が遡行でき、河口には数々の小島をちりばめ、その小島にはそれぞれ賭博場《カジノ》と海水浴場があり、夏には何千という観光客を集めた。それに、泉が湧いていた。

有名な泉は首都の背後の丘に湧きいで、それらが、この国を幾世紀にもわたって支配していた王家の最大の資産であった。というのは、泉から湧き出る水は、特別な、いや不思議な成分を含んでいたからだった。この水をある種の薬品と調合して用いると、永遠の若さを保つ効能があった。その調合法は代々の大公の秘伝で、死にぎわの枕辺で次の世継ぎに伝受されるならわしになっていた。この秘法は死神を最後まで寄せつけぬわけにはいかなかったが、ロンダの泉の水は、少なくとも代々の大公が皺一つ、白髪一本なしに墓場に横たわれることを保証していた。

すでに述べたように、この秘法は代々の大公のみに伝授され、その功徳は世継ぎのみが享受する。しかし、泉の水はこの公国を訪れるいかなる旅行者も自由に飲むことができ、若返りの効能はあらたかだった。たしかに革命前は、泉の水から不老の成分をいくらかでも摂取し、若返りの活を得てもとの生活に戻ろうという魂胆の幾千の男女が世界各地からロンダに押しかけたものだ。

ロンダの風物が旅行者に与えた影響を言葉で定義するのは容易ではない。小麦色に日焼けした独特な肌色、夢見がちな、遠くを眺めているような目つき、人生に対する奇妙に投げやりな態度などから、ロンダにあそんだ者はすぐにわかる。「ロンダを訪ねた者は神を見た者」とは、周知の諺だが、たしかに冬や夏の休暇を「国外」で過ごしてきた連中の肩のすくめ方、人目かまわぬ大あくび、顔に浮かべる薄ら笑いには、彼らが国内にとどまった者にはうかがい知れぬ他界と睦び親しみ、神秘の地に遊んだことをしのばせた。

むろん、効能は次第にうすれる。労働者は工場に、事務員は会社のデスクに、化学者は実験室に戻るのだが、思いにふけるしばしの暇があるとき、ロンダに旅した者は、高山の泉から湧き出る氷のような水、ロンダクィヴァーの小島、今でこそ革命の記念品が飾られ、陳腐きわまる博物館になりおおせたが、かつての大公の宮殿、宮殿前の広場のカフェ、などを思い出すのだった。

むかし宮殿は、空色と金色の華麗な制服をまとった近衛兵に守られ、旗竿には白地に「生命の泉」をかたどった公国旗が翩翻《へんぽん》とひるがえり、宮廷楽団はジプシー調と詠唱調《シャフト》のまじった哀愁のこもったロンダ民謡を奏でたものだった。すると、夕食を終えた観光客たちは広場に集まり、思い思いに席をとり、大公が露台《バルコニー》に姿を現わすのを待つ。この行事が一日の頂点を画した。ロンダーホフに登り、ロンダクィヴァーにおよぎ、泉で不老の水を飲んだ旅行者たちにとって、称賛するにせよ、冷笑するにせよ、彼らがこの公国で見聞きし感じたすべてのことが、この大公出現の一瞬に集約されるのだった。ロンダ産の葡萄から作った葡萄酒は強く、口当たりがよく、いささか酩酊し、ロンダクィヴァーの魚はおいしく、いささか満腹し、ジプシー調と詠唱調のまじった音楽はわすれた記憶をかきたて、いささか感傷的になった観光客たちは、理性を麻痺され、かようにあでやかな大団円には容易に心動かされるのだった。

まず沈黙があたりを支配する。広場の照明は光度を落とす。と、宮廷楽団がゆるやかに国歌を演奏しはじめる。その歌詞の最初の一節は「われは汝の求めるもの、生命の泉なり」というほどの意味。すると宮殿の窓々がひらき、露台《バルコニー》に白い制服の人影が立つ。夢を象徴する蝙蝠《こうもり》が宮殿の鐘楼から放たれ、それが飛び交う有様はあやしくも美しい効果を添える。この夜の生物は、いつ果てるともない弧を描きながら燦然と輝く大公——大公は代々、金髪だった——の頭上に舞い、音といえば、小さい翼が宙を打つ羽音のみ。大公は欄干にかくされていたアーク灯の光に照らし出されて彫像のように立ち、大勲位章の赤い綬章が白い制服に一点の色彩を添える。その容姿は、遠くから眺めて、なお魅力にあふれ、強靱な共和主義者でさえ、ふと感動に喉をつまらせかねないものだった。さる高名な外国のジャーナリストの言によれば、ロンダ大公の姿をひと目見た男は、心の奥に眠っていた保護本能をかきたてられずにはおかぬそうである——もっともこの本能は、そのジャーナリストが付言したところによれば、人類の保全のためには、無きにしかぬものだそうだが。

　運よく宮殿の近くに席をとり、アーク灯の光をわが身に浴びた者の証言によれば、この夜ごとの行事についてもっとも顕著なことは、それが百年一日の如く変わらぬことだった。その時刻は正確、その演出は完璧で、大公は常にあの奇跡的な永遠の青年の美を完備していた。剣の柄《つか》に手をかけ、ひとりたたずむ燦然たる容姿には、人をして嘆息せしめずにはおかぬ美質があって、だれかが嘲笑的にこの大公は齢《よわい》九十をすぎ、ここに並み居るだれもが生まれる以前からこんなことをやっているのだ、と指摘したところで無駄だった。だれも、そんなことはどうでもよく、耳を傾けようともしなかった。大公は露台《バルコニー》に現われるごとに、いわば、中世においてロンダクィヴァーが大氾濫したあとでロンダの民衆のなかに現われてきた最初の王子の化身として現われるのであった。この洪水で、住民の四分の三が死んだが、ロンダの歴史によれば、そのとき突然、「山の斜面の泉の水を除いて、すべての水は引き、不死の聖杯をいただいた王子が出現し、民を治めた」のだった。

　もちろん近年の歴史家は、これをおとぎ話と見なし、初代大公の出現にはいささかも奇跡じみたところはなく、出現したのは、災害ののちに、疲労し落魄《らくはく》した残り少ない生存者たちをみちびき、勇気づけたひとりの羊飼いだったと主張している。真相はどうあれ、この神話はなかなか死に絶えず、共和国となってからすでに年へた今日《こんにち》でさえ、革命家たちによって広場で逆吊りにされるまえ、大公の手によって祝福を受けたと称する小さな偶像を秘蔵している老人が多い。しかし、わたしは思うのだが……

　すでにおわかりのように、ロンダは歓楽と癒《いや》しと平和の国だったのだ。ロンダで、人は心の渇きを癒したのだ。ロンダの女性について書かれた書物はすでに厖大な数におよぶ。今は知らぬが、彼女たちはリスのように内気、羚《かもしか》のように優美、そしてエトルリアの人形のように優雅だった。外国人との結婚は禁じられていたので、ロンダから花嫁を連れ帰った男はいないが、恋愛沙汰は知られていないわけではない。勇敢にもロンダの女に手を出し、しかも怒りを発した父親や夫や兄弟たちに殺されずにすんだ幸運な旅行者が、帰国後誓って語るところによれば、ロンダの女の腕に抱かれて眠ることや、酔い痴れるような愛撫の経験は死ぬまで忘れないだろうという。

　ロンダには宗教の名に値するような宗教はない。信仰や国教がないというのではない。ロンダの人々は泉の水の効験や、大公のみが知っている不老の秘法を信じていたが、これ以外に礼拝する場所もなければ、僧侶もいないという意味である。それに不思議なことに、フランス語とギリシャ語との混交のようにきこえるロンダ語には、「神」を意味する言葉がない。

　惜しいことに、今ではロンダ語もずいぶん変わった。今ではロンダも共和国だ。週末とか、コカコーラという言葉も含めて、あらゆる雑多な西欧語が日常語にはいりこんでいる。結婚の掟も崩れ、ブロードウェイでも、ピカデリーでも、ロンダの女性を見かけることができ、しかも彼女たちの仲間の女とほとんど見分けがつかない。大公が君臨していた時代には、ロンダ以外では見られなかったやすで魚を刺す漁法、泉を跳び越す競技、雪踊りなどの風俗は、すべて死に絶えてしまった。ロンダで損なわれずに残ったものといえば、高い山や曲がりくねった川などの風土だけだった。それに、藍玉《らんぎょく》に映える光のみに喩《たと》えうる、強すぎも弱すぎもしない明澄な陽光。革命直後に空港が建設されたが、飛行機が離陸してからしばらくたち、すでに国境を遠くはなれた地点にさしかかっていても、ロンダの陽光はそれとわかった。

　変わり果てたとはいえ、今でもロンダを訪れた者は、立ち去るときには名残を覚え、郷愁をいだいてロンダを去る。旅行者はリッツォーなる甘口だが油断ならぬこの国のリキュールの最後の一滴をすすり、夏も終わりに近づくと、街を埋める金色の花弁のロヴルヴラの酔うような香りに最後の名残を惜しみ、ロンダクィヴァーで湯浴《ゆあ》みする小麦色の肌したさる人の姿に惜別の情をこめて別れの手を振り、そして空港のそっけない待合室にたたずみ、やがて西に、東に、仕事に、大義に、同胞の生活の向上のために、この満たされざる欲望の国ロンダから飛び立って行くのだ。

今日《こんにち》のロンダの首都について、もっとも心がかりなことは、すでに述べたように、今では記念館になっている宮殿のことを別にすれば、おそらく、王族のなかでただひとり生き残った御方《おんかた》の身の上のことであろう。人々はいまだにそのかたを皇女と呼んでいる。その理由はのちほど明らかにされたが、彼女だけが兄の大公とともに虐殺される運命を免れた。皇女は不老の秘密を握っていた——代々の大公以外の王族でこの秘密を握った唯一のかただった。反徒が押し寄せてきたとき、兄の大公が彼女にその秘法を伝授したのだった。彼女はいまだにその秘法を明かしておらず、おそらく秘密をいだいたまま墓場に埋もれる覚悟にちがいない。むろん、秘密を引き出すため、監禁、拷問、幽閉、告白剤、洗脳など、あらゆる手が尽くされた。しかし、どうしても彼女から永遠の若さの秘法を引き出すことはできなかった。

皇女は八十歳をこえているはずで、しかもここ数カ月は健康がすぐれない。医師たちの診断によれば、彼女の生の試練はもうひと冬はつづくまいという。しかし彼女は、たぐい稀なる血筋をついでいる。彼女はいまだに共和国でいちばん美しい娘だ。その年齢にもかかわらず、わたしがあえて娘と呼ぶのは、その容貌といい、身ごなしといい、皇女はいまだに娘だからだ。今は亡き彼女の同年輩の人たち——多くは《大鉈《おおなた》の夜》に虐殺されたが——を魅了した黄金《きん》色の髪、うるんだ目、優雅な身ごなしなどは、いささかも変わっていない。もし一ロンディップ（一ドルに相当する銀貨）を投げ与えれば、彼女は今でも古い民謡の調べにあわせて軽やかに踊ってみせることだろう。しかし、次第に高潮してきた革命思想によって否定されるに至ったとはいえ、栄光の頂点にあった頃の皇女、ほとんど崇拝と呼んでよいほどの民衆の皇女に対する人気、彼女の芸術に対する愛好と庇護、はたまた彼女のいとこにあたるアントン伯との大ロマンスを覚えているわれわれにとっては……これらのことを覚えているわれわれにとっては、ロンダのポーラ皇女が夕食にあずからんがため、観光客の慰みに踊る様子は見るにしのびず、胸しめつけられる思いがする。昔はそうではなかった。露台《バルコニー》に大公が現われ、蝙蝠《こうもり》が飛び交ったかつての日々のことがまざまざと脳裡に浮かぶ。

だから……もし読者諸氏をひどく退屈させせないならば、どうしてこのヨーロッパ最後の公国が亡びて共和国になったかという次第、いまや人民の愛顧を失い、宮殿前の広場で物乞いをこととしている皇女に対する誤解もその一因だったのだが、どうしてロンダ民衆のあいだに不穏の空気が醸成されることになったかという経緯を、できるだけ手短に物語ってみたいと思う。それというのも、この国の学者たちが未来の世代の教育のためにせっせと書き直している歴史の本には、その一部始終は全然書かれていないからだ。

2

まず最初に、ロンダの歴史を簡単に述べておこう。ロンダ人の祖先はクレテ島から海を渡ってきた民族とゴール地方から陸を伝ってやってきた民族とからなり、のちにジプシーの血がまじった。それから、すでにご承知のように、十四世紀にはロンダクィヴァー川の大氾濫があり、少なくとも住民の四分の三が死んだ。初代大公が秩序を回復し、穀物と葡萄の栽培を奨励した――つまり、打ちひしがれた民衆にふたたび生きる希望をあたえたのだ。

このみずからに課した使命の達成にあたって、大公は泉の水に助けられるところが少なくなかった。その泉の水を調合し、とこしえの若さを保つ秘法を知っていたのは大公だけだったとはいえ、その水自体にも貴重な成分が含まれていた。この水を飲む者はだれしも、目覚めたとき、思春期前の子供たちがそうであるような幸福感を味わえた——好奇心の甦り、と称したほうがいいかもしれない。親も教師もこわくない子供が目覚めたときに抱く唯一の望みは、寝台から跳びおり、素足のまま外に飛び出すことだ。それによってのみ子供の夢はみたされるのだ。子供にとって、陽は自分たちのために昇るのだから。

疑い深い連中がよく言うようには、それはけっして幻影ではない。最近の科学者はある種の化学的成分が内分泌腺の活動を刺激することを知っている。それゆえにこそ、泉の水の瓶詰が現在のロンダの主要産業となりえているのだ。その年間生産高の八十パーセント以上をアメリカ合衆国が買っている。だが、もともとは、この産業は大公に握られていたので、水はひそかに瓶詰にされ、国境を越えてこの国にはいってきた者にだけ売られていた。ロンダーホフの九千フィートの高みにある洞穴から湧出し、滝をなして山をくだる水量のことを考えると、無駄は尨大である。疲れたアメリカ人の血管に送りこまれ、吸収されてしかるべき全活力源は空中に飛沫を飛ばしながら裸岩の上を滑り落ち、平地を流れ、すでに肥沃な土地をなおもうるおし、黄金《きん》色のロヴルヴラの花を咲かせる。

ロンダの人々は母親の乳とともにこの水を飲む。そこにロンダの人たちの美しさ、人生の喜び、憎悪や野心とは無縁な快活さが由来していた。それら——つまり、満足心と無欲が、ロンダの歴史を読んでみればわかることだが、国民の性格を形成している。愛し合っている者同士がどうして殺しあうことがあろうか——と有名なロンダの詩人オルドーは問うている。うれしいときに、なぜ泣くことがあろうか？　なにゆえロンダーホフを越え、病《やまい》と疫病の外国へ行くことがあろうか？　なにゆえロンダクィヴァーをくだって、スラムやアパートに詰めこまれ、いつも隣人を出し抜こうとねらっている人々の群がる国へ渡ることがあろうか？

だから、ロンダの生活は大洪水以後ほとんど変わっていない。代々の大公や皇子の年を知ってるものはひとりもいなかった。大公が病んでいるとか、なにかの事故にあったとかいう噂が流れることはある——それはいささかも秘密ではなかった。事が起こり、それが受け入れられる。それから大公がみまかり、大公が甦った——という宣言が宮殿の門に貼り出される。それを宗教と呼べば呼べよう。神智学者たちは、それは宗教であって、大公は泉を象徴していたと主張している。宗教であれ伝統であれ、それはロンダの人たちにむいていた。彼らは代々の大公が不老の秘法を世嗣《よつぎ》に伝えると考えるのが好きだったし、大公の金髪碧眼白皙の美しさ、白い制服、近衛兵のぴかぴか光るサーベルの鞘を好んだ。

君主は国民の楽しみや生活にはまったく干渉しなかった。土地が耕され、収穫があり、国民を養うにたる食物が生産されているかぎり——つまり、魚や鳥や野菜や果物、それに葡萄酒やリキュールが豊富で、生活に不足がなければ、法律をつくる必要はさらになかった。結婚に関する法律はまことに自明で、それを破ろうと思うような者はひとりもいなかった。ロンダの女以外の女と結婚したいと思うような男が果たしていただろうか？　国境の外からきた男とのあいだにできた、手足のずんぐりした、肌に張りのない子供を甘んじて腕に抱くような女が果たしていただろうか？

ロンダ人は血族結婚をくりかえしてきたので、コーンウォールほどの広さしかないこの小国の人たちはみんな血族だという議論もある。それは否定できないことである。昔のロンダを知っている人にとって、多くの兄弟姉妹が縁を結んでいることは周知のこと。肉体的には、それはかえってよい結果をもたらしたようだし、精神的な弊害もなかった。ロンダでは知的障害のある子供はほとんど生まれなかった。しかし、歴史家をして言わしむれば、ロンダ人の野心の欠如、むしろ怠惰な満足心、戦争嫌いなどは、この血族結婚に由来するものだそうだが。

なにも不足がないのに、なにゆえ争うことがあろうか——と、詩人オルドーは言っている。わたしの財布がいっぱいなのに、なにゆえ盗むことがあろうか？　わたしの妹がわたしの花嫁なのに、なにゆえほかの女に手出しすることがあろうか？　なるほどこのような感覚はショッキングであり、じじつ、多くの旅行者は肉感的魅力にあふれ、道徳観を欠如したこの国を訪れてショックを受けたものである。しかし、いかほど顰《ひん》蹙《しゆく》し、いかほど腹を立てたところで、最後には旅行者のほうが負けてしまう。だれしも美には抗しがたい。議論に飽き、休暇が終わるころまでには、泉の水を飲んだ旅行者はすっかり宗旨を変えてしまうのだった——無私であると同時に享楽的で、肉体と精神を完全に調和させたロンダ人の生活態度に感銘を受けるからだった。

ここに悲劇があった。西欧人は決して満ち足りることを知らない。満足することは許しがたき罪である。西欧人はたえず、ある見えざる目標に向かって邁進する——たとえそれが物質的快楽であれ、より偉大で、より純粋な神であれ、宇宙の支配権を握るような武器であれ。それを意識すればするほど、気ぜわしく貪欲になり、結局はそこに戻らなくてはならないにせよ、自己が生まれ出てきた境遇に満足することを知らず、つねに改善をこころがけていながら同胞を奴隷と化している。外界との接触によって、ついにロンダに浸透し、育ち、ふたりの革命家マーコイとグランドスによって成熟させられたのは、まさしくこの欲求不満の毒素であった。

なにが彼らを革命家にしたのだろうか？　他のロンダ人たちは国境の外に出て行き、なんら毒されることなくもどってきている。何がマーコイとグランドスをして、事実上、七世紀にわたり不変だったロンダを破壊しようと願わしめたのであろうか？

説明は簡単だ。マーコイはエディプス（知らずして父を殺し母を妻としたテーベの英雄）同様、生まれつき足がねじ曲がっており、不自由だった。だから、彼は両親を恨みに思っていた。彼を美しい者としてではなく、体に障害のある者としてこの世に生み落とした以上、彼は親を許すことができなかった。親を許すことができなかった子供は、彼をはぐくんだ国をも許すことができなかった。マーコイは長じて、自分の国を自分以上に損なってやりたいという欲望をいだくようになった。グランドスは貪欲に生まれついていた。一説によれば、彼は純血ではなかった。彼の母親は、ふとしたはずみで、海の向こうからやってきた見知らぬ男と床《とこ》を共にしたことがあり、その男のほうは、この征服をのちのちまで自慢の種にしていたそうだ。真偽のほどは別にしても、グランドスは進取の気性に富み、頭の回転がはやかった。ロンダでは大公一族を除いて、すべてが同じ教育を受け、そこに差別はなかったのであるが、学校では彼はいつもクラスで一番だった。彼はしばしば先生より先に答えを出した。これが彼を高慢にした。先生よりも知っている少年は王子よりも知っているわけで、彼は自分の生まれついた社会に対して優越感をいだくに至った。

ふたりの少年は友だちになった。ふたりは連れだって外国に渡り、ヨーロッパを旅した。半年の後、ふたりは胸に不満の種を宿して帰国し、そのときは意識していなかったが、それはやがて熟し、芽生えんばかりとなった。グランドスは漁業会社にはいった。頭がよかったので、ロンダ人の主食にして、通人の賞味おくあたわざるところのロンダクィヴァーの魚に他の利用法があることを発見した。魚の背骨の湾曲の具合が婦人のブラジャーの形にぴったりだったし、魚の油は、練ってロヴルヴラの花の香でにおいをつければ、どんな荒れた肌や老化した肌をも若返らせる美顔クリームになった。

グランドスは貿易業をはじめ、製品を西欧諸国に輸出して、やがてロンダ一の金持ちになった。それまでブラジャーや美顔クリームを用いたこともなかったロンダの女たちも、新聞に折り込まれた広告に欺かれ、グランドスの製品を用いることによって、いっそう幸福になれるのではなかろうかと思いはじめるようになった。

マーコイは、生産にはたずさわらなかった。両親の葡萄畑を軽蔑していたので、彼は新聞記者になり、やがて〈ロンダ・ニューズ〉の編集者になった。この新聞は、もともと、その日の出来事とロンダの農業や商業の記事を載せる日刊紙で、週に三度、芸能版がついた。田園でも、カフェでも、午睡の時間に新聞を読むのがならいだった。マーコイはこれらすべてを変えてしまった。ニュースは報道されたが、微妙な歪曲がほどこされ、古くからの習慣が揶揄された。葡萄踏みを軽蔑し（これは、むろん、両親に対する面当《つらあ》てだった）、魚をやすで刺す習慣をなじり（魚をやすで刺すのは魚の背骨をいため、したがって輸出事業にとっての損失だったので、これはグランドスの利益にかなっていた）、ロヴルヴラの花を摘むのをけなした（グランドスの美顔クリームは花の芯をすりつぶす必要があり、これは金色のロヴルヴラの花弁をむしることを意味していたので、これも間接的にグランドスの利益になった）。なにごとにもあれ、マーコイは美が蹂躙《じゅうりん》されるのを目撃するのを好み、それが花を摘み、そのかぐわしい花で家や都や宮殿を飾るのを春いちばんの楽しい行事としてきた古い人たちの心を傷つけるので、マーコイは花弁をむしり取るのを奨励した。この花を摘むという素朴な楽しみがマーコイには我慢ならなかったので、彼は他の気に入らぬ習慣ともども、これを廃止しようと決心した。グランドスが彼と腕を組んだのは、彼がロンダの習慣やしきたりを嫌悪していたからではいささかもなく、そういう習慣をなくしてしまえば、ますます彼の貿易事業は盛んになり、いっそう金持ちになれ、いっそう有力になれるからだった。

徐々に、ロンダの若者たちは、彼らが毎日新聞で読む新しい考え方を頭にたたき込まれていった。新聞発刊の時間も巧みに調節された。ざっと目を通し、午睡のあいだに忘れてしまうといったことになる真昼に新聞を発刊するのはやめになり、宮殿前の広場や村で、日没時に売られることになった。それはロンダの人たちがリッツォーをすすり、したがって信じやすく、欺かれやすくなっている黄昏の一時期であった。効果はてきめんだった。それまでは雪の冬と新緑の春という二つの完璧な季節をたのしむことと、その季節に恋をすること以外は考えたことのなかったロンダの若者たちは、彼らの育ちに疑問を抱きはじめた。

「われわれは七世紀にわたって無視されてきたのではなかったろうか？　ロンダは愚者の天国となりおおせたのではなかろうか」と、マーコイは問いかけた。「この国に足を踏み入れた者は、現実の世界、仕事の世界、進歩の世界は国境の外にあることを知っている。ロンダ人はあまりにも長いあいだ、たぶらかされてきた。われわれは大馬鹿者だという点でのみユニークなのであって、知的な人間には蔑まれているのだ」

だれしも馬鹿者呼ばわりされるのは好まない。愚弄は屈辱感と疑念を植えつけた。もっとも進歩的な一群の若者たちは不安を感じはじめた。そして、どんな仕事に従事していても、自分のしていることの価値が疑わしくなった。

「葡萄を素足で踏む者はみずからを踏みつける者だ」とマーコイは書いた。「土地を鋤《す》く者はみずから墓穴を掘る者だ」

マーコイは、やがておわかりになるだろうが、いささか詩人肌なところがあり、オルドーの哲学を巧みにもじって宣伝文句をものした。

「われわれは、老いも若きもひっくるめ、なにゆえわれわれ自身の所有物をわれわれから奪い上げている政府に唯々諾々として支配されているのか？　われわれみんなが支配者たりうるのだ。それなのに、われわれは支配されている。われわれに世界の支配を得さしめたはずの不死の力を、まやかしによってその化学的秘密を握ったひとりの傀儡《かいらい》に独占されている」

マーコイが春の祭典の日にこれを書き、その新聞がロンダじゅうの家庭にくばられたとき、彼らのこの小さい世界は変えられねばならぬという確信が住民のあいだにひろがった。

「ここに書いてあることは本当だ」と、ある男が隣の男に言った。「おれたちはあまりにも安易に過ごしてきた。何百年にわたって、おれたちはただ坐して、与えられたものを有難くちょうだいしてきただけだ」

「ここに書いてあることを読んでごらんよ」と、ある女はその友だちに言った。「泉の水をみんなで分ければ、もうだれも年をとる心配はないわ。ロンダじゅうの女が使ったって、まだ余るわよ」

だれもあえて大公その人を非難しようとはしなかったが、批判の底流があって、ロンダの民衆は長らく目隠しされ、隷属させられてき、それだからこそ世界の物笑いの種になっているのだという確信が育っていた。幾世紀ものあいだ例のないことだったが、その年の春の祭典には陽気さが欠けていた。

「ただ単に古い世代の人たちの感覚を麻痺させ、ひとりの人の虚栄心を満足させるために、ロンダの男女大衆によって集められた無意味な花々は、われわれが用い、われわれが富むために、つぶし絞られるべきはずのものだった。ロンダの資源は、われわれ自身と全人類の利益のために、開発され、売られるべきである」と、マーコイは書いた。

彼の議論は筋が通っていた。無益に費された花、無駄に流出してゆく水、ロンダクィヴァーをくだり大海にほしいままに泳ぎ出してゆく魚について人々はささやき合い、ロンダの女たちは身にブラジャーやコルセットをつけていなかったので、新聞も指摘するように、他の西欧諸国の人たちから軽蔑され、嘲笑されていたにちがいなく、ロンダクィヴァーの魚の背骨は彼女たちの乳房をささえ、腰を締めつけていてもよかったはずなのだ、と考えた。

その夜、史上最初のことだったが、大公が露台《バルコニー》に現われたときにも歓声はあがらなかった。

「なんの権利があって、あいつはおれたちを支配しているんだ」と、ある青年が言った。「あいつだって、おれたちと同じ、血と肉で出来てるんだ。え、そうだろ？　あいつがいつまでも若々しいのは、ただあの不老の薬のせいにすぎないんだ」

「そのほかにもいろんな秘法をあのかたは握ってるそうよ」と、彼の横にいた少女が言った。「宮殿は秘密でいっぱいだって。若さを保つ方法だけじゃなくて、愛を長引かせる秘法だってあるそうよ」

　かくして、マーコイとグランドスによって種をまかれたねたみ心が人々の心に芽生え、この国を訪れる旅行者もロンダの人たちのあいだに生まれた新しい精神に気づきはじめた。いらだった態度や気短かさは彼らの美しい肉体にそぐわなかった。お国ぶりや習慣を無心に自慢する風習は姿を消し、かつてなかったことだが、彼らはそれについて弁解がましいことを口にしはじめた。「奴隷化」とか、「後進的」とか、「非進歩的」とかいう輸入語が恥ずかしそうに肩をすくめて吐かれるようになり、いっぽう、旅行者たちの思慮を欠いた、「絵のように美しい」とか「古風でいい」とかいうロンダの褒め言葉がくすぶる不満の火に油を注いだ。

「一年あれば」と、マーコイは言ったとつたえられている。「一年あれば、嘲笑だけであの宮殿を崩壊させてみせる」

　これはグランドスに好都合だった。一年のうちには、ロンダクィヴァーの全漁民と契約を結び、漁網でとらえた魚からとれる背骨と油を供給させ、またその年の終わりまでには、十七歳以下の花摘みたちと協定を結んで、果肉質のロヴルヴラ花の芯を受け取り、そのエッセンスを精製して香料を生産し、合衆国に輸出することができるだろうと考えた。実業界の実力者グランドスと言論界の支配者マーコイが組めば、ロンダ国民の運命を支配することは容易なことだった。

「覚えておきたまえ」と、グランドスは言った。「力を合わせれば千人力だが、ばらばらになれば半人力。もしきみがぼくをきみの新聞でたたけば、ぼくは事業を国外の資本家に高値で売ってしまう。奴らがはいりこんでくれば、ロンダはヨーロッパに吸収されてしまい、きみは権力を失うことになる」

「きみも忘れちゃいけないね」と、マーコイは言った。

「きみがぼくの政策を支持せず、魚油と美顔クリームの利益配当を怠るなら、共和国の若者全部を動員してきみに立ち向かわせるよ」

「共和国？」と、グランドスは眉を上げて問いただした。

「そう、共和国だ」と、マーコイはうなずいた。

「公国は七世紀もつづいてきたんだぜ」と、グランドスはあえて反論した。

「ぼくは七日で倒してみせるね」とマーコイは答えた。

こういう対話は革命に関する書類には記録されていないが、人の口によってそう伝えられている。

「それじゃ、大公はどうするんだ」と、グランドスは問うた。「不死身の人間をどうやって処理するんだ？」

「ロヴルヴラの花を処理するのと同じやり方さ。引き裂くんだ」

「われわれの手をのがれ、国外に逃亡するかもしれん。そして、他の亡命君主たちと手を組む」

「あの大公は別だ。君は歴史を忘れている。永遠の生命を信じている君主は、すすんでわれわれの手にかかってくるよ」

「それは神話にすぎんよ」と、グランドスが反論した。

「なるほど」とマーコイは同感の意を表した。「だが、たいていの神話ははっきりした事実に裏づけされているものだ」

「その場合、王家の者はひとりとして生かしておけぬ。ひとりでも残れば、反動を呼ぶ」

「いや、ひとりだけは残さねばならん。きみが恐れているように、あこがれの象徴としてでなく、人間かいしとしてだ。ロンダの人民は嫌悪の象徴を持たねばならぬ」

翌日から、マーコイは翌年の春の祭典がまたやってくるまでにまたがる運動を開始した。彼の目的は〈ロンダ・ニューズ〉の欄《コラム》に、知らず知らずのあいだに毒素が読者の頭に滲みこむように配慮しながら、大公非難の筆をふるうことだった。敬愛の偶像は攻撃の的、さらし人形とならねばならなかった。攻撃はまず大公の妹の皇女からはじめられた。国いちばんの美女にしてだれからも愛されていた皇女は、ロンダの華《はな》と呼ばれていた。マーコイの意図は、道徳的にも、肉体的にも、彼女の価値を下落させることにあった。それが成功をおさめたか、失敗に帰したかは、やがておわかりになるだろう。

この男は、悪者だ——と、あなたはおっしゃるだろうか？　いや、彼は観念論者《イデオローグ》なのだ。

3

大公は、その妹よりも何歳か年上だった。正確には何歳年上だか、だれも知らなかった。ともかく、〈大《おお》鉈《なた》の夜〉に、記録はことごとく焼き払われてしまっていた。が、おそらく三十年は下らない年齢の差があったろう。大公の出生日は、宮殿の公交書にのみ記載されていて、国民はそれにはまったく無関心だった。国民が承知していたことといえば、ロンダの大公は本質的には不死であり、その魂は後継者によって受け継がれるということだけだった。七世紀にわたって、代々の君主は本質的には同一人物で、時間の要素は重要ではなかった。ポーラ皇女は大公の妹ではなかったかもしれない。彼女は大公の曾孫《ひまご》だったかもしれない。血縁関係などさしたる問題ではなかったことを理解していただかなければならない。しかし、ともかく彼女は王室の血をうけ、当初から大公の妹として知られていた。

国外からの旅行者にとっては、いつも大公一家の生活は謎だった。幾世紀にもわたって、彼らはどうやって生きつづけてゆくことができるのだろうか——あの宮殿の壁の内側で、一瞥したところたしかに美しい庭で、スキー・シーズン中や真夏にはロンダーホフの山荘で、魚が卵をもつ頃にはクィヴァー島で。日がな一日、彼らは何をしているのだろうか？　退屈しないのだろうか？　血族結婚に抵抗を感じないのだろうか？　王室典範はどうなっているのだろうか？　それは厳格なものだろうか？　儀式がぎっしりつまっているのだろうか？　そのように訊かれると、ロンダ人はきまって微笑を浮かべ、「正直なところ、われわれにはわかりません。でも、大公一家のかたがたも、われわれと同じように幸福でいらっしゃると思います。そうであってなぜいけないのですか？」と、答えるのだった。すべてのヨーロッパ人、アメリカ合衆国の市民、あらゆる〈文明〉人種を含めて、ロンダ国民以外の国の人たちは幸福ということを理解できるはずはなかった。ロンダ人たちは、首都でカフェを経営していようと、ロンダーホフの山麓で葡萄園を営んでいようと、ロンダクィヴァーで漁船を操っていようと、宮殿の壁のなかで王子や王女として生活していようと、それぞれ自分の運命に満足し、人生を愛していた。これが基本的な真実だった。彼らは人生を愛していた。「ロンダ人のように生きるのは自然じゃない。他の世界で人が日日どんなに奮闘しているかを知りさえすれば……」そう旅行者が語るのを聞いたことがある。それはなんとけちな考え方であろうか。ロンダ人はそんなことを知りゃしないし、知りたいとも思っていなかったのだ。彼らは幸福だったのだ。ほかの世界の人たちが摩天楼やプレハブ住宅に住み、身を粉にしてはたらく——それは結構だ。が、それがどうしたというのだ——彼らの言葉で言えばTandos Pisosというわけだった。

なるほど王室一家は血族結婚をくりかえしてきたが、それはロンダ人全体についてもいえることで、従兄《いとこ》と従妹《いとこ》、あるいはもっと近い関係の結婚はざらだった。彼らは何百年にわたって、きわめて繊細な感情生活をいとなんできたので、ただ王子をもうけんがためにのみ求婚するというような粗野な手段に訴えることはめったになかった。宮殿内で流血の惨があったこともかつてなかった。その必要がなかったからである。例の旅行者が愚かしくも考えたような退屈さなどあろうはずがなかった。幸福なら、退屈するはずがない。

ロンダ大公一家はみんな詩人、画家、音楽家、スキーヤー、馬術家、潜水家《ダイヴァー》、園芸家などだった。彼らはみな一芸に秀で、それを楽しんでいた。競走ではなかったから、嫉妬もなかった。典範のようなものは、わたしの知るかぎりでは存在しなかった。大公は夜ごとに露台《バルコニー》に姿をみせる――それだけだった。もちろん、大公が不老の妙薬、その秘法、泉の水を管理していた。その不老の水が湧き出てくる洞窟は大公家の財産で、その運用管理は大公と、曾祖父の代から山で育てられ、訓練されてきた一群の専門職の人たちにのみ任されていた。その洞窟を獲得することが、もちろん、グランドスの最終的な目的だった。

大公一家の人たちは決して視野が狭くも、野暮でもなかった。宮殿の蔵書は幾世紀にもわたり、代々の大公によって、増やされ、その多くは購《あがな》いがたい稀覯本であって、それらを焼き払うごときは許しがたい大罪であるといわねばならない。若い王子や王女の教養の高さはフランスの大学教授も舌を巻くほどのものであった。

ポーラ皇女は、ロンダの王女のなかでもきわだった才女であられた。彼女は五ヵ国語を話し、ピアノを巧みにし、声楽に秀でていた。〈大鉈《おおなた》の夜〉の破壊を免かれたブロンズ像の頭を手に入れた有名な蒐集家は、それが誰によって創られたにせよ、それを創った彫刻家は天才であると断言した。それは皇女の手になるものと信じられている。ロンダではだれしもスキーをしたが、もちろん皇女はスキーをよくしたばかりか、水泳にも乗馬にも秀でていた。この高貴な血を享けた皇女には、生まれつき、人々の憧憬をかきたて、愛さずにはおれなくさせるようななにかがあった。一つには、彼女の母親は彼女を産むと同時に亡くなり、父もまもなくそのあとを追って亡くなったということがある。第二に、もしそうであるとしたらの話だが、彼女の兄に当たる大公はまだ独身で、彼の即位と彼女の出生が同時であったこともあって、大公はことのほかこの少女を愛したということもあった。前の世代はみな成人し、結婚していたが、当時、宮殿では年端のゆかぬ子供はひとりも育てられておらず、先代の大公の血を享けた姪にあたるポーラの出生は、宮殿では十五年ぶりの子供の誕生だった。

ロンダの人たちはやがて彼女の存在に気づきはじめた。赤子をいだいた乳母の姿が宮殿の高窓に見られた。ロヴルヴラの花を摘んでいた少年が宮殿の庭に乳母車を認めた。噂はたちまちのうちにひろがった。が、やがて金髪の子供がロンダーホフのスロープでスキーをたのしみ、ロンダクィヴァーで水くぐりをし、さらにほほえましく喜ばしいことには、大公が夜ごとに宮殿の露台《バルコニー》にお立ちになる前に、少女の手をとっている姿が認められるようになった。この子供がロンダの宮殿でもっとも最近に生まれた子供で、現大公の妹、未来の皇女であることが知れわたった。

年がたち、彼女が成人に達すると、噂や逸話はいっそうしげく語られ、ひろまった。逸話はお人好しで噂好きのロンダ人の口から口へとつたえられた――ポーラ皇女が、それまで一流の跳び込み選手しかこころみたことのなかったロンダーホフの滝の、いちばん高い、いちばん危険な場所から潜水《ダイヴィング》をこころみたという話、ポーラ皇女が山の斜面に放牧されていた羊を、馬を乗り回して駆り集め、葡萄園に誘導したという話、魚が逃げられぬようにロンダクィヴァーの上流に網を張り、その無数の魚を原っぱにぶちまけたので、翌朝作物を見回りにきた農民たちがびっくりしたという話、皇女が宮殿の肖像保管所の聖なる像の頭上にロヴルヴラの花輪を飾ったという話、皇女が大公の寝室に忍び込み、白い制服を隠し、その隠し場所を、不老の秘薬をすらせてもらうまでは明かさなかった話など。

これらの話には一片の真実もなかったかもしれないが、そういう話をロンダの人たちはたいそう好んだ。皇女を象《かたど》ったメダルがどの家にも飾ってあった。その正体を旅行者に問われると、ロンダ人は誇らしげに答えたものだった――「われわれの皇女です」と。彼らはいつもわれわれの皇女と言った。

彼女はロンダで生まれたほとんどすべての子供の名付け親になった。誕生日には泉からとれた浄めの水とお祝いの言葉が皇女から贈られ、結婚日には、不老の水の数滴が贈られるならわしだった。アングロ・サクソン系の旅行者はこの習慣に嫌悪を覚えたが、南ヨーロッパの人たちは好ましく感じていた。

大公と彼の妹は合性がよかったので、いつの日かふたりが結婚することも当然のこととだれしも思いなしていた。これは西欧世界の旅行者にとって大きなショックであろうと考えられたので、ヨーロッパやアメリカの教会のあいだではロンダに旅行することを禁じようという動きがあったほどだが、功を奏さなかった。ところで、もし革命が起こらなかったなら、皇女は、ロンダのスキー選手権保持者で詩人の、彼女のいとこにあたるアントンと結婚していたであろうことはたしかである。〈大蛇《おおなた》の夜〉の殺戮を免かれた奉公人のひとりが、ふたりは長らく恋仲だったと証言している。

マーコイはこれを知っていた。新聞記者は至る所にスパイを忍ばせておくものだ。宮殿内といえども例外ではない。皇女といとこのアントンとのあいだにせよ、皇女と大公とのあいだにせよ、結婚が執り行なわれれば、大公一家が少なくとももう一代は安泰であることをマーコイは承知していた。ロンダ人はロマンスを信じていた。不死身の大公がその永遠の若さを捧げて妹の愛を求めるほどロマンチックなことはありえなかった。が、たとえ大公にそのような望みがなかったとしても、ロンダの人たちはべつに失望したりなどすまい。大公が彼女の選んだ人との結婚を祝福すれば、国民はまたそれを喜ぶだろう。だからマーコイは、そのような結婚が執り行なわれないうちに、巧みに振る舞って、彼の思想を若いロンダ人のあいだに滲透させておかねばならなかった。

まず手始めに、マーコイは〈ロンダ・ニューズ〉に毎日皇女の動静をつたえる欄を設けた。この欄は一見無難で、大公を正面から批判するような記事は載らなかったが、ロンダ国民の憧れの象徴が必ずしもご機嫌うるわしからざることを微妙ににおわせる筆致が見えた。皇女は物思わしげに宮殿の窓から広場の群集をながめておられた、と伝えられた。大公と妹のあいだがうまくいっていないのではなかろうか？　典範によって規制されている近親との婚姻にひるんでおられるのではなかろうか？

マーコイはこう書いた。

「〈ロンダの華《はな》〉ポーラ皇女はロンダ国民のものだ。もし皇女にその自由がおありになれば、平民と結婚なさるだろう。しかし、古くからのしきたりによってそれは禁じられている。この国でいちばんお美しいおかたはけっして自由でないのである」

この記事が〈ロンダ・ニューズ〉に載ったその日の夕刻、皇女はいとこのアントン伯とロンダーホフの山荘で夕刻のひとときをお過ごしになっていた。ふたりは愛をたしかめるために、ただふたりだけで短い求愛の休暇を、その山荘で過ごしていたのだ。しかし、このことは宮殿外には洩れていなかった。それゆえ、皇女の不在は――彼女はいつも窓から手を振った――人人の注意をひいた。皇女は辱《はずかし》められているのだろうか？　あるいは、ひょっとして、監禁されているのだろうか？　じじつ、皇女は山小屋に護衛付きで監禁されており、大公の意に従って妃となることを承知するまで監禁がつづくだろうという噂をマーコイは流布した。誇り高いロンダ国民の皇女は強制され、屈服させられてしまうにちがいない。数日のあいだ、事の善悪がはげしく論議され、マーコイとグランドスの支持者たちが、その議論に油を注いだ。

「これまでもこうだったし、これからもこうでなくちゃ」と、年配の保守的なロンダ人たちは言った。そういう意見は山間部や農村に住む人のあいだにことに多かった。「大公は皇女をめとられ、ご立派な不死身の皇子をおもうけになる。それがいいのだ。他の血がまじるのはよくない。ヨーロッパやアメリカを見てみるがいい」

「しかし、皇女の幸福を犠牲にしてもよいだろうか

?」と、首都の知識階級は反駁した。「なぜ皇女に選択の自由を与えないのだ？　われわれの大部分は、皇女の血縁者たちに劣らず教養があり、同様に適格者ではないだろうか？　もし皇女がわれわれのひとりと結婚したいと望まれるなら、なぜそうしていけないのか？」

「皇女がおまえたちのひとりと結婚されたいなんて、いったい誰が言ってるんだ？」と、山間部の人たちは反論した。

「みんな言っている」と、のぼせあがった連中がやりかえした。

夕刻のリッツォーは血潮をかきたて、可能性と事実とを混同させてしまう。首都の若者たちは、暖かい夜の帳《とばり》がおりると、お互いに顔を盗み見しながら、宮殿の窓から外を眺めていた皇女の心をとらえた若者はいったいわれわれのうちの誰だろうかと思い悩むのだった。噂は噂を呼んだ。ロンダーホフの頂上の岩場の雪に一枚のハンカチが見つかり、そのなかに「助けてください」と、書かれた紙片がみつかったという噂。宮殿の壁越しに投じられたロヴルヴラの花の芯に耳飾りが隠されていたという噂。明け方に馬をつらねて羚《かもしか》狩りから帰途についた若い狩人たちの一団に、「汝を愛す」という文字の刻まれた皇女のメダルが投げられたが、誰がために投げられたか、いずこから投げられたか、ついぞわからなかったという話。どうすれば皇女を救えるか？　皇女の意中の人は誰か？　いかにして情熱に火がともされ、いかにして革命の種がまかれたかはたやすいところだ。沈黙が大公の露台《バルコニー》での謁見を迎えた。年配の人たちでさえ、大公の姿から目をそらし、身をひいた。

そこでマーコイは戦術を変更した。一週間のあいだ、大公の問題が紙面から取り下げられた。代わりに泉の水の成分の問題が提起された。社説は次のように述べ立てた――「最近、ロンダの泉の水を分析した北ヨーロッパの科学者たちは、これまでロンダ国民が知らなかった貴重な鉱物《ミネラル》がその水にふくまれていることがわかったと報告している。大公がその成分について知っているかどうかは、残念ながら言明することはできない。しかし、そういう鉱物《ミネラル》が含有されていることは事実である。科学者たちの説によれば、それらの鉱物《ミネラル》は寿命を延ばす働きがあるばかりか、愛を長引かせ、病気を防ぐ働きもあるということである。科学者たちは、そのような貴重な水がひとりの人間に独占されていることに呆れている」さらに社説は、鉱物《ミネラル》について専門的な解説を加え、それが全世界にもたらすであろう利益について述べた。

またしても、リッツォーをすすりながらこの記事を読んだ人たちは、若い世代と古い世代との二手に分かれて対立した。

「泉の水には重大な秘密があるんだ」と、用心深い中年の農民や葡萄作りたちは言った。「その秘密は大公の手に握られているあいだは安心だが、他人の手に渡れば、なにが起こるかわかったもんじゃない。固体だか、液体だかしらぬが、鉱物《ミネラル》とやらをもてあそぶのはいけないことだ。われわれをみんな吹っ飛ばしてしまうような物質がロンダの泉に含まれていないとはかぎらない！」

「そのとおりだ！」と、のぼせあがった首都の若者たちが言った。「そういう力のすべてがひとりの男の恣意にゆだねられている——よきにつけ、悪しきにつけ、そういう力のすべてが。そして、われわれは短い人生を生き、皺が寄り、死んで行く。われわれは不死の恩恵には浴さない」

「大公もやはりわれわれと同じように死ぬ」と、年とった連中は言った。「病《やまい》に見舞われれば、死ぬ」

「なるほど、だが、それもしたい放題のことをしてからなのだ——血の遠い姪ならともかく、実の妹をさえ手ごめにしてからなんだ」と、若者たちは言った。「なぜわれわれも今のままの若さで百歳まで生きてはいけないのだろうか」

「身のためにならないからだよ」と、年とった連中は穏やかに言った。「永遠の若さという贈物の使い方をあんたたちは知らないからだ」

「知らない？」と、若い男女は叫んだ。「なぜ？　大公は知っているのか？」

彼らはこのことでおおいに議論を戦わした。議論の末に、いったいいかなる点で大公が特別だという結論に達しただろうか？　大公は夜ごとに露台《バルコニー》に姿を現わす――ただそれだけだ。彼が終日宮殿内でしていることはだれも知らない。大公は彼より年下の血縁者をこき使う暴君かもしれない。彼の年齢の秘密をあばかれないように年上の血縁者を殺害してきた怪物かもしれない。宮殿の墓地を見たものがいるだろうか？　いかなる行為が秘密裡に、屋根裏の部屋で、地下牢で、ロンダーホフの山の要塞で、ロンダクィヴァーの岩ばかりの小島で行なわれているのだろうか？　いかなる陰謀がたくらまれているのだろうか？　いかなる毒薬が醸《かも》されているのだろうか？

噂は勇気ある者をも臆病にし、冷静な者をも恐怖に陥れる。マーコイは中立をよそおい、問われれば、自分自身はなんら意見を持っていないが、世論は報道せざるを得ないとのみ答え、周到に自己の宣伝の効果を見まもっていた。

彼は第二弾目の社説を掲げた。

「もしロンダの泉が含有する鉱物《ミネラル》が国民の頭越しに外国に売られることになれば――もしという言葉を用いるのは、そのようなことがすでになされたかもしれないということを示唆しないためであるが――また、もしそれがわれわれに対して使用されることになれば、と考えると不安にならざるをえない。もし、大公がそれを望み、秘密を握ってロンダを去ったり、泉の全効用を外国の手にゆだねたりすれば、われわれは外国の意のままにされるわけだが、いかにすればそういう事態を防ぎうるだろうか？　今や泉をロンダ国民の手で管理すべき時である。明日では遅すぎるのだ」

グランドスがこの宣伝活動に参加したのは、この時期においてだった。グランドスは一文を草して〈ロンダ・ニューズ〉に寄稿し、警鐘を打ち鳴らした。ロンダクィヴァーの河口にある魚骨処理作業場の有能な職工長が溺死体で発見されたというのだ。彼の体には石の錘《おもり》がつけられてあったが、河口で浮かび上がったという。円満な家庭人で、自殺する理由は見当たらなかった。陰謀だろうか？　もしそうなら、元凶は誰か？前日、彼が宮殿の奉公人と話をしているのを目撃した者がいる。その奉公人はそれ以後、姿を消している。権力者（大公という言葉は用いられていなかった）が、多くの漁民をうるおしてきた魚加工業の秘密を奪い、その支配を企んでいるのであろうか？　わたしはどうすればよいのか？　この産業を黙って君主に譲渡すべきだろうか？　もしそうしないとするならば、労働者が殺されてゆくのを手をこまねいて見ていなければならないのだろうか？　泉の水を支配階級が独占しているのは、また別の問題だ。それは公平を欠き、危険なことかもしれないが、わたしの関与すべき問題ではない。わたしにとって問題なのは、伝統とは無関係に、独力で開発し建設した魚加工業であるが、もし労働者が殺害されるような事態が再度発生した場合、どのように対処すればよいか。ロンダ国民おおかたの意見を求めたい——という趣旨だった。

この発言はまことに時宜を得ていた。泉の水……これは大問題で、ひきつづき論議されることだろう。が、恐らく他殺と思われる溺死体が見つかり、魚加工業が危機に瀕しているとなれば、これはまた新たな問題だった。全国から〈ロンダ・ニューズ〉に投書が殺到した。魚加工業があぶないとなれば、葡萄畑はどうだろうか？　葡萄酒醸造業は？　カフェは？　もはやだれも安閑としてはおれないではないか？

グランドスはそれらの投書に返答し、行動の自由に対する温かい支援に感謝し、ロンダクィヴァーの工場の周囲に守衛を置くことにしたと報告した。

工場のまわりに守衛……ロンダでは宮殿以外に警護の者が立ったことはかつてなかった。年配のロンダ人は大いに困惑したが、若者たちは歓喜した。「いい見せしめだ」と、彼らは言った。「奴らはわれわれの権利を奪うことはできない。グランドス万歳！　働く者の権利万歳！」

「奴ら」というのは、むろん、大公のことである。大公は何者をも脅迫せず、溺死させたこともない。大公は乳房にサポーターを当てがわねばならぬ女たちについて皇女に冗談を飛ばしたことはあるが、それ以外に魚骨加工業にいささかの関心をも示したことがなかったことが、〈ロンダ・ニューズ〉の記事を読んですっかり頭を撹乱させられた民衆には理解しがたかったのだ。

　宮殿へ代表団を送るべき期が熟した。みずから参加しなかったが、グランドスとマーコイの画策によって、若者たちの一団が宮殿の門前に集い、ロンダの有力な市民の子弟が名をつらねた、大公の政策に対する弁明を要求する抗議書が手渡された。

「ロンダ国民の権利と自由がおびやかされることなく、ロンダをしてヨーロッパにおけるもっとも進歩的な国家たらしめるに寄与しつつある新産業を支配するこころみがなされざることを、大公は厳粛に宣誓しうるや」と、抗議書の一節はうたっていた。

　翌日、宮殿の門に一文が掲示された。「ロンダの産業を支配し、数百年に及ぶロンダ国民の権利、自由をおびやかすこころみがなされるにしても、それが大公によってなされることなかるべし」

　若いロンダ人は憤慨した。返答はあまりにも簡潔、あまりにもそっけなかったので、それはほとんど侮辱と受けとれたのだった。それに、返答の真意は何か？　大公以外の誰が、国民の産業と権利を支配しようとねらっているというのか？　数ページにわたる抗議書に数行の返答。これではロンダの若者たちが横っ面を張られたに等しい、と〈ロンダ・ニューズ〉はほのめかした。

「権力の亡者たちはみずからを守るために、古めかしい儀式慣行にしがみついている」と、ある日の第一面の記事は書きたてた。「神秘的な制服、孤影悄然と露台《バルコニー》に立つならい、近親結婚の秘儀などがそれだ。ロンダの若者たちはもはやそんなことに騙されてはいない。行動の自由は彼らの手中にある。みずからの若さを保つばかりか、その秘密を未来の世代に伝えようとねがう者は、その答えがロンダーホフの洞窟にあり、その鍵がロンダ宮殿の実験室にあることを知っている」

これほど直接的な攻撃が大公に加えられたためしはかつてなかった。が、翌日になると、この問題は紙面から消え、重点は園芸欄にうつり、ある植物学者の意見として、峡谷になだれ落ちる雪に含まれている、ある種の放射性物質の汚染により、ロヴルヴラの花の艶《つや》と香りが失われかけていると報じた。雪崩《なだれ》は、きまってロンダーホフの西側斜面にだけ起こり、東側斜面には起こっていない。東側斜面は大公一族のスキー・ジャンプや水跳び込みのなぐさみのために利用されているからだとされた。

「雪崩の自然な道筋は東斜面に向かっているが、雪崩は特権階級の楽しみの妨げになるので、スキー・スロープに落下してくるおそれのある雪がすべて西斜面に向かうようにせよ、という命令が山守りたちに出されていたことが判明した。これらの雪崩が西側斜面の花産業に悪影響を及ぼし、放射能雪の汚染が野菜栽培にも影響することなど、彼らの念頭にはなかったのだ」

この記事に対して、さっそくこの国のもっとも有力な花栽培業者のひとりから反響があった。ロヴルヴラの蕾《つぼみ》の類い稀なキメの細かさは雪のせいだとされており、それがため、雪崩は先祖代々あがめられてきたわけだが、われわれは間違っていたのだろうか——という趣旨だった。

「残念ながら、投稿者は間違った知識をお持ちのようだし、ご先祖は迷信を信じておられたようだ。最近の実験で、雪が花の蕾にとって有害であることが証明されている。グランドス工場では、輸出のためにロヴルヴラをつぶして乳状にする作業に従事している労働者の多くが、放射性の灰を含んでいるおそれのある刺激性物質のために常に湿疹をおこしている」と、〈ロンダ・ニューズ〉は答えた。

新聞は掌いっぱいに湿疹をおこしている男の刺激的な写真を掲げた。この湿疹は男がロンダーホフの斜面から集められた花の蕾をつぶす作業をしたあとででき、手は使えなくなり、重態であると報じられていた。

すかさずグランドスは、もしロヴルヴラの花が実際に放射能を帯びているのなら、彼の企業の全労働者を汚染の危険から守るために手袋を支給するつもりだ、と宣言した。

「少なくともこの国のひとりの市民が一労働者の福祉を念頭に入れているという事実を、ロンダ国民は誇りに思ってもよかろう」と新聞は書いた。「この紙面を借り、われわれはグランドス氏に謝意を表したい」

この間、皇女の件はどうなっていたのだろうか？皇女は忘れ去られたのだろうか？〈大鉈《おおなた》の夜〉の災難をまぬかれ、東ヨーロッパに逃亡した、山荘随行員のひとりが、彼に隠れ家を提供した人たちに語ったところによれば、彼は皇女といとこのアントン伯との短い求婚期間にふたりに仕える光栄に浴したそうである。

「あのおふたかたほど幸福そうなかたはおりませんでした」と、彼は語ったと伝えられている。「あのおふたかたほど無邪気に愛し合ったかたはおりません。おふたかたは山の高い斜面でスキーをされ、頂上の池でお泳ぎになり、夕方には、わたしと、あとで殺されてしまいましたが、わたしの同僚の随行員とで、ロンダクィヴァーの渓流でとれた幼魚をロヴルヴラの葉でくるんで蒸し焼きにしたものにロンダーホフで育った白葡萄の醱酵酒を添えておすすめしたものです。大公はご自分の部屋をおふたかたに提供されておりましたが、東と西にそれぞれ窓とバルコニーのついた部屋がありました。そこでおふたりは、朝《あした》には朝日を、夕べには夕日を眺めていらっしゃいましたが、皇女がわたしにおはなしになったのですが、実際にはおふたかたとも朝日も夕日も眺めてはおられなかったそうです」

この話は革命後アメリカの新聞に載ったもので、いい加減なでっち上げ記事だと考えられていたが、年寄りの多くはそれを信じた。

三月の初旬、皇女といとこのアントンは山荘からもどり、結婚の準備のために宮殿内に居を構えた。そしてこれが、彼女の間違いのもとだった。ふたりとも山荘に滞在しておるべきだった。しかし幸福感に満ち溢れた皇女は、その幸福をロンダ国民とわかちあいたかったのだ。そのような短時間に国民の態度が急変しようとは夢にも思っていなかったのだ。のちほど、大公は彼女をたしなめたのだが、彼女が耳を貸さなかったのだという噂が伝わった。「わたくしはいつも国民を愛してきました。そして国民は、わたくしを」と、言ったそうだ。たしかに彼女はそう言ったと伝えられている。彼女は幸福感でいっぱいだったので、山荘から戻ったその夜、ふとした衝動から、いとこのアントンの手をとり、宮殿の高窓に姿を見せ、微笑をふりまきながら手を振ったのだった。広場にはいつものように民衆や観光客が集まっていたが、ふと目を上げた彼らが見たものは、辱められ、監禁されていたはずのポーラ皇女がアントンと手を取り合っている姿だった。おそらく大公によって陰に呼びこまれたにちがいないが、皇女はすぐさま身をひいた。だれしもこのことをあやしみ、いぶかりはじめた。

「監禁されていたのではなかったのか？」と、ある者が言った。「皇女は健在だ。笑ってさえいた。それに、皇女の横にいたのは、スキー・チャンピオンで詩人のアントンじゃないか。いったい、これはどうしたことだ。つまり、ふたりは恋仲というわけか？」

たまたまその夜、マーコイは友人と広場のテーブルに向かって坐っていたが、この瞬間は彼にとって重大な危機であってしかるべきだった。彼はリーヴィ茶をすすっていた——マーコイはリッツォーやその他どんな酒にもくちびるを触れたことさえなかったが、リーヴィ茶は薬草を刻んだもので、胆のうによかった——が、彼は賢明にも微笑を忘れず、多言も弄しなかった。「これも陰謀の一つさ」と、彼は言った。「あす、宮殿から声明が発せられるだろう。期して待つべし」

翌朝、宮殿の門に掲示が貼り出され、大公の妹にあたる皇女と皇女のいとこにあたるアントン伯とのあいだに婚約が整い、結婚の儀が執り行なわれる旨が布告された。マーコイは正午に〈ロンダ・ニューズ〉の号外版を出した。

「本紙が予測していたことがついに起こった」と、号外版は特大の活字で伝えた。「〈ロンダの華〉は、みずからの意志にそむいて、血縁の者との政略結婚の強要に屈した。数週間にわたる孤独な監禁生活がこの美しく勇気に富んだ女性の精神をくじいたのだ。平民と結婚し、みずからをロンダ国民に捧げたいという彼女の表明された意志は、手荒く、無惨に無視された。ポーラ皇女を屈服せしめるために、宮殿内でいかなる手段が用いられたかは、われわれには知るよしもない。権力の亡者たちによって、彼らの若い血縁者を服従させるために、おそらく何十年、何百年にわたり、さまざまな手段が用いられてきた。少年時代から大公のお気に入りで、花婿候補だったアントンは、おそらく数カ月前に大公と密約を結び、花嫁を共有し、かくして後継者を確保しようと計ったにちがいない。ロンダ国民は皇女を失ったのだ。皇女は国民から奪い取られたのである」

その夜、最初の反乱が首都に起こった。建物に火が放たれ、カフェの窓は破られ、冷静と秩序を求めた年配の者は打ちのめされた。宮殿は襲われなかった。近衛兵たちは部署についていたが、宮廷楽隊は国歌を奏せず、有史以来はじめてのことだが、大公は露台《バルコニー》に姿を見せなかった。

翌朝、宮殿の門前に集まった浮かぬ顔の群衆は、近衛兵たちが貼り出した掲示を読んだ。それは皇女自身の手で書かれていた――「わたくしはいとこアントンを愛しており、すでに幸福な結婚前の蜜月を過ごし、やがて執り行なわれる結婚はわたくしの意志に基づくことをロンダ国民にお知らせいたします」

群衆はこの掲示に目をみはった。彼らは何を信じてよいかわからなくなっていた。だが、マーコイとグランドスによってあちこちに配置されていた煽動者たちは、すぐさま流言を流しはじめた。「あれは書かされたんだ。脅迫され、強制されて書いたんだ。結婚前の蜜月なんてとんでもない。スキー・チャンピオンのアントンに不本意ながら監禁されていただけさ。山荘なんか焼きはらっちまえ」

その日、〈ロンダ・ニューズ〉の正午版は出なかった。夕刊は皇女の手になる掲示文には言及しなかった。目立たぬように小さな活字で印刷された一文が紙面の隅に載っただけだった――「ポーラ皇女は大公と親密な関係にあるアントンの手に渡ることを承認された。結婚の儀はすみやかに執り行なわれるであろう。ロンダ国民はみずから結論をひき出すべきである」と。

しかし、中ほどのページはほとんど全面をさいて、グランドス工場の花弁を扱う労働者のあいだに、あらたに掌に湿疹を発する者が出てきたことについて報じた。〈ロンダ・ニューズ〉によれば、湿疹は魚骨工場の労働者のあいだにも発生しつつあった。経営者は事態を重視し、真相が究明されるまで、両工場を閉鎖することにした。グランドスが花工場の労働者の子供の頭を撫でながら、小さな手袋を手渡している写真が掲載されていた。

翌日には、観光客たちは続々とひきあげはじめ、ロンダクィヴァーの小島のホテルはみな空《から》になった。「湿疹はごめんだからね」と、観光客たちはぼやいた。「ひろがるおそれがあるそうじゃないか。ある漁師から聞いたんだが、川でとれた魚も汚染されていると当局者が語ったそうだ。山の雪に関係があるという話だ」

「あなたがたの皇女はお気の毒ですわ」と、ロマンチックなご婦人は言った。「嫌いな男と結婚させられるなんて。彼女がカフェの経営者を深く恋しているっていうのは本当なんですか？　合衆国なら、当然、彼女はその男と結婚できるのに」

マーコイやグランドスの同志たちは、空港や国境の駅の群衆にまぎれこんでいた。

「ロンダをお去りになるのは賢明ですよ」と、彼らは言った。「ひと騒動起こりそうですからね。大公は機嫌が悪い。国民が強制された結婚に反対だという意志表示をすれば、大公がどうでるかは予断を許さない」

「しかし、大公に何ができるというんです？」と、楽観的な観光客は反論した。「大公は軍隊というほどのものを持っちゃいないじゃありませんか、おもちゃの兵隊みたいな近衛兵以外には——」

煽動者たちは心配そうな顔をしてみせた。「あなたがたはお忘れになっている」と、彼らは言った。「大公は泉の水を支配している。そのつもりになれば、大公はこの国全部を水浸しにすることができる。あすにも、ロンダは水没してしまう」

ヨーロッパ各国の航空会社は通常の運航ダイヤを変更して、ロンダに特別便を飛ばした。出国を希望する客があまりにも多かったからである。アメリカのある船会社はロンダクィヴァー河口沖に一隻の客船を停泊させ、飛行機に乗りそびれたすべてのアメリカ市民を収容した。ロンダ国民自体は冷静を保っていたが、内心は困惑動揺していた。そしてさまざまな噂の洪水は全国土にひろがった。

「やるつもりだろうか？」と、ロンダの人々はささやきあった。「大公は水を放つだろうか？」

平地の人たちは、彼らの頭上、数千フィートの高みに泰然とそびえて立つロンダーホフを眺め上げ、山に住む者は彼らの小屋から出て、大きな洞窟から滝をなして落下する水音に耳を傾けた。

「もしそんなことになったら……どこへ逃げればいいのだろう？　助かる者がいるだろうか？」

愚者天国のロンダの民は、はじめて恐怖を知ったのだ。

4

理解していただきたいことは、たった一つの要因が革命をもたらしたのではないということである。黒幕はマーコイとグランドスだったことに疑いの余地はないが、国民自体が生活様式や利害関係の差にしたがって分裂していた事実も見逃せない。
若いロマンチストたちは——彼らのほとんどは首都の若者だったが——ロンダの華、ポーラ皇女は、伝統ゆえに、いとわしい結婚を強いられており、彼女が本当に心を捧げていたのは彼らの仲間のうちのひとりだったと信じていた。注意すべきことは、その秘められた恋人が誰であるかを知っていた者はひとりとしていなかったことであるが、とにかくそれは有力な市民の息子だと噂されていた。だが、首都の若者たちのだれひとりとして、自分がその選ばれた恋人だと名乗り出はしなかった。秘密めかし、物思わしげに襟にロヴルヴラの花をさしている者を捜しながら、宮殿前の広場にすわり、夕刻のリッツォーレをすすり、うっとりと宮殿の窓を見つめるのが流行した。
もっと現実的な者たちは——彼らのほとんどは工場労働者だった——魚骨工場の職工長の溺死にはじまり、仲間の労働者の掌にできた湿疹にいたる一連の出来事に動揺していた。魚骨工場や花工場の労働者のあいだに湿疹が発生したことは、まぎれもない事実だったし、その理由は単純だった。魚の骨は鋭く、敏感な皮膚を刺激する物質をふくんでいたし、一方、ロヴルヴラの花は、つぶせば、有毒な液体を滲出した。グランドスは、その性質上、工業化には適していない二つの自然資源の工業化をはかっていたわけである。ロンダ国民がこのことに気づいてさえいたら、勝手にしろ(tandos pisos)とばかりに肩をすくめ、工場をやめて行ったであろう。確実にではないにせよ、グランドスは真実を知っていたにちがいない。経営者というものは本質的な困難を自覚していても、それがもし彼の収益に影響を与えるおそれがある場合、それを無視する傾向があるものだ。
進歩的なロンダ人は、新産業がみずからそれを支配しようとしている大公の利己心によって危機に瀕していることを〈ロンダ・ニューズ〉で読み、憤激した。

独立心に富んだロンダ人は、同じ新聞を読み、彼らの自由がおびやかされていると理解した。もっと単純な心の持ち主は、洪水のこと、穀物や葡萄への打撃、家畜や人命への脅威を考えてみるだけでおびえ、いくらかでも安全を保証してくれるなら、いかなる党派にでも与《くみ》する気配を示した。

泉の水の氾濫に対する恐怖と、激怒した大公が泉の水を氾濫せしめることができるという危惧が、年配の人たちをも革命的にした二つの要素だった。若者たちを反徒に仕立てた第一の原因は、彼らにも永遠の若さを与えることができる成分を含んだ泉の水がたったひとりの君主によって独占されているという事実に目ざめたことだった。皇女は傀儡であり、象徴だった。野獣に手ごめにされた美女だった。彼女の叫びは民の声であり、団結の中心だった。さまざまな脅威がいかにして一点に——大公を倒し、粉砕するという一点に——集約されえたかということを知るのは、けだし容易であろう。

春の祭典が近づいた。だれしも心の底でなにかが起こることを知っていた。例年のように、三月初旬にはロンダーホフの雪が崩れ落ちるにちがいないが、それと同時に、今年はなにかが起こるのではないだろうか？　宮殿内部になんら変化があったという徴候はなかったが、突如、ロンダ国民の虚をついて、破局をもたらすような処置を大公がとるのではないだろうか？

ロンダのいたるところで集会が持たれた。山岳部で、平地で、ロンダクィヴァーの堤で、ロンダーホフの斜面で、ロンダの首都で、男女の群れがささやき、耳打ちし合った。恐れおののいた年寄りたちは家に引きこもった。老人のひとりが言った——「どうしてもそうしなくてはならぬのなら、さっさとするがいい。こっちは目をつぶり、耳をふさいでいるから」と。

春の祭典の日は休日で、たいがい暖かく、晴天だった。田園の人たちは朝早く起きてロヴルヴラの花を摘み、それを携えて首都におもむき、街や宮殿を花で飾り立て、午後には、首都から二、三マイルほどのところにある競技場で〈ロンダ・ゲーム〉がひらかれるのだった。

天候までが地上の不安に和し、危機感をあおるとは摩訶不思議なことである。祭の前の数日は異常に寒く、その前日の夕刻から雪さえ降りだし、翌朝になっても降りやまなかった。ロンダの人たちが目をさましてみると、あたりは一面白一色の雪景色だった。太陽は姿を見せず、空は湿った絨毯でおおわれ、人の掌ほどの大きさの雪の花が空を見上げる人びとの顔に落ちかかった。まるで雪は不吉な意図を持ち、マントのようにその悪意を隠すためにロンダに降りかかったかのようだった。

「生まれてこのかた」と、年寄りたちは言った。「こんなひどい天候の春の祭はなかったな」

若者たちが言っていたことが本当で、大公は泉の水を支配できるように、天気を左右できるのではないだろうか——と、老人たちは自問した。この季節はずれの雪は彼らの宿命を予告しているのだろうか？

花摘みもなく……競技会もなく……山の斜面や宮殿の広場での恒例の踊りもなかった。ロンダーホフの山頂附近で、群れからはずれた羊を捜していた羊飼いがいちばん近くの村に駆けおりてきて、「来た！」と、叫んだ。「雪崩だ！　山頂附近の森で、吹雪に目つぶしを喰らって立っていたとき、雪崩の音がきこえた。さっさと避難するんだ」

それまでにも、ロンダーホフには何世紀にもわたって、来る冬も来る冬も雪崩があったが、今度の雪崩は特別だった。今度の雪崩には宣伝の重みがずっしりとかかっていた。村人は吹きすさぶ雪のなかを難を避けて首都めがけて走り、噂も彼らとともに走り、噂は噂を呼び、気落ちし、しぐれ空を眺めながら、祭日が台なしになってゆくのを悼《いた》んでいたすべてのロンダ人のあいだにひろがった。「大公が水を放った！　大公が山を動かした！」村人たちの原始的な恐怖心が、市の人たちに感染した。「大公は逃げた。大公は雪を降らせてわれわれの目をくらませ、それに乗じて大公一族を国外に逃亡させるつもりだったんだ。彼らが安全な場所に落ちついた頃、洪水がロンダを見舞うだろう」

　いちばんおじけづいたのはグランドス工場の労働者たちだった。「雪に手を触れるな。放射能で汚染されている。雪に触れるな……」村から、平野から、男も女も、少年も少女も、ロンダの首都へと走り集まった。

「助けてくれ！　救ってくれ！　雪には放射能がある！」

　マーコイの司令部になっていた〈ロンダ・ニューズ〉の編集局では、マーコイがロンダの葡萄園で葡萄の蔓を切るのに用いる大きな鉈《なた》を部下に手渡していた。マーコイは少年の頃にこの鉈を扱っていたので、その切れ味を知っていた。幾週間も前から、彼はロンダじゅうの葡萄園からこの鉈を集めていた。

「きょうは〈ロンダ・ニューズ〉は休刊だ」と、彼は言った。「街へ出て行くんだ」

　そして、大いなる自己否定の精神から、建物の奥の小さな一室に閉じこもり、それからあとの出来事には参加しなかった。その日、彼は食事さえしなかった。電話も切った。そして彼は降る雪を眺めていた。彼は潔癖家だったのだ。

　グランドスも泰然としていた。が、彼は門戸を開放して山麓からの避難民を受け入れた。彼は避難民にスープや葡萄酒をふるまい、あたたかい衣類を与え――彼の準備周到さは、災害を予見していたとしか思えないほどだった、と、のちに避難民たちは語っていた――こまごまと意を配り、よろこんで援助を約し、薬や包帯を持って恐怖に打ちひしがれた人たちのあいだを歩きまわった。

「冷静にしてください。あなたがたはひどいあつかいを受け、悪政に悩まされてきました。しかし、わたしは断言しますが、事態はすぐに収拾されます」彼は宮殿とか大公とかいう言葉はいっさい口にしなかった。彼はマーコイが電話を切ってしまう前に、一度だけ彼に電話して、こう伝えた――「ロンダーホフと宮殿をつなぐ管路は放射能を帯びた水でいっぱいで、大公の命令一下、パイプの水は宮殿前の広場の群集に向けられるという話を流してくれ。その飛沫《しぶき》がかかっただけで、皮膚は爛《ただ》れ、目はつぶれ、手足が萎《な》えるぞ——とね」それから彼は受話器を置き、泣きさわぐ避難民にさらに多くの食べ物と衣類を配って歩いた。

そして、革命が起こった。マーコイとグランドスは革命思想を民衆の頭に吹き込むのに大きな役割を果したけれども、だれも革命が特定の一人物の意図によるとは言っていない。それは種子が芽ばえる如くだった——何百年ものあいだ、ロンダ国民の心のなかに眠っていたにちがいない種子が。雪にたいする恐怖、洪水に対する恐怖、死に対する恐怖のゆえに、それらの力を支配していると言われていた大公に対する恐怖と嫉妬、それに、永遠の若さに対する嫉妬が生まれたのだった。

ロンダの民衆がことさらに悪辣だったのだろうか？いや、むろん、彼らは悪辣ではなかった。ロンダの民衆が感じたことは当然のことだった。ひとりの人間が天然現象を支配してもよいものだろうか？　永遠の若さの秘密がひとりの人間に独占されていてよいものだろうか？　それは全人類に頒《わか》ち与えられるべきではないだろうか？　またもしひとりの人間に任せておくとするならば、それは、途方もない信任を与えていることにならないだろうか？　大公が泉の水を支配していたことは事実である。雪崩が大公に関係があるとは言わぬ。大公一家のスキー場がロンダーホフの東側斜面にあり、雪崩はいつも西側に起こったことは事実だが、それは賢明な大公がスキー場として最適の場所を選んだことを示すにすぎない。故意に落雪が西斜面に落ちるように仕組んだ形跡は皆無だった。それは推測の域を出ぬ。

問題は、民衆が疑いだせばキリがないというところにある。疑惑は疑惑を呼び、もはや安全なものはなく、信頼すべき人間もいない、ということになる。信頼感を失った人間は魂をも失う。なるほど……なるほど……あなたの言おうとなさっていることはわかります——

—国境を越えてやってきた旅行者たちは、革命後、そう言いつづけてきた。ロンダ国民には、生きるための道徳的基準、教理、倫理的体系がなかった。だから、いったん疑惑や恐怖にとらわれれば、それで終わりだ。が、わたしは申し上げるが、旅行者やあなた自身がおっしゃっていることは嘘だ。ロンダの人たちが幾世紀にもわたって、あのように完璧な調和のうちに生活してこられたのは、彼らが完全に規範や教理から自由であり、倫理について無関心だったからだ。彼らが求めたのはただ生きることだけであり、生きておれば、幸福は内部からおのずと湧き出てきた。彼らのあいだにマーコイのように足が不自由に生まれてきたり、グランドスのような貪欲な男が生まれてきたのがそもそもの不運だったのだ。が、現にそうなってしまったのだ。それが起こったのだ。そういうハンディが——貪欲は欲求の過剰であり、足の不自由は肉体構成の不均衡であるからハンディにちがいない——このふたりの男に影響を与え、二人の男が他人に影響を与えた。欲求の過剰も不均衡も同じ一つのことであって、それがすべてを押し流す原動力となったのである——かつてのロンダクィヴァーの洪水のように。だから……

ところで、雪が降り積み、短い日がたそがれ、ロンダの人たちが首都に集まっているあいだに、宮殿の内部では何が行なわれていたのだろうか？

臆測というものはいつも食いちがうものだ。確かなことなど、だれも知りはしない。革命の熱狂家たちは、大公はこの日実験室にいて、ロンダーホフの泉の水を平野に氾濫させるために機械に最終的調整を加え、ロンダの民衆を汚染し、傷つけるため、強力な放射能を帯びた水の噴射装置を調節していた、と主張した。地下牢に閉じこめられ、国民の生命の救済を懇願する皇女をさらに苦しめるために、大公とアントンは拷問器具に改良を施していた、と主張する者もいた。ところで、そのようなことはいっさい行なわれていないと言う者もあった。大公はヴァイオリンを弾き——大公は名ヴァイオリニストだった——皇女と婚約者は愛撫にふけっていたというのだ。またある者は、宮殿は恐慌をきたし、脱出の用意がなされていた、と言い張った。

　噂のすべては根拠がなくはなかった。宮殿が占領されたとき、実験室にはロンダーホフの洞窟から地下を通って敷かれていた管路が発見され、管からは泉の水が流れ出ていた。演奏室は、寝室同様、最近使用された形跡があった。山荘へ行くための普段の準備だったかも知れないが、荷造りをした形跡は歴然としていた。皇女がとらえられたときには、疲労と慟哭のせいでもあろうか、うつろな目をしていたが、拷問を受けた痕跡は認められなかった。しかし、これはいろいろな意味にとれる。

　わたしに述べることができるのは――真夜中に反徒たちを宮殿に導き入れたスパイだった奉公人の証言だけである。（どうして彼が宮殿にはいりこめたか？　それはわたしの知らぬところである。ともかく、革命には奉公人のスパイはつきものだ）彼の証言はこうである。

「春の祭典の日の午前中は、別に変わったことはなにもありませんでした。前夜の大雪のために、祭典の計画が中止になりそうな気配はありました。じじつ、十時をしばらく回った頃、守衛からロヴルヴラの花摘みと競技会の開催が中止になったことが知らされました。わたしは側近の家臣ではありませんでしたから、山荘行きの準備がなされていたかどうかは存じません。

　十一時に、大公は皇族会議を召集しましたが、何人集まったかは知りません。わたしは三カ月宮殿で働きましたが、どなたが皇子たちで、どなたが皇女たちだかはついぞわかりませんでした。アントンは知っていました。アントンは出席していました。それから、ポーラ皇女も。ほかに三、四人の顔は知っていましたが、名は知りません。わたしは、彼らが大公の部屋から降りてきて、〈白の部屋〉にはいるのを見ました。奉公人仲間では、宮殿前の広場を見下ろす露台《バルコニー》のある部屋を〈白の部屋〉と呼んでいました。そのときちょうどわたしは階段の下で立ち番をさせられていましたので、彼らがはいって行くのが見えました。アントンは冗談を言って、わらっていました。わたしにはアントンが何を言ったかはきこえませんでしたが、きこえたところで、彼らは一種の古代ロンダ語の宮中言葉で話していましたから、わかりようはなかったはずです。大公は蒼白な顔をしていました。それから扉がとざされ、彼らはたっぷり一時間その部屋にいました。

十二時に扉がふたたび開き、大公と皇女を残して、みんなが出てきました。わたしは交代させられていましたので、彼らが出てくるところは見ておりません。しかし、奉公人のひとりがそう言いましたし、嘘をつく理由はありませんから。一時を少し過ぎた頃、意味深長なことが起こりました。われわれ奉公人はみんな、ひとりひとり〈白の部屋〉へ行くように命じられたのです。大公がわれわれにお会いになりたいという話なのです。わたしはそれが罠かと思い、不気味でしたが、宮殿から逃げ出すわけにはまいりませんでした。そのとき、わたしはまだ非番で、門に近づくわけにはいきません。それにわたしは、選抜隊を引き入れる時刻がくるまで宮殿内にとどまるようにという命令を革命の指導者から受けてもいましたから。ともかく、わたしは不安を押し隠して、〈白の部屋〉に招じ入れられる順番を待っていました。

最初に気づいたことは、大公が白い制服を着、胸に赤い大綬章をつけていたことでした。夕方、露台《バルコニー》に立つときとか、春の祭典のような祝日にしか身につけない服装ですから。で、わたしがすぐに思ったことは、大公は、祭典が中止になり、雪が降り、群衆が敵意を示しているのに、露台《バルコニー》に立つつもりなんだろうということでした。大公は噴水の用意をしており、その道具は部屋のどこかに隠してあるにちがいない、と思いました。あたりを見まわす余裕はありませんでした。窓から離れたところの椅子に掛けている皇女の姿を見るのがせいいっぱいでした。彼女はなにか読んでおり、わたしには気づいていないようでした。わたしの見たかぎりでは、彼女は虐待された様子はなく、ただまっさおな顔をしていました。そのほかにはだれもいませんでした。

大公は近づいてきて、わたしの手をとり、『さようなら。幸福にすごしなさい』と、言いました。

わたしは驚き、考えこみました。これは次の二つに一つのことだ。真夜中までに宮殿を放棄して逃げだすつもりか、この町を水浸しにしてわれわれをひとり残らず亡ぼす覚悟なので、最大級の残酷なお芝居をやらかしてるんだ。つまり、どっちにしても、威嚇のつもりなんだ、と。

『なにかございましたのでしょうか?』と、わたしは訊いてみました。わたしは驚きの表情をしてみせました。『おまえたち次第だ』と、大公は答えました。そして、不敵にも笑みを浮かべて言いました――『つまり、われわれの未来はおまえたちの手中にある。もう二度と再びおまえたちの顔を見ることもなさそうだから、さようならを言うのだ』

わたしは懸命になって考えました。質問しても悪くはなかろう、と思いました。

『お立ち去りになるのでございましょうか?』と、わたしはおそるおそるたずねました。そう言っているうちに、そのとき、その場で、噴水をかけられやしないかと思いながら。

『いや、どこへも行かぬ。だが、われわれは二度と相まみえることはなかろう』と、大公は言いました。

大公はわれわれを全滅させる計画をすっかり立てている。あの声の調子はまがいようもない。わたしはからだが強張ってしまい、部屋から逃げだす知恵も浮かびませんでした。

『皇女もお別れをしたいそうだ』と、大公はつづけて言い、それから振りかえって――あれほど冷酷で意識的な人物は考えられません――『ポーラ、召使がきている』と、言いました。わたしはどうしてよいかわからぬまま、立ちすくんでいますと、皇女は読むのをやめ、椅子から立ち上がって、わたしに近づき、手をとりました。『ご幸福に』と、皇女は言いました。皇女は宮廷言葉を使わず、首都でみんながしゃべっているロンダ語でおっしゃいました。

『ありがとうぞんじます』と、わたしは答えました。

皇女は催眠術にかけられていたか、薬を飲まされていたか、悪魔のような大公に邪魔立てされていたにちがいないと思います。彼女の目はえも言われぬ悲しみをたたえていました。かつてはそうではありませんでした。わたしは〈ロンダの華〉がロンダーホフの森を馬で通ったときの姿が目に浮かびますし、皇女はわたしの妹の名付親でもあります。昔の皇女は陽気で快活でした――これはアントンとの結婚を強要されるずっとまえのことですが。皇女の手をとり、あの〈白の部屋〉に立ちながら、わたしは皇女の目を見ることができませんでした。わたしは手をとり、口ごもりましたが、実はこう言いたかったのです――『ご心配ご無用です。お救いいたします』と。もちろん、そう言いはしませんでしたが。

『もういい』と大公は言いました。目を上げてみると、大公はわたしを見つめている。奇妙な表情で。もう、わたしは気にしませんでした。大公はわたしの心を読みとり、不安を感じとったようでした。これだけは、はっきりわたしにわかりました。大公は悪魔でした、間違いなく……それから、わたしはふたりに背を向け、〈白の部屋〉から出て行きました。

大公の言ったことは正しかったのです、たしかに。ふたたび大公に生きてお目にはかかれませんでしたから……真の革命家らしく、宮殿前広場で大公が逆吊りにされたときには、わたしはわたしなりの礼は尽くしましたが。

その日の日中はなにごともなく過ぎました。わたしは他の奉公人たちと門番につきました。だれも雪のことや宮殿の外に集まっている群衆のことは口にしませんでした。大公の部屋のあたりから、音楽がきこえてきたこともありましたが、誰が演奏していたのかは知りません。昼食と晩餐は平常どおりにありました。計画に齟齬をきたさぬよう、わたしは緊張しておりました。いつ逮捕されるかもしれないと用心していました。大公がわたしの意図を嗅ぎつけているにちがいないと思っていました。しかし、なにごとも起こらず、なんの命令も出ませんでした。

十二時十分前に、わたしは中庭に通ずる門のそばに、いつものように部署につきました。わたしはだれかが門を三度たたいたら、開けるようにと指導者から指示を受けていました。だれがたたき、どうやって近衛兵の守備を突破してくるつもりかはわたしの関知するところではありませんでした。時が迫るに従い、わたしは不安になり、計画が狂うことがないかと心配でした。大公の部屋の音楽はふとやみ、宮殿はひっそりと静まりかえりました。わたしの知るかぎりでは、大公は〈白の部屋〉にいたはずですが、たしかなことはわかりません。実験室にいるか地下室にいるか、あるいは、ロンダーホフに避難してしまっているかもわからない。が、わたしの仕事は詮索することでも、解決策を講ずることでもありませんでした。わたしの仕事は門をあけることでした。

十二時三分前、なんの予告もなく、三度門をたたく音を耳にしました。同時に、最上階に立っていた召使が〈白の部屋〉の扉をあけ、わたしにむかって、『大公、露台《バルコニー》にお出まし』と、叫びました。

噴水だ、とわたしはとっさに思いました。群衆にぶっかけるつもりなんだと。わたしが潜り戸をあけると、さっとわたしのそばを通り抜けて行きました――〈大《おお》鉈《なた》〉の連中です。それ以上はわたしの任務ではありませんでした。わたしは命じられたとおりのことをしました」

証言はここで終わっている。今日《こんにち》でも記念館で見ることができる。記録保管室のガラスのケースに納められているのだ。大鉈もいくつか、壁に掛けられてかざられている。記録保管室というのは、かつての〈白の部屋〉のことだが、模様は一変している。

革命家たちがいかにして近衛兵たちの守備を突破したか、知りたいとお思いになるだろう。近衛兵たちは何人《なんぴと》も阻止するようにという命令を大公から受けていなかった。幾世紀にわたり、そのような命令が出されたことはなかった。彼らは奇襲や侵入に備えて配置されていたのではなかった。なんら抵抗することなく、彼らは切り倒され、虐殺されるがままに任されていた。殺戮は徹底をきわめた。宮殿内の召使、人間、動物のことごとくが殺害された。皇女以外のすべての者が殺されたのだった。その事情については、すぐ説明しよう……

反徒たちはあの潜り戸からなだれこんだ。七百人はいたにちがいない——七百人という数は七世紀という年の数と合致するので、マーコイの気に入っていた。のちに彼らが語ったところによれば、宮殿の住民を切り倒すのはまことに容易な業だったという。抵抗がなかったからだった。葡萄の蔓を切るよりやさしかった。ある意味では、彼らはすすんで犠牲になったといってもよい。それに——これは不快なことだが、若者たちがのちほど語り合っているのだから、事実らしいけれども——鉈の一撃は、肉との接触感と血のほとばしる光景をともなって、リッツォーを飲んだときと同じような恍惚感をおぼえさせたという。はじめたが最後、やめられなかったのだ。おとなしく生け捕りになるのを待っている者を、だれかれかまわず、次々と血祭りに上げてゆくことのほか、もうなにも考えられなくなるのだった——召使、守衛、王子、飼い犬、カナリア、とかげなど、宮殿内の生きとし生けるものすべてを。

大公はといえば……たしかに、大公は露台《バルコニー》に出た。彼は噴水の用意をしていなかった。大公に永遠の若さを附与した泉の水を噴射する気配はなかった。彼はただそこに立っていた——白い制服に赤い大綬章をつけて待っていた。彼は民衆が嵐のように押しかけ、露台《バルコニー》をよじ登ってくるのを待ち、すでに宮殿に侵入した〈大鉈《おおなた》〉の連中と合流するのを待った。騒ぎから身をひき、家に閉じこもった老いたロンダ人たちが語ったところによれば、ロンダの革命家たちが大公に襲いかかるときに、彼らの喉からほとばしり出た怒りと憎悪と嫉妬の叫び――ことに嫉妬の叫びが――ロンダーホフの高みの斜面やロンダクィヴァーの下流の堤にまで達したそうである。そして、雪は小やみなく降っていた。しかり、雪は降っていた。

生きているもののすべてが殺され、血が階段に、廊下に、川をなして流れはじめたとき、革命の闘士たちは、「正義はなされた」という報告を、社屋の一室に待っていたマーコイのもとにもたらした。

マーコイは彼の事務室を出、〈ロンダ・ニューズ〉の建物を出て、雪の降るなかを宮殿へ向かった。手にかかえた花束から花弁をはらはらと落としながら、彼はまっすぐに皇女の部屋に足をはこび、扉をたたいた。中から「おはいり」という声がした。マーコイはつかつかと皇女に近づき、「もうなにも恐れることはございません。われわれはあなたを解放しました。あなたは自由です」と、言った。

さて……残念ながら、マーコイが皇女から何を期待していたか、ロンダの革命家たちが何を期待していたか、感謝か悲しみの涙か、恐怖と驚愕の言葉だったか、好意の表現だったか――申し上げることはできない。だれにもわからなかった。皇女がどのような感情と情緒の持ち主だか、だれも知らなかった。ただ一つのことだけが明らかだった。皇女はいつもの縦ひだのついたスカートを着けておらず、（その日の午前中はその服装だったことをスパイだった奉公人が証言している）、大綬章を飾った白い礼服を着ていた。皇女は剣も携えていた。皇女はマーコイと彼の部下たちにむかって言った――「わたくしはあなたがたの幸福をねがっています。わたくしはあなたがたの皇女です。泉の水はわたくしが相続し、永遠の若さの秘密はわたくしが握っています。わたくしの身柄はどうなりとお好きなように」

彼らは皇女を露台《バルコニー》に連れ出し、民衆に皇女の姿を見せた。そして大公の死体も運び出され、彼女に示された。これを残酷だと言う者もあるだろう。だが、それは見解の問題である。ロンダ人たちはつづけてこの問題を論じ合うだろうし、旅行者たちもそうするだろう。問題は、春の祭典の夜に、つまり〈大鉈《おおなた》の夜〉に虐殺されたのは罪ない者だったか、あるいは罪ある者だったか――ということである。

ある者は、ロンダは救いようもなく堕落し、自然の風光を別にすれば――ロンダーホフの山、ロンダークィヴァーの小島、首都の美観、それに気候を別にすれば――旅行者の目をひくようにさまざまの趣向をこらし、金儲けに目の色を変えている連中のうじゃうじゃしている他のヨーロッパの小国といささかもかわらないと言う。だが、それとは意見を異にする者もいる。

ロンダは進歩的で、新しい産業がさかえ、ロンダクィヴァーの両岸に立ち並ぶ町々は精力的な若者たちであふれ、彼らの声を世界にとどろかすことを要求していた。それについて、彼らは、「ロンダは叫び、世界は反響《こだま》する」というスローガンを掲げてさえいたが、それはある意味では真実だった。というのは、現在では、ヨーロッパの各国の首都や合衆国でロンダの若者たちの姿を見かけないことはないからである。彼らは幾世紀にもわたる政治的無関心を、世界を指導しようという決然たる努力によって償っているのである。

心理学的には、彼らは興味深い研究対象である。国家主義的精神、進歩的運動、ロンダ人民のためのロンダの主張、正義はわれにありとする揺るぎない態度にもかかわらず、彼らはいまだに永遠の若さの秘密を手に入れてはいなかった。しかも、革命の真の目的はそこにあったのである。水を瓶詰めにして売ること、なるほど、その権利をグランドスは手に入れた。瓶詰の水は世界の至る所で買うことができる――金さえ出せば。だが、その水は調合された水ではない。その調合の秘密は依然として皇女が握っていた。すでに述べたように、追従からはじまり、強姦、拷問、監禁、飢餓、疫病に至るあらゆる手段が講じられたが、彼女を屈服せしめることはできなかった。これもすでに述べたように、皇女は八十歳に近いはずであり、受けた苦痛がどこかに、なんらかの形で表われていそうなものだと思うだろうが、その顔は少女の顔であり、いまだ〈ロンダの華〉のかんばせであって、いかなる堕落も彼女の完璧な美を損なってはいなかった。ただ一つ変わったことといえば、彼女が宮殿——いや記念館や、広場で踊っているとき、もしあなたが近づいて彼女の目を見るならば、幸運にも——いや、むしろ不幸にも——彼女の目の奥底をのぞきこんでみる機会があるならば、あなたはそこに全世界の苦しみと世界への哀れみをごらんになるだろう。

彼女が死ねばどういうことが起こるかはだれにもわからなかった。それほど先のことではあるまい。彼女が秘法を伝えるべき皇族はもうひとりも残っていない。はたしてその秘密を握っている値打ちがあるかどうかも疑わしかった。秘法は彼女にとって苦痛の遺産であったにすぎない。その秘密を握りたいとあれほどまでねがっていた男は、皮肉なことに、ふたりとも死んでしまった。グランドスは大いにわが世を謳歌したが、合衆国訪問中、胃病のために死に、マーコイは衰弱性の病《やまい》に倒れた。彼は目に見えて萎縮していき、ついには影のようになって死んでいった。彼に好意をいだいていなかった年配のロンダ人たちは、彼の嘲笑や非難が功を奏さなかったので、彼は皇女に対する嫉妬に蝕《むしば》まれていったのだ、と言った。しかし、それはおそらく老人のたわごとにすぎないだろう。

たしかに、皇女の死とともに、永遠の若さの秘密も死ぬ。ロンダにも、世界のいずこにも、不死の人間はいなくなるだろう。だから、ロンダは訪れてみる価値がある——どこの旅行案内所へ行っても、切符は簡単に手に入れることができる。彼女はあすにも折れて出るかもしれない、来週にも、次の季節《シーズン》にも。もし彼女が折れて出てこず、そのまま死んでしまえば、未来永劫にわたって、人間が目撃することができないであろうものを世界は失うことになるだろう。今日《きょう》でさえ、遅すぎるかも知れぬ……

荒 れ 野

The Lordly Ones

1

ベンは発達がおくれているとみんなに思われていた。話すことができないのだ。言葉を出そうとすると、いやな、耳ざわりな音が出てくる。舌をどう動かしたらいいかわからないのだ。なにかほしいときには、指さすか、自分で行って取ってくる。舌がもつれているので、二、三年したら入院して治療しなければならないというもっぱらの噂だ。母親に言わせると、頭はかなりよく、言われたことはちゃんとわかり、善悪の区別もつくのだが、強情なので、「ノー」という言葉が好きになれないのだそうだ。とにかく、黙っているので、みんなは到着のこと、出発のこと、計画の変更のことを彼に説明するのをつい忘れる。彼の世界は、気まぐれから、年長者の気まぐれから成り立っているのだ。わけも聞かされずに服を着ろと言われたり、おもてへ遊びに行けと言われる。あるいは、一時間前にあたえられたおもちゃを取り上げられたりする。

ストレスがひどくなり、耐えられなくなると、彼は口をあける。口から出てきた音に、両親よりも本人のほうがびっくりする。どうしてこんな音が出るんだろう？　どんなふうにして出てくるんだろう？　するとだれかが、たいていは母親が、彼をつかまえ、階段の下の押入れに閉じ込めるのだ。コートや買物籠のあいだに。鍵孔から母親の声がきこえてくる――「おとなしくなるまで、そこにはいってな！」音はやまない。自分でもどうにもならないのだ。怒りとともに音が出てくるのだ。

しばらくすると、すっかり疲れ果て、鍵孔のそばにうずくまる。音が次第に消えてゆき、押入れに平和が訪れる。すると、母親が出かけてしまい、出すのを忘れてしまったのではないかという不安に襲われる。思い出させようとして、ドアの取っ手をがたがた鳴らす。鍵孔から母親のスカートがちらっと見える。やれやれ。彼は坐りなおし、鍵孔に鍵が差し込まれ、釈放されるまで待つ。それから、まぶしさにまたたきながら、昼の光のなかへとび出し、機嫌を伺おうとしてちらと母親を見上げる。はたきを掛けたり、ほうきを使ったりしている時には、母親は知らんふりする。次の怒り、次の欲求不満の瞬間まで、安泰というわけだ。その瞬間がやってくると、お仕置きがくり返される――また押入れに閉じ込められるか、お茶ももらえずに寝室へ追いやられるか、おもちゃを取り上げられるかするのだ。両親を怒らせないようにするには、喜ばしておけばいいのだが、いつもそういうわけにはいかない。つい遊びに夢中になって、両親の言いつけを忘れてしまうのだ。

ある日、スーツケースに荷物が詰められ、早春だというのにいちばん暖かい服を着せられ、エクセターの生家をあとにして、両親とともに荒れ野《ムア》へ向かった。数週間前から荒れ野《ムア》のことが話題にのぼっていた。「むこうはここととはだいぶ違うよ」と、両親は言っていた。甘言とも脅《おど》しともとれる言葉だった。むこうへ行けば幸福になれるという意味にもとれるし、目のとどかないところへ行ったら大変だぞという意味にもとれる。「荒れ野《ムア》」という言葉そのものに、暗い不吉な響きがこもっている。一種の脅し。

出発の騒ぎで不安がつのった。部屋という部屋が突然裸にされ、見なれぬものとなり、母はいらいらして、ひっきりなしに彼を叱りつけた。母もいつもとは違った服を着て、不恰好な帽子をかぶっていた。帽子は耳の上まで垂れ、顔の形が変わって見える。家を出ると、母親は彼の手をつかんでひっぱった。彼はあっけにとられ、箱や荷箱のあいだに心配そうにすわっている両親を見つめた。彼らも不安なんだろうか。ふたりとも行先の土地を知らないんだろうか。

列車に乗ったが、彼は窓から外を見ることができなかった。両親にはさまれてすわっていたのだ。木々のてっぺんが見えたので、ようやく田舎を走っているんだとわかった。母親が、ほしくもないミカンをくれた。彼はうっかりして、そのミカンを床に投げつけた。母親にひどくひっぱたかれた。平手打ちは、列車の急激な震動と、トンネルの闇と同時に起こった。二つが結び合わされて、階段の下の押入れとお仕置を連想させた。彼は口をあけた。泣き声が口から洩れた。

いつものように、この音は恐慌をひきおこした。母親は彼をゆさぶり、彼は舌を噛んだ。車室は知らない人でいっぱいだった。新聞を読んでいた老人が顔をしかめる。ひとりの女が歯を見せて、緑色の砂糖菓子をさし出した。だれひとり信頼できない。泣き声がいよいよ大きくなる。母親は顔を真っ赤にして、がたがた鳴っている廊下へ彼をつまみ出した。

「お黙りってば！」と、彼女は叫んだ。なにもかもめちゃくちゃになる。彼は疲労に襲われてくたんとなった。激怒と恐怖で足を踏みならす。茶色のひものついた新しい靴をはいている。そのため、よけいやかましい。腹から出ていた音がやむ。あえぎと抑えたすすり泣き。まだ痛い。なぜだか自分にもわからない。

「疲れてるんですよ」と、だれかが言った。

ふたりは車室に戻った。彼のために窓ぎわの席があけられた。外の世界が走り過ぎる。ひとかたまりの家々。車が走っている道路。畑。起伏した高い土手。列車が徐行しはじめると、両親は立ち上がり、荷物に手をのばした。出発のときの騒ぎが舞いもどってくる。列車がきしり、とまる。ドアがあき、かちんと鳴り、赤帽が叫ぶ。彼らはあわててプラットフォームに降り立った。

母親が彼の手をつかむ。彼は母と父の顔をのぞき込み、現在両親の予想どおりに事が運んでいるのか、これから起こることを両親は知っているのかどうかを、その表情から読みとろうとした。自動車《くるま》に乗る。手荷物がまわりにうずたかく積まれる。深まる暮色から、もとの町にもどったのではなく、広々とした田舎へやってきたんだということがわかった。刺すような空気。冷たい匂い。父親は笑みを浮かべ、彼のほうを向いて言った。「荒れ野《ムア》の匂いがわかるかね？」

荒れ野《ムア》……彼は車の窓から見ようとしたが、スーツケースが邪魔して見えなかった。母と父はふたりだけでなにやら話している。「お湯をわかして待っているでしょう、きっと。あの女《ひと》、手つだってくれるわ」母が言った。「今晩ぜんぶ荷を解くことはないわ。どうせ、すっかり片づくまで何日もかかるんですもの」

「そんなもんかね」父が言った。「狭い家だとずいぶん変わって見えるだろうな」

道が曲がりくねっている。曲がるたびに車が揺れる。ベンは気分が悪くなった。恥をかくのもこれが最後だろう。すっぱいものがこみ上げてきて、おもわず彼は口をとじた。だが、どうにも我慢しきれなかった。ゲーッと出て、そこらじゅうにしぶきを飛ばした。

「まあ、いやだ」母親は叫ぶと、彼を膝から押しのけ、スーツケースの鋭い角に押しつけた。彼の頬にあざができた。父親は窓をとんとんたたいて、「とめてください……子供が気分が悪いんです」恥辱、ろうばい、同時に突然寒気がして、彼はぶるっと身震いした。彼の恥の証拠が至る所に飛び散っている。運転手が変な匂いのする古い布を取り出して、口を拭きなさいと言った。

ふたたび車に乗る。今度はゆっくり走ってもらう。父親の膝のあいだに立ったまま。ようやくでこぼこ道も終わり、前方に明かりが見えた。

「助かったわ、雨にならなくて」母が言った。「こんなところで雨にでもなったら、どうするのかしら」

その小さな家はぽつんと一軒建っていた。窓から明かりが射している。ベンはまたたきし、震えながら車から降りた。つっ立って、手荷物が運び出されるのをぼんやりながめる。その間、彼は無視される。その小さな草ぶき屋根の家の前は、闇のなかで絨毯のようになめらかに見える草地、裏は、こぶのある黒い丘。駅を出るとすぐ匂ってきた、鋭い、いい匂いが、いっそうつよく匂ってくる。彼は顔を上げて空気の匂いを嗅いだ。荒れ野《ムア》はどこだろう？　彼は荒れ野《ムア》を、強くてやさしい仲間の一団と考えた。

「さあさあ、おはいりください」家から出てきた女が言った。大柄なその女に歓迎の襲撃を受け、煉瓦敷きの台所にひっぱって行かれても、彼はしりごみしなかった。背のない椅子がテーブルの前に引き寄せられ、牛乳のはいったグラスが彼の前に置かれた。彼はゆっくり牛乳をすすりながら、古ぼけた台所、流し場のポンプ、小さな格子窓をながめまわした。

「はにかみやなんですの？」と女がたずねた。内緒話がはじまる。おとなの話。彼の舌のことが話題にのぼる。両親はどぎまぎする。きまりが悪そうだった。女はまたしても憐れむようにちらと振りかえる。ベンは牛乳のグラスのなかに顔を浸すようにした。やがて三人は彼のことを忘れ、退屈な話が彼の横を素通りした。じろじろ見られず、邪魔されず、彼はバターつきのパンを食べ、勝手にビスケットをつまむことができた。吐きけもおさまり、食欲が出てきた。

「そう、彼らに気をつけてくださいな」と女が言った。「恐ろしい泥棒ですからね。夜になるとやってきて、あけっぱなしにしておくと、食物部屋を襲うんですのよ。とくに、このような寒さがつづくと。雪に気をつけてくださいな」

そうか、荒れ野《ムア》っていうのは泥棒のことなのか。夜うろつきまわる盗賊の一団。ベンは父が買ってきてくれた、表紙に人喰い鬼の出ている漫画新聞を思い出した。でも、彼らはあんなふうじゃないな。きれいな顔をしているって、あの女が言っているもの。

「でも、人を傷つけやしませんわ」女が言った。「とってもやさしいんですのよ」ベンは思わず女を見つめた。彼にはわけがわからなかった。すると、女はわらった。みんなは立ち上がり、お茶を片づけ、荷を解きにかかった。

「ねえ、おまえ、遠くへ行っちゃいけないよ」母が言った。「言うことをきかないんなら、すぐ寝かせるよ」

「心配ありませんよ」女が言った。「門に掛け金をおろしときましたからね」

　彼らが見ていないすきに、ベンはあいているドアからそっと出て、おもてに立った。彼らが乗ってきた車は姿を消していた。うちにいるときの通りの騒音とはうって変わった静けさ。両親が怒っていないときの静けさみたい。静けさが彼をつつむ。草原のむこうからきらめいている小さな明かりは星のように遠い。彼は歩いて行って、門に顎をのせ、平和な闇をじっと見つめた。ほっと安心する。うちのなかにはいって、荷を解いておもちゃを取り出したくなんかなかった。

　どこか近くに農場があるにちがいない。肥料の匂いが冷たい空気にまじり、牛舎から牛の鳴き声がきこえてくる。これらの発見は彼には愉快だった。彼はしきりに荒れ野《ムア》のこと、夜やってくる泥棒のことを考えた。だが、どうしたわけか、ちっともこわくなかった。あの女の微笑と両親の笑いかたからみると、荒れ野《ムア》なんてこわいもんじゃないらしい。とにかく、彼らが荷造りして家をあとにしたのは荒れ野《ムア》にやってくるためだったのだ。何週間も話し合ったのはこれだったのだ。

「あの子は荒れ野《ムア》が気に入るわ」とうちの人たちは言っていた。「荒れ野《ムア》へ行けば丈夫になるわ。食欲をつけるには荒れ野《ムア》くらいいいところはない」

　そのとおりだった。ベンはバターつきのパンを五きれとビスケットを三つ食べた。すでにして仲間の一団は力を発揮しはじめていた。励ましの微笑を浮かべ、こぶだらけの、あの暗い丘のむこうに潜んでいるとすれば、この家のどのくらい近くにいるんだろう、と彼は考えた。

　突然、ある考えが彼の胸に浮かんだ。泥棒のために食べものを出しておけば、盗みをはたらかないだろう。ありがたく思って食べるだろう。彼は台所へ引き返した。二階から声がきこえてきた。両親とあの女は荷を解いている。当分おりてこないだろう。テーブルの上はきれいに片づけられていたが、お茶に使った食器類は洗わずに流しに積み重ねてあった。パンが一個と、まだ切ってないケーキと、ビスケットの残りが置いてある。ベンはビスケットをポケットにつっ込み、パンとケーキを手にもった。戸口へ行き、小道を通って門のところに出る。食べものを地面に置き、門の掛け金をはずすことに努力を集中する。予想していたより簡単だった。掛け金をはずすと、門がぎーっとあいた。彼はパンとケーキを取り上げ、草地に出た。泥棒はまず草地にやってくる、とあの女が言っていたっけ。彼らはその辺をうろついて残り物を探す。そそのかされず、怒鳴られたり追っ払われたりしなければ、小屋までやってくるだろう。

　ベンは草地を数ヤード歩いて、食べものを並べた。やってきたら、目につくはずだ。ありがたく思い、満足して、黒い丘にあるねぐらへ帰って行くだろう。振り返ってみると、両親の影が二階の寝室のなかを行ったり来たりしているのが見えた。彼は足の下の草の感触をためそうとして跳び上がった。煉瓦敷きより感じがいい。空気を感じようとして、もう一度顔を上げる。冷たいきれいな空気が丘からおりてくる。荒れ野《ムア》は、泥棒は、ごちそうが用意されていることを知っているようだった。ベンは幸福だった。

　彼は家へ駆けもどった。そのとき、母が二階からおりてきた。

「さあ、寝なさいよ」と、母は言った。

寝るの？　もう？　彼の顔はそう抗議していたが、母はそれには動かされなかった。

「仕事がたくさんあるんだよ。おまえが起きていちゃ邪魔になるからね」

　母は彼をひっぱって、狭い急な階段をのぼった。自分のベッドが彼の目にはいる。どうやってうちからもってきたんだろう？　ろうそくの明かりに照らされて、小さな部屋の隅に置いてある。窓ぎわに置いてある。目にするなり彼は思った――ベッドから外をのぞけば、泥棒がやってくるのが見えるだろう。興味に駆られ、彼はおとなしくしていた。母が服をぬがせてくれたが、いつもより乱暴だった。ボタン穴に爪がひっかかり、彼の皮膚を傷つけた。彼が鼻を鳴らすと、母はするどく言った。「お黙りってばッ！」茶碗の受け皿に立ててあるろうそくが、怪物のような影を天井に投げかける。母親の姿をグロテスクな形にひきのばす。

「今夜は疲れてるので、洗ってあげられないわ」母が言った。「このままおやすみさい」

階下《した》から父の声が、階段をつたわってきこえてきた。

「パンとケーキはどうしたんだい？　見当たらんのだが」

「流しのテーブルの上に置いてありますわ」母が答えた。「すぐ行きます」

両親はしまっておこうとして食べものを探すだろう。だまっていろ、と本能が彼に警告した。母に手つだってもらって着換えをおわると、彼はぐずぐずせずにまっすぐベッドにはいった。

「今夜は世話をやかせないでね」母が言った。「騒いだりしたら、おとうさんに来てもらいますよ」

母はろうそくをもって階下《した》へおりて行った。

ベンは暗闇に慣れてきた。だが、そうはいっても、いつもと違った部屋だ。ものの形を知る時間がまだなかった。椅子はあるんだろうか？　テーブルは？　長いのか、それとも真四角なのか？　彼はベッドに横たわり、毛布を噛んだ。窓の下から足音がきこえてきた。

彼は起き上がると、カーテンのすきまからのぞいてみた。あの女が小道を通って門を出、道路をむこうのほうへ歩いて行くのが見えた。カンテラをさげている。女は草地を横ぎらない。動くたびにカンテラが揺れ、女はまもなく闇に呑まれた。揺れ動いている明かりから、女の歩いて行くのが辛うじてわかった。

ベンはふたたびベッドに横になった。ちらちらするカンテラと、下で言い合っている声とに悩まされる。母が二階へあがってくる足音がきこえてきた。母はぱっとドアをあけ、ろうそくをもったままそこに立つ。うしろには怪物のような影。

「おまえ、お茶をいじった?」と、母が言った。

両親には否定とわかる音をベンは発したが、母は満足しなかった。母はベッドのところにくると、目の上にまびさしのように手をあてて、彼をじっと見おろした。

「パンとケーキが見あたらないんだよ。それに、ビスケットも。おまえが取ったんだろう? どこへ隠したの?」

いつものように、声を高められると、反感が湧く。ベンは縮み上がり、目をとじた。こんなふうに彼に訊きただしてもだめだ。微笑を浮かべ、冗談めかしてたずねたとしたら、彼も違った態度をとったろうが。

「そうかい。承知しないよ」

母は父を呼んだ。ベンは絶望感に襲われた。むちでたたかれるんだろう。彼は泣きだした。説明しようとおもっても、彼にはできない。父がどしんどしん階段を上がり、部屋にはいってくる音がきこえてきた。その影も怪物のよう。ふたりがはいると、小さな部屋はいっぱいになる。

「おまえ、隠したのかね?」父が訊いた。「パンをどうしたんだ?」

父の顔は醜く、やつれている。荷造りと荷ほどき、引っ越し騒ぎと新しい生活をはじめる騒ぎで、きっと疲れてしまったんだろう。それはベンにもわかったけれど、負けていられなかった。彼は口をあけ、わめいた。そのわめき声は父の疲労と怒りをあおった。それに、敵意も。どうしてこの子は口がきけないんだろう?

「もうたくさんだ」

父はベンをベッドから引きずり出し、パジャマのズボンをぬがせた。それから、もがく息子を膝にかかえ、裸の尻を力一杯たたいた。ベンはいちだんと大きな声でわめいた。大きくて強い手が、何度も何度も容赦なくたたいた。

「もうわかったでしょう、そのくらいでいいわ」母が言った。「草地のむこうには家もあることだし。面倒を起こしたくありませんから」

「思い知らせてやらなきゃいかん」父は自分の手が痛くなるまでたたき、ようやくベンを膝からおろした。「わめけるもんならわめいてみろ」父はそう言って、つと立ち上がった。ベンは、ベッドに顔を伏せた。すすり泣きはもうやんでいた。両親が部屋から出て行く足音がきこえ、ろうそくが持ち去られ、部屋がからっぽになったのがわかった。そこらじゅう痛む。足を動かそうとしたが、動かすと、頭に警報がつたわった。痛みは尻から背骨をはい上がり、頭のてっぺんまでひろがった。もう口からは何の音も出ない。涙がぽろぽろこぼれ出るだけ。じっとしていれば痛みもおさまるだろう。彼は毛布をかけることができなかった。冷たい空気がはいり込み、鈍痛をもたらした。

　少しずつ痛みがうすらいでいった。涙が頬の上で乾いた。彼はなんにも考えず、うつ伏せになって横たわっていた。なぜ折檻されたのか、もう忘れてしまっていた。仲間の一団、泥棒、荒れ野《ムア》のことも忘れてしまっていた。しばらくして何もやってこなければもう大丈夫だ。

2

　彼は、突然目がさめた。あらゆる感覚がとぎすまされている。カーテンのすきまから月が射し込んでいる。最初、何もかも静まりかえっているものと思ったが、草地に動く気配がして、彼らがそこにいることがわかった。やってきたのだ。彼にはわかった。ゆっくり、苦労してベッドから抜け出すと、窓のところへ行く。カーテンを引っぱる。白い夜が驚くべき光景を彼に見せてくれた。泥棒がそこにきていた。りっぱな泥棒。あの女が話していたよりも、はるかにきれいだった。少数の一団が彼の贈りものをむさぼり食っている。ふたりの子供をつれた母親がいる。そのすぐうしろに、それよりも背の高い子供をつれた別の母親がいる。その子供はひとりで遊んでいる。他のふたりは雪にうかれ、輪をえがいて走りまわっている。彼らがやってくると同時に雪が降りだし、草地を白銀に変えてしまったのだ。じっと見まもっているのは、父親にちがいない。だが、ベンの父のように怒ってはいない。母親たちや子供たちと同じように美しい。美しくて賢そう。窓をじっと見つめている。すでにベンの姿を目にとめ、彼の贈りもののケーキに対して感謝の意を表するために、ケーキにそっと触れ、息子に食べさせるためにその場を離れた。

　だれひとり動いていない夜の時間だ。ベンは時間のことはなにもわからなかったが、両親はずっと前に寝てしまい、朝までにはまだだいぶ時間があるということが本能的にわかった。彼は彼らを、荒れ野《ムア》を、りっぱな一団を見つめた。彼らは泥棒なんかじゃない。あんなに誇りをもっているもの。彼らはベンがあたえたものを上品に食べ、あの女が言ったように、家に近づいたり、こそこそうろついたりしようとはしない。ベンのように、口をきかない。ジェスチュアで意志を通じ合うのだ。父親が命令するように頭を動かし、食べもののところから離れると、母親が子供たちを呼び寄せる。彼らはひとかたまりになって草地に腰をおちつけ、雪のなかで朝がくるのを待つ。眠りに沈んでいる家々をこのうえなく軽蔑している。権威に対する軽蔑、ベンの目にはそう映った。彼らには独自の法律があるのだ。

　ベンはベッドからおりた。尻と背中がまだ痛い。毛布もかけずに寝ていたので、冷たい夜気でからだがこわばってしまっている。しかし、彼は服を着はじめた。ひとりでやるのにはまだ慣れていなかったので、着換えは手間どったが、どうやら終わった。メリヤスのセーターはうしろ前に着てしまったけれど。さいわい、彼の長靴は食器置き場にあった。まっさきに荷から取り出したものの一つだったのだ。

　部屋のなかは、はっきり見えた。部屋のなかは月光で昼をあざむくばかりだった。妙な出っぱりや形はなかった。なんの変哲もない小さな部屋だった。ドアの掛け金は彼の頭よりも高いところにあった。その下に椅子を引っぱっていき、椅子にのって掛け金をはずす。

そっと狭い階段をおりていった。台所のなかはまだ暗かったが、本能に導かれるままに食器置き場へ行き、長靴の置いてある片隅へ行った。そして靴をはく。食物部屋といっても、食器置き場に置いてある戸棚にすぎない。その戸は少しあいていた。母が怒ってしめわすれたにちがいない。朝食用にとってある最後のパンをそっと取り出し、さっきと同じように椅子にのって、おもてのドアの掛け金をはずした。ここではかんぬきもはずさなければならなかった。彼は椅子からおりた。両親の耳にはいったら、おしまいだ。ドアがあいた。白い夜が彼の前にあった。恵み深い大きな月。りっぱな一団が草地で待っている。草地《グリーン》はもはや緑《グリーン》ではなく、きらめく白銀。

長靴でそっと雪を踏んでベンは忍び足で小道を歩いていき、門の掛け金をはずした。その音で、草地にいる連中は目を覚ました。母親のひとりが目を上げた。彼女はなにも言わなかったが、その動きが父親に警告を与え、父親も頭を向けた。ベンが何をするか、見まもっている。もっと贈りものを期待しているんだな、とベンは思った。彼らは食べものを持ってこなかったので、まだおなかがすいているんだ。

彼はパンのかたまりを差し出しながら、ゆっくり彼らに近づいていった。母親が立ち上がり、子供たちも立ち上がった。その動きでほかの者も目を覚まし、眠りについていた小さな一団は、たちまちふたたび前進する構えをみせた。だが、ベンの手からパンを取ろうとはしない。おそらく、こまやかな神経が、そうすることを禁じているのだろう。彼は彼らに気前のいいところを見せ、同時に両親を嘲弄したかった。で、パンを二つにちぎり、彼自身よりちょっぴり背の高い、いちばん小さな子供のところへ行って、その一つを差し出した。これできっとわかってもらえるだろう。

小さな荒れ野《ムア》は前にすすみ出てパンを取り、食べながらベンを見つめた。もじゃもじゃの髪が目のなかにはいり込むのを、頭を振って払いのけ、ちらと母親のほうに目をやる。母親はなにもしない、話しかけない。ベンは勇気が出た。パンの残りの半分を彼女に差し出す。彼女はそれを受け取った。ふたりとも黙っているところがベンの気に入った。口のきけないベンにはその気持ちがよくわかるのだ。

母親は髪ぼうぼうの息子と同様金髪だが、年上の子は髪が黒い。彼らの血縁関係はよくわからない。母親がもうひとりいて――伯母さんかしら？――父親のすぐそばに立っている。少し離れたところにいて、だれにも大して注意を払っていないのは、きっとおばあさんだろう。しらが頭で痩せており、雪を喜ばず、火にあたっていたほうが楽だといったような顔をしている。彼らが歩きまわっているさまをベンは不思議に思った。どうしてうちにじっとしていないで、ぶらぶら歩きまわっているんだろう？　彼らは泥棒じゃない。泥棒でなんかあるものか。

すると父親が合図した。くるりと向きを変えると、ゆっくり、堂々と、先頭に立って草地を歩きだす。一同はあとに従った。子供たちはふたたび歩きまわれるのを喜んで跳びはね、足を引きずりながら歩いているおばあさんが、しんがりをつとめた。ベンは彼らを見まもり、それから、眠りに沈んでいる家をちらと振り返った。彼は肚を決めた。愛してくれない両親のところになんかいてやるもんか。荒れ野《ムア》と、りっぱな一団といっしょに行こう。

ベンは選んだ仲間のあとについて、雪を踏んで駆けていった。おばあさんは彼の足音を聞きつけて肩越しに振りかえったが、べつだん気にもしなかった。彼を受け入れているようだった。いちばん好きな、髪ぼうぼうの息子を連れた金髪の母親に追いつくまで、ベンは走った。彼が追いつくと、彼女は仲間に入れてやるというふうに親しげにうなずいた。ベンは彼女と並んで雪のなかをとぼとぼ歩いた。父親は相変わらず先頭に立って丘をめざして進んでいたが、雪の深いところを避けるというすばらしい本能をもっていた。両側に吹きだまりのできている道をひろって進んでいき、とうとう、左右に広くひらけている高い尾根へたどりついた。草地ははるか下にある。だが、それもまもなく見えなくなった。月光に照らされた荒れ野には、家が一軒もない。ベンはのぼったために暖かくなった。仲間も同様だった。吐く息が凍《い》てついた空気のなかで煙のようにみえた。

　さて次は？　指図をあおごうと、彼らは父親のほうを見た。父親は次に打つ手をあれこれと考えている様子。ちらと右を見、左を見る。やがて尾根づたいに行軍を続けることに決め、ふたたび先頭に立って歩きはじめた。家族の者があとにつづく。

　子供たちは遅れがち。疲れてきたらしい。ベンは子供たちを元気づけるために、背中の痛みも忘れて跳びはねた。痛さに思わず叫び声をあげる。その叫び声に母親はびっくりして彼を見つめ、話しかけてきた。質問をしているんだろうか。ベンにはその言葉がわからない。喉から音を出すと、背中が痛いことがわかったにちがいない。母親はうなずくと、歩をゆるめ、彼に合わせた。ベンはほっとした。おばあさんといっしょに足を引きずりながらしんがりをつとめたくはなかったから。

　やがて下り勾配にむかって、両側に雪がうずたかく積もった小道に出た。父親はここで野宿しようとでもいうように足をとめた。遠くの山並みを見つめ、じっと動かない。もの思いに沈んでいるにちがいない、とベンは思った。ほかの者に話しかけようとはしない。ふたりの母親は輪をえがいて歩きまわり、凍りついた雪の土手の陰に子供たちの休み場所を見つけた。おばあさんは落ちつかない。夜気が冷たいのか、機嫌が悪そうな様子。どうしたらいいだろう、とベンは思った。脚が痛く、おばあさんと同じように疲れている。彼は子供たちが雪のなかでまるくなって寝るのを見まもった。彼らにできることなら、ぼくにだってできるだろう、と彼は思った。だが、彼らは地面で眠ることに慣れているが、ぼくは慣れていない。

　やがて、彼の気に入っている母親が、息子のそばに腰をおちつけた。そのゆったりしたからだを見ると、ベンは、ゆうべ草地の草ぶきの家で彼と両親を歓迎してくれた女の人を思い出した。あのひとも親切だった。だが、この母親は美しい。彼自身の母親よりずっと美しい。彼は一瞬ためらっていたが、やがてそっとすすみ出て、彼女にもたれてうずくまった。怒るだろうか。押しのけるだろうか。

　彼女は彼を見ようとしない。話そうとしない。もたれてうずくまり、からだのあたたかみを受けていいという意志表示だ。彼女のよい体臭は快かった。彼は彼女の肩に頭をのせて寄り添い、彼女の髪に触れようと手を上げた。彼女は静かに頭を横に振ってため息をついた。母親のあたたかみと快さとやさしい理解とに陶然とし、相変わらず遠くの山並みを見つめている父親の自信に安心した。ベンは目をとじた。父親は息子たちの保護者なのだ。決してたたいたりなどしない。彼らは、一体となっている。彼が想像していたような仲間の一団ではなく、おたがいに血のかよった家族、部族なのだ。このりっぱな連中を見捨ててなるものか。

3

　燦然たる太陽が丘の上にのぼり、ベンは目をあけた。たちまちのうちに明るくなる。すでにおばあさんは、こわばった足を引きずりながら動きまわっていた。これを見ると、ほかの者も寝ていられず、起き上がった。子供たちもしぶしぶ起き上がった。もう一、二時間眠っていたいところだったけれど。だれも朝食をたべない。ベンは空腹をおぼえた。食べものをどうするんだろう？　彼がもってきたパンはゆうべ草地ですっかり平らげてしまった。あの女が彼らを泥棒と呼んでいたことを、ベンは不安のうちに思い出した。おそらく、そのとおりかもしれない。夜まで待って村へおりて行き、物乞いをするか盗みをはたらくかするんだろう。子供たちはどうなんだろう？　夜までもつんだろうか。

　ベンは、立ち上がり、暖をとるために足を踏みならした。それから、目をこらす。彼自身と同じ年頃の髪ぼうぼうの男の子が母親の乳をのんでいる。彼らがそのような不作法なやり方をするのは、放浪者だからだろうか。おかあさんの友達がうちのキッチンでやっていたように、この母親は子供の陰に乳房をかくそうとはしない。戸外で、ほかの者の見まもるなかで、自然に振る舞っている。と、突然彼女は、もうたくさんだろうというように息子を押しやり、父親のあとについて歩きはじめた。長い道がはじまる。ベンは母親と並んでとぼとぼ歩いた。要するに、これが彼らの習慣なのだ……

　ぼくにもお乳をのましてくれるといいんだが、とベンは思いはじめた。髪ぼうぼうの子供が満ち足りた様子で彼のそばへとんできて、遊ぼうと誘った。ベンは空腹も忘れて彼を追いかけ、笑いながら彼の髪をひっぱった。彼らはたがいに叫び合いながら、輪をえがいて走りまわった。髪ぼうぼうの子供は、おばあさんのところへとんで行ってからかった。おばあさんの前で跳ねまわり、不自由な足つきを真似たのだ。だれも気にしない。失礼だとはだれもいわない。

　陽は高くのぼり、その暖かさが雪をとかし、それとともに突き刺すような飢えをベンはおぼえた。食べるものはなんにもない。彼らがなんにもくれないからだ。彼は恥ずかしさを抑えて母親のところへ行き、指さし、喉音をたてて、乳がのみたいと意志表示した。だが、母親はあとずさりし、彼にはのませてくれない。自分の子供のためにとっておくのだ。

　彼らは父親のあとについて歩きつづけた。しばらく行ってから父親は突然立ちどまり、振り返って母親たちに呼びかけた。母親たちは返事をし、一同は休憩した。そのまましばらく待つ。動くなという命令が出たのだ。遠くからなにかが走ってくる音がした。丘を越えて別の荒《ム》れ野《ア》が、見知らぬ者がやってきたのだ。彼は父親を見ると足をとめ、両者はたがいににらみ合った。ベンのかたわらの母親が仲間になにやらささやきかけ、一同は小さな輪をつくって、父親の出方を見まもった。

ベンは心配して見まもった。見知らぬ男のけわしい顔つきが気にくわない。新来者はふたたび進みいで、やにわに父親におどりかかり、両者は雪のなかで素手で猛烈な格闘を演じ合った。慎重な父親は突然蛮人と化した。ひとしきり、怒り、じだんだ、泣きじゃくりが起こった。ふたりの母親は恐ろしさに身をちぢめ、見まもっている。ベンはふたりのあいだにいた。ふたりの恐怖がベンに恐怖を植えつけ、ベンは怒ったおとうさんのことを思い出し、ふたたび泣きだした。戦いはやまないのだろうか。突然、戦いは終わった。だが、結果は恐ろしいものだった。彼らの親切なリーダー、ひと晩じゅう彼らを見まもってくれた父親が逃げだしたのである。家族のほうに向かってではなく、雪を渡って遠くの丘のほうへ。彼は新来者がこわかったのだ。新来者は彼を打ち負かしたのだ。雪の上に黒々と血が垂れているのをベンは見た。

ベンは手を差しのべ、母親に触れた。みんなして傷ついた父親のあとを追って行こうと言おうとしたが、彼女はいらいらして身を振りはなした。彼女は征服者を見ている。征服者はゆっくりと彼らのほうに進み出た。ベンは、同じようにおびえているにちがいない髪ぼうぼうの子供のほうへあとずさりした。おばあさんはうんざりして顔をそむけた。おばあさんにとってはどうでもいいことなのだろう。すると、ゆうべベンの横に寝た金髪の母親が、ゆっくりと新来者のほうへ歩いて行った。その手の触れかたから、彼女が新来者をリーダーと認めたことがベンにはわかった。これからは、この男が父親になるのだ。ベンの家庭でこんなことが起こったとしたらどうだろう？　近所の男がやってきて、おとうさんと喧嘩し、おとうさんを打ちのめして家から追い出したとしたら？　おかあさんは気にしないだろうか、黙ってその男のところへ行くだろうか。

　ベンはじっと見まもっていた。すると、とび色の髪をしてがっちりした新来者、打ち負かされた父親とくらべて品位はないが年は若いその新来者は、頭をぐんと動かし、ふたりの母親にむかってついてこいという合図をした。ふたりはおとなしく従った。子供たちも従った。おばあさんだけが、雪のなかでひとり悄然と立っている打ち負かされたリーダーのほうを振り返った。

　戦いは終わったのだ。前と同じように時間が経過する。仲間と並んで雪のなかをとぼとぼ歩いて行くうちに、いつしかベンは、新しい父親、新しいリーダーに慣れた。おそらくこの男は親戚なんだろう、伯父さんかもしれない――この連中の習慣はどうもわからない。

　太陽は空を横切り、丘のかなたに沈みはじめた。一行はふたたび足をとめた。前の父親ほど用心深くない新しい父親は、もうひとりの母親――伯母さんだろうか――のまわりを歩きまわった。この女がいちばん気に入っているらしい。前の父親のように見張りには立たない。ふたりはなにやらひそひそ内緒話をしていた。子供のひとりが走ってやってくると、新しい父親は追っ払った。前の父親のように気性がやさしくないのだろう。

　ベンは空腹でふらふらになっていた。彼は髪ぼうぼうの子供の母親のところへ行った。お乳をのもうとすると、今度はじっと辛抱していてくれた。ベンはやっと少しのむことができたが、なかなか大変だった。なんだか心もとなく、ぎごちなかった。しばらくすると母親は離れ、ゆうべと同じように、息子といっしょに雪のなかに寝た。ベンは彼女のそばに横たわった。ほかの者はまわりで待っていたが、ベンはすでに目をとじ、またしても頭を母親の肩にもたせかけ、手を母親の髪のなかにつっ込んだ。彼らが寝たかどうかも知らなかった。気にもならなかった。愛する者に温かく保護され、かわいがられることしか念頭になかった。

　怒った叫び声を耳にして、一同は立ち上がった。ベンはうろたえて目をこすった。満月が出ている。雪野原を走ってくるのは、棒切れをもった大勢の男たち。ベンの父もまじっている。男たちは叫びたて、吠えたて、一行にむかって棒切れを振りまわした。

今度は戦いはなかった。リーダーは逃げて行った。母親も、子供も、おばあさんも、全速力で逃げて行った。月光の下、凍てついた雪の上を全速力で逃げて行った。ベンは栗毛の雌馬である母親に見捨てられ、荒《ム》れ野《ア》に、りっぱな兄弟に見捨てられ、大声で泣き叫んだ。胸も裂けるような声で叫んだ。「ノー……ノー……ノー……」それが最初で最後だった。彼は雪のなかにうつ伏せに倒れた。

あおがい

The Limpet

どうみてもわたしは鈍感な女ではない。それが苦労の種なのだ。他人の感情に無感覚になれたら、人生はがらりと変わったものになるのだが。無感覚でいられないために、このとおり敗残者になってしまったのだ。わたし自身の罪ではない。それというのも、愛する人たちを傷つけることに耐えられないからなのだ。

　将来はどうなることだろう？　わたしは一日に百ぺん、そう自問する。もう四十に近い、容色は衰えかけている、このうえ健康も衰えたら――いろいろ苦労してきたのだから、衰えたとしても無理はない――そうなったら、この仕事をやめて、ケネスのくれるばかばかしいほどの別居手当で暮らしていかなければならなくなるだろう。まったく結構な見通しだ。

　ところで、一つだけ言っておきたい。それは、わたしにはユーモアのセンスがあるということだ。友達が、数少ない友達が、少なくともそれだけは認めてくれる。それに、彼らに言わせると、わたしは元気がいいそうだ。ときにはわたしを見てほしいものだと思う。わたしは一日の仕事を終えて家に帰ると（それも、七時すぎになることがしばしばある――わたしのボスは思いやりがちっともない、それだけは言っておこう）、ささやかな夕食の支度をしなくてはならない。それから、部屋を掃除し、整頓しなければならぬ――週に二度やってくる女性は、きまって物をでたらめに置いていってしまうのだ。陰うつな日など、このころには、すっかり消耗し切ってしまっていて、ベッドに身を投げ出し、なにもかもおしまいにしてしまいたいような気がする。

　それから、おそらく電話が鳴る。つとめて明るくなろうと、必死の努力をする、ときどき、鏡に映った自分の姿をちらと見る――どう見ても六十だ。このいまわしいしわ。髪も色あせている。なにかいいことができたために日曜日の昼食の約束を取り消す女友達からの電話だったり、気管支炎を訴える義母からの電話だったり、ケネスから来た手紙についての話だったりすることが多い――まるで、それが近頃のわたしの関心事ででもあるかのように。わたしが彼らの気持ちを考えているように、わたしの気持ちを考えてくれる者はひとりもいないのだ。

わたしは、父が言うところの「杖の太いほうの端」をつかむ人間なのだ。思い出の糸をたぐってみると、いつもそうだ。父と母がつまらない夫婦げんかをしていた時分もそうだった。わたしは仲裁の役を演じなければならなかった。わたしは自分が頭がいいなどと言うつもりはない――そんなことを言ったことは一度もない。日常の問題を扱う場合は、常識はじゅうぶんある。仕事を馘首《くび》になったことはまだ一度もない――いつもこちらから退職願いを出してきた。ところが、ケネスを相手にしたときのように、自分自身のために何かを求めたり、自分自身の権利を主張したりする段になると、まったくどうしようもなくなるのだ。折れてしまって、なにも言わない。わたしは、ひとりの孤独な女にしては、あまりにもだまされ、利用され、傷つけられてきたのではないかと思う。運命、不運――なんと呼ぼうと、それは事実なのだ。

自分から言うのもおかしいが、これは没我的なところからきている。最近起こったことを例にとろう。わたしはこの三年間、しようと思えばいつでもエドワードと結婚できたのだが、彼のために、思い切ったことをするのを拒んできた。あなたには奥さんもあるし経歴もある、それを最初に考えなくちゃいけませんわ、わたしは彼にそう言ったものだった。おそらく、ばかげたことだろう。そんな態度をとる女は、ほかに思いつかない。しかし、わたしにはわたしなりの理想があるのだ。あることは正しい、あることは間違っている。

こうした性格は父から受けているのだ。

　ケネスに捨てられたとき――わたしは六年間地獄の苦しみを味わった――彼の友達に泣き言を言ってまわったりしなかった。性格が合わないのだ、彼の落ちつきのない気質がわたしののんびりした性質と衝突したのだ、ウィスキーを飲み歩いていたんでは幸福な家庭は築けない――わたしはそう言っただけだった。きゃしゃな女に対して、彼は多くのことを要求した。酒宴がはじまると、いつまでもきりがなく、やれ料理だ、やれ掃除だと、わたしはほとんど休むひまがなかった。彼と別れたほうが賢明だ、とわたしは彼の友達に言った。もちろん、そのあとわたしは参ってしまった。血の通う人間にはとうてい耐えられない。だが、彼を責めはしなかった。傷つけられたときは、黙っているほうがはるかに品位があるものだ。

　人がどんなにわたしを頼りにするかということに初めて気がついたのは、父と母が自分たちのトラブルのことでわたしのところへやって来たときだった。そのとき、わたしはまだ十四歳だった。わたしたちはイーストボーンに住んでいた。父は事務弁護士事務所にいた。厳密に言うと弁護士ではなかったが、主席事務員の上の重要な地位を占めていた。母が家をとりしきっていた。庭がある、とてもいい家だった。二軒建てとかそういったものではない。そして、お手伝いさんを置いていた。

　わたしはひとりっ子だったので、おとなの会話に耳を傾ける習慣がついたのだと思う。白のフランネルのシャツに小さな体操ドレスを着、きたない制帽をあみだにかぶって、学校から帰ってきたのを覚えている。わたしは玄関ホールに立って、食堂の外で靴をぬいだ――冬のあいだ、食堂を居間に使っていた、居間は北向きだったから――そのとき、父の声がきこえてきた。

「いったいぜんたい、ディリーにはなんと言ったらいいだろう?」ディリスというのもとてもかわいい名前だが、両親はわたしのことをいつもディリーと呼んでいた。

父の声の調子と、「いったいぜんたい」などという言葉から、なにか具合の悪いことが起こったのだということがすぐにわかった。なにか途方に暮れているらしい。ほかの子供だったら、そんなことは気にかけず忘れてしまうか、遠慮せずにはいって行って、「どうしたの？」と、すぐさまたずねたことだろう。わたしは神経質だったので、そんなことはできなかった。わたしは食堂の外に立って、母親の返事を聞こうとした。だが、聞きとれたのは、「あの子もじきに落ちつきますわ」というような言葉だけだった。それから、母が椅子から立ち上がるような物音がきこえてきたので、わたしは二階へ駆け上がった。なにかが起こったのだ、ある変化が。そのために、わたしたちの生活がすっかり変わってしまうのだ。「あの子もじきに落ちつきますわ」と言った母の口調には、わたしがそれをどう受けとるか危ぶんでいるようなひびきがあった。

ところで、わたしは丈夫だったためしがない。子供のころ、よく風邪をひいた。その晩も、風邪がまだなおりきっていなかった。そして、ささやき声を聞いたために風邪がぶり返したようだった。わたしは寒い小さな寝室でひっきりなしに鼻をかまなければならなかった。そのため、階下《した》へおりて行ったとき、目も鼻も赤くはれあがっていた。ひどい恰好だったにちがいない。

「おお、ディリー」と、母が言った。「どうしたの？　風邪がひどくなったの？」父もとても気づかわしげに、わたしをじっと見つめた。

「なんでもないの」と、わたしは言った。「ただ、一日じゅう気分がよくないの。期末試験のために、ちょっと勉強しすぎたんだわ」

するととつぜん――どうすることもできず――わたしはわっと泣き出した。父も母も黙っていたが、とても困ったような、とても心配そうな顔をした。父母がちらりと視線を交わすのをわたしは見た。

「寝なきゃいけないよ」と、母が言った。「さあ、二階へおいで。夕御飯はお盆にのせて持って行ってあげるから」

すると——なんと神経質であることか——わたしはぱっと立ち上がり、母に抱きついた。「おかあさんとおとうさんにもしものことがあったら、あたし死んでしまうわ！」

それだけだった。それまでだった。それからわたしは微笑を浮かべ、涙を拭いて、「気分転換のために、あたしがお給仕するわ。あたしが夕御飯の支度をするわ」母が手伝うと言ったけれど、わたしは聞き入れなかった。役に立つところを見せたかったのだ。

その晩、父がやってきて、わたしのベッドに腰をおろし、すすめられたオーストラリアでの仕事のことを話してくれた。出かけるとすれば、最初の一年間わたしを置いて行くことになる。父と母が移住し、落ち着いてからわたしを呼ぼうというのだ。わたしは泣いたりわめいたりしなかった。ただうなずいて、こう言っただけだった。「いちばんいいと思ったとおりにやってちょうだい。あたしのことなんか考えないで」

「それはありがたい」父は答えた。「でも、おまえが幸福になり、マッジ伯母さんとうまくやっていけると納得できなければ、おまえを寄宿学校に置いて出かけることはできないんだよ」マッジ伯母さんというのは父の姉で、ロンドンに住んでいた。

「もちろん、できるだけうまくやっていくわ」と、わたしは言った。「ひとりでやっていくことに、じきに慣れるわ。マッジ伯母さんはちっともあたしの面倒をみてくださらないし、お友達がたくさんいて、晩によくお出かけになるから、あたしはすきま風のはいる古いお家《うち》にひとりで取り残されてしまって、はじめのうちはちょっと辛《つら》いかもしれないけど。でも、休暇のあいだは、毎日おとうさんとおかあさんに手紙を書けるし、そうすれば、そんなに寂しくならないですむし、それに学校では、いっしょうけんめい勉強するから、くよくよ考えてる時間なんかないわ」

父がちょっと当惑したような顔をしたのを覚えている——かわいそうなおとうさん、わたしと同じように神経質なんだわ——すると、父は言った。「伯母さんのことで、どうしてそんなことを言うんだね？」

「べつにはっきりした理由なんかないわ。伯母さんの態度を見てそうおもうのよ。いつもわたしをいじめるでしょ。だからといって、おとうさん、心配なさらないで。あたしの持ち物を、伯母さんのうちの寝室へ持って行っていいでしょ？　そうすれば、大好きなものといつもいっしょにいられるし」

父は立ちあがり、部屋のなかを歩きまわった。ややあって、父は言った。「まだ確定したわけじゃないんだよ。よく考えてみる、と会社には言っておいたんだ」

わたしは気にしている様子を父に見せたくなかった。で、ベッドに横になり、毛布で顔を隠した。「おとうさんとおかあさんが、オーストラリアへ行って幸福になれるとほんとうにお思いになるんなら、ぜひ行ってくださいな」

毛布のすきまからのぞくと、父の表情が見えた。顔をしかめ、いかにも苦しそうだった。オーストラリアへ行くとしたら、それは大きな間違いだ——父の顔を見て、わたしはそう確信した。

翌朝、わたしの風邪はひどくなっていた。母はわたしを寝かしておこうとした。だが、わたしは、起きていつものように学校へ行くと言い張った。

「風邪なんかで、いつまでも騒ぎ立てているわけにはいかないわ」わたしは母に言った。「これからは強くならなくちゃいけないし、おかあさんとおとうさんに甘やかされたことを忘れるようにしなくちゃいけないわ。風邪をひくたびに寝ていたんでは、マッジ伯母さんに邪魔にされてしまうわ。ロンドンの霧やなんかで、あたし冬中風邪をひいているかもしれないから。こんなもの、慣れてしまわなきゃだめだわ」そしてわたしは、母を心配させないように陽気に笑い、母を冷やかして、わたしがロンドンのマッジ伯母さんの家の寝室にひとりですわっているのに、おかあさんはオーストラリアのあたたかい日ざしを浴びられるなんてすてきね、と言った。

「できればおまえも連れて行きたいのよ」母は言った。

「でも、ひとつにはお金のこともあるし、それに、向こうへ行ってみないことには、どんなところだかわからないしね」

「ええ、わかるわ。それでおとうさんは心配なさってるんでしょ。知らない生活をしなくちゃならないし、古いつながりから離れなくちゃならないし」

「おとうさんがそんなことおっしゃったの？」

「いいえ。でも、わかったわ。苦しいんでしょ、そんなこと口にお出しにならないけど」

　父はもう職場へ出かけてしまったので、母とわたしとふたりきりだった。お手伝さんは二階の寝室で忙しく働いていた。わたしは学校の道具をかばんに詰めていた。

「おとうさんはそのことでとても幸福そうだったわ。最初、おかあさんとふたりでその計画を話し合ったとき、おとうさんはとっても興奮なさっていらしたわ」

「そりゃ、おかあさんがいちばんよくご存知でしょうけど、おとうさんはいつだってそんなふうでしょ？はじめは夢中になるけど、あとになると熱がさめてしまうんだわ。おかあさんの冬のコートを買わずに、モーター草刈機を買ったときのように。わざわざオーストラリアまで出かけて行って、結局思わしくないとわかったら、それこそ大変だわ」

「ええ、そりゃわかっているわ……実を言うと、おかあさんとしては最初乗り気じゃなかったんだけど、おとうさんにくどき落とされてしまったのよ」

　ぐずぐずしていては学校行きのバスに間に合わない。で、わたしはそれ以上話し合わなかったが、心から同情しているところを見せるために母をしっかりと抱きしめて、「おかあさんとおとうさんがしあわせになって、貸家を探して楽しくやっていかれることを心から祈るわ。はじめのうちは、フローレンスがいなくて不自由なさるでしょうけど」フローレンスというのはうちのお手伝さん、長いことうちにいたメイドのことだ

──「オーストラリアでお手伝さんを見つけるのは、むずかしいそうよ。学校にオーストラリア人の先生がひとりいらっしゃって、その先生のお話だと、オーストラリアは若い人たちにはすばらしいところだけど、中年の人たちにとっては、そうじゃないそうよ。でも、それだからかえって刺激があるのかもしれないわね。開拓者になって、荒々しい生活をするのは」

わたしはふたたび鼻をかんだ。不快な風邪のためだった。母は朝食を食べ終えたが、オーストラリア行きのことで、しんそこから幸福であるようにはみえなかった。

ところで、結局父母はオーストラリアへ行かなかった。どうしてだか今もってわからないが、ふたりともとてもわたしを頼りにしていたので、たとえ一年間でも、わたしと別れていることに耐えられなかったからにちがいないと思う。

妙なことだが、そのときから──オーストラリア行きの計画が棚上げになってから──父母はたがいによそよそしくなり、父は人生にも仕事にも興味を失いはじめた。父母は絶えずがみがみ言い合った。わたしはいつのまにか調停者の役を演じていた。父は夜、家にいつかなくなった。クラブへ行くんだと言っていたが、母がよくため息まじりにわたしにこう言ったのを覚えている。「おとうさんはまた遅いわ。今夜はどうして遅いんだろう?」

わたしは宿題から目を上げて、冗談半分にこう言うのだった──「おかあさんは年下の人と結婚すべきじゃなかったわ。おとうさんは若い人とつき合うのが好きなんでしょ、きっとそうだわ。あたしとあまり歳のちがわない、事務所の女の子と遊んでいるんでしょ」

母が、あらゆる面で努力していることは、事実だった。たえず台所に出入りし、ペーストリーやケーキを作っているといった家庭的な人だった。そうしたことは、フローレンスよりずっと上手だった。ありがたいことに、わたしはそういった性格を母から受けついでいる──料理については、だれもわたしに教えられない。しかし、もちろん、ということは、身なりにかまわなくなりがちだったということだ。ようやく父が帰ってくると、わたしはそっと玄関ホールに迎えに出て、しかめつらをし、くちびるに指をあててささやくのである。

「おとうさん、面目まるつぶれよ。おかあさんはおかんむりだったわ。おはいりになって、新聞でも読んで、なにも言わないようになさるといいわ」

かわいそうに、父はたちまちすまなそうな顔をする。それから、なんとも結構な夜がはじまるのだ。母は口を固く閉じてテーブルの端に陣どり、父はむっつりして反対側の端に陣どり、わたしはふたりのあいだに坐って、とりなそうと一生懸命になるのだ。

わたしが学校を出ると、これからどうすべきかという問題がもちあがった。前にお話ししたように、わたしは頭はよくないが、普通のことに関しては頭がまわるし、かなりりこうなほうなので、タイプと速記の課程《コース》をとった。その当時は、それがすぐにどうにかなるとは思わなかった。当時わたしは十八歳、そのくらいの年齢の多くの少女のように、俳優熱にうかされていた。学校では、『悪口学校』（シェリダン作の喜劇）の主役、ティーズル夫人になった。そして、ほかのことはなにも考えられなかった——校長の友達に記者がいて、わたしのことが地方紙に出た——だが、演劇をつづけたいとわたしが言うと、父も母も猛烈に反対した。

「演劇の初歩も知らないくせに」と、父が言った。

「養成期間の苦しみは大変なものなんだよ」

「それに」と、母が言った。「そうするには、ロンドンに出て、ひとりでやっていかなくちゃならないんだよ。そんなこと、できるもんかね！」

わたしはいざという時の用意に就職課程《コース》をとったが、舞台の夢は完全には捨てきっていなかった。わたしの見たところでは、イーストボーンに住んでいては、将来がなさそうだった。父はまだ事務弁護士事務所にくすぶっており、母は家でじたばたしている。見通しはせばまる一方で、両親は人生からなにも得ていないようだった。ロンドンへ出て生活すれば、新しい興味の対象は山ほどできるだろう。父は冬にはフットボールの試合を、夏にはクリケットの試合を楽しむことができるだろうし、母は演奏会や美術館へ行けるだろう。マッジ伯母さんももう年だから、ヴィクトリアのあの家にひとりっきりで住んでいては、きっと寂しいことだろう。わたしたちが伯母の家に下宿すれば、なにかと力になり、伯母は気軽に外出できるだろう。

「あのう」ある晩わたしは母に言った。「おとうさんはもうすぐ停年のことを考えなければならなくなるでしょうけど、あたしが心配なのは、停年になったとき、この家をどうやってやっていくかということなの。フローレンスに暇を出さなければならないし、あたしはお勤めに出て、指ががくがくになるまで一日中タイプをたたく。おかあさんとおとうさんは、プリンスを散歩に連れて行くぐらいしか用がなくなるわ」

プリンスというのは犬のことだ。父と同じように年をとっている。

「そりゃどうかわからないけど」母が言った。「おとうさんはまだ停年じゃないわ。あと一、二年、計画を立てるぐらいの時間はあるわ」

「おとうさんの代わりに、だれかほかのひとが計画を立てなきゃいいけど」わたしは母に言った。「会社のベティなんとかさんなんて、信用できないわ――いろいろ言いたいことはあるでしょうけど」

ここ数カ月、父は疲れているようだった。わたしは父の健康が心配だった。その翌日、わたしは父に訊いてみた。「おからだ、なんともないの、おとうさん？」

「うん」父は言った。「なぜだい？」

「この冬になってから、お痩せになったようだわ。それに、お顔の色もよくないし」

父が立ち上がって鏡をのぞき込んだのを覚えている。「うん」父は言った。「ちょっと痩せたな。気がつかなかったよ」

「あたし、前から心配だったのよ。お医者さまにみていただいたらどう。ときどきお痛みになるんでしょう、心臓の下あたりが？」

「消化不良だと思っていたんだが」

「そうかもしれないわ」わたしは、おぼつかなげに言った。「でも、年をとると、どうだかわからないわ」

ともかく、父は検査を受けに行った。ひどく悪いところはなかったが、潰瘍《かいよう》の疑いがあり、血圧が高いと医師は言った。検査を受けなかったら、わからなかったかもしれない。父も母もいささか動揺した。今までどおり仕事をつづけるのは、母に対しても、自分自身にとってもよくない、とわたしは父に説明した。そのうちに、本当に病気になって、会社かどこかで心臓病の発作を起こして死んでしまうかもしれない。それに、癌《がん》は初期には自覚症状がないし、癌にかかっていないという保証もない、とわたしは父に言った。

いっぽう、わたしはマッジ伯母に会いにロンドンへ行った。伯母はまだウェストミンスター大寺院の近くのあの家にひとりきりで住んでいた。

「強盗がこわくありません？」と、わたしはたずねた。

そんなこと考えたこともない、と伯母は言った。わたしはびっくりした顔をした。

「それじゃ、そろそろお考えになったほうがいいですわ」わたしは言った。「毎日、新聞を見てぞっとしますわ。被害者はきまって、旧式な大邸宅にひとりで住んでいる年輩の婦人。ドアには鎖をかけ、暗くなってからはベルが鳴っても出ないようになさるといいわ」

近くの町に強盗事件があったことを伯母は認めた。

「それ御覧なさい」わたしは言った。「そのうちに、この辺もやられるかもしれませんわ。下宿人を置いて、家に男がいるようになれば、そんなことにはならないでしょう。それに、こんなふうにひとりで住んでいると、ころんで脚を折っても、だれも何日も気がつきませんわ」

これら愛する人たち――父、母、マッジ伯母――に、資金をプールして、ヴィクトリアの家にいっしょに住めばどんなに幸福かをわからせるのに、三カ月ぐらいかかったと思う。父にとっては、このうえないことだった。からだが悪くなった場合には、一流の病院がちかくにある。翌年、父は健康を害した。わたしがウェスト・エンドの劇場の代役の仕事を見つけてからのことだ。

　そう、わたしは俳優熱にうかされていたのだ。戦前のマチネーの人気者ヴァーノン・マイルズを覚えておいでかしら？　彼はわたしたちの年代の憧れの的だった――流行歌手がこんにちのティーン・エイジャーの憧れの的であるように。わたしも、御多分に洩れず、彼に夢中になった。わたしの一家はヴィクトリアのマッジ伯母の家に落ちついていた――わたしはいちばん上の二部屋を使っていた――わたしは毎晩出かけて行って、楽屋口の外で待った。そのうちにきっと認めてくれるだろう。わたしの髪はブロンドで、今のように結《ゆ》ってなく、当時はふわふわしていて、自分から言うのも変だが、ほんとうにきれいだった。降っても照っても、毎晩わたしは楽屋口へ行った。しだいに、彼にとっては冗談のようなものになっていった。彼はまずわたしのサイン帳にサインし、さようならを言って手を振る。そしてとうとう、一座の者といっしょに一杯やろうといって、わたしを楽屋へ入れてくれた。

「忠実《オールド・フェイスフル》さんを御紹介しよう」と、彼は言った――彼はとてもユーモアのセンスがあった――みんなは笑い、わたしと握手を交わした。仕事をやらせていただきたいんです、とわたしはそのときその場で彼に言った。

「芝居をやりたいの？」と、彼はたずねた。

「なんでも構わないんです」わたしは言った。「劇場の中にいられさえすれば。もしなんでしたら、幕の上げおろしの手伝いでもいいんです」

　この無鉄砲さと、いやとは言わせない口ぶりとが功を奏したのだと思う。ヴァーノン・マイルズは舞台監督の助手という仕事をわたしのために作ってくれた。実は、体《てい》のいいメッセンジャー・ガールのようなものだったが、それでも梯子に片足をかけたわけだった。

ヴィクトリアの家に帰って、ヴァーノン・マイルズといっしょに舞台の仕事ができるようになったと、みんなに話すことができるのは、なんとすばらしいことだろう！

　舞台監督の手伝いのほかに、わたしは代役のそのまた代役をした。幸福な、苦労のない日々だった。いちばんいいのは、毎日ヴァーノン・マイルズに会えることだった。いつも最後まで劇場に残り、彼といっしょに帰ろうとした。

　彼はわたしのことを「忠実さん《オールド・フェイスフル》」と呼ぶのをやめ、その代わりに「誠実さん《フィデリティ》」というニックネームをつけてくれた。このほうが称賛のひびきがこもっている。彼を悩ますファンをひとり残らず楽屋口から追い払うのがわたしの務めだった。一座のほかの人たちのためにも、同じことをした。なかには、とてもやきもちをやく人もいた。幕裏ではさまざまな敵意が渦巻いているが、スター自身はそれに気がつかないものだ。

「わたし、あなたのような人になりたくありませんわ」と、ある晩、わたしはヴァーノン・マイルズに言った。

「どうして？」と、彼は訊き返した。

「ある人たちが陰で言ってることをお聞きになったら、きっとびっくりなさるわ。面と向かってはお世辞を言っているけれど、あなたが別のほうを向いていらっしゃるときには、ぜんぜん違いますもの」

　彼に警戒させるほうがいいように思われた。彼は親切で寛大な人なので、どんな意味にしろ、くいものにされていると考えるとたまらなかった。真剣なところは少しもなかったけれど、彼はわたしをちょっと愛していた。クリスマス・パーティのとき、やどりぎの下で、わたしにキスした。翌日、そんな自分が恥ずかしかったのだろう、さよならも言わずに劇場からこっそり出て行ったのを覚えている。

　一週間のあいだ、毎晩、わたしは廊下で待った。だが、きまって彼はだれかといっしょだった——土曜日までは。その日は、楽屋にだれもいないことがわかっていたので、わたしはドアをノックした。わたしを見ると、彼はびっくりしたようだった。

「やあ、フィドー」と、彼は言った——いまでは「誠《フィ》実《デリティ》さん」を略して、フィドーと呼ぶようになっていた——「もう帰ったかと思っていたよ」

「いいえ。なにかご用があるんじゃないかと思って」

「それはご親切に。でも、べつになにもないとおもうけど」

わたしはただそこに立って待っていた。彼がまたわたしにキスしたくなったら、そうしても構わなかった。わたしをヴィクトリアまで乗せて行ってくれても、べつに邪魔にはならないだろう。彼は、チェルシーに住んでいる。ちょっと待ってから、そう水を向けてみると、彼はちょっとこわばったような微笑を浮かべ、残念だが、食事をしに反対方向の〈サヴォイ〉へ行かなくちゃならないんでね、と言った。

それから、ひどく咳込みはじめ、手で心臓のあたりを押さえて、発作が起こりそうだ、と言った——彼はぜんそく持ちなのだ——そして、衣装方を呼んでくれれば、万事こころえているから、と言う。わたしはびっくりしてしまい、衣装方を呼んだ。衣装方はすぐやってきて、わたしを部屋の外へ連れ出し、マイルズ氏は〈サヴォイ〉での夕食の約束に出かける前に、二十分ばかり休まなければならない、と言った。衣装方はヴァーノン・マイルズとわたしの友情を嫉妬していたのだと思う。その晩以来、彼は楽屋口を見張っていて、わたしがあたりをうろつこうとすると、気にさわるような態度に出るのだった。きわめて些細なことだったが、劇場の空気はがらりと変わり、人々は隅のほうで何やらささやき合い、わたしが現われると話をやめ、そっぽを向いてしまうようになった。

いずれにせよ、父の死によってわたしの演劇の仕事は中断された（父は胃痛を訴え、手術を受け、組織的に悪いところは発見されなかったが麻酔中に死んだのだ）。もちろん、母はとても悲しんだ。始終がみがみ言ってはいたが、やはり父が好きだったのだ。わたしは、母とマッジ伯母の件がうまく行くようにするために、しばらく家へ帰らなければならなかった。

当局は初老の人たちに対してなにか対策を立てるべきだ。健康が衰えた人々にとって貯えがないことがいかにみじめであるか、わたしはふたりに話した。いつか、どちらかが父と同じような苦痛に襲われて病院に連れ去られ、どこといって悪いところもないのに何週間も何週間も入院しなければならなくなるかもしれない。レストランがあり、看護婦も揃っていて、初老の人がゆっくりくつろげ、身の心配をしないですむような、各室冷暖房完備の宿泊所でもあってしかるべきだ。演劇の仕事をやめてふたりの面倒をみなければならなくなったことをこぼすわけではないが、マッジ伯母さんが死んでしまったら母を養っていくお金はどこからはいるのだろう?

一九三九年の話だ。ふたりともじつにいらいらしていた。だから、戦争が起こり、空襲さわぎがはじまったとき、どんなだったか、ご想像できるだろう。「まっ先にヴィクトリアがやられるわ、停車場があるから」と、わたしは言った。そして時を移さず、ふたりをデヴォンシャーへ疎開させたところが、恐ろしいことに、疎開先の家が直撃を受け、ふたりは即死した。ヴィクトリアの家はかすり傷ひとつ負わなかった。これが人生というものだろうか。正確に言えば、これが死というものかもしれない。

わたしは、たった一個の爆弾のために死んでしまった母とマッジ伯母の悲劇にひどいショックを受け、神経衰弱になった。少女や若い女性が徴用されはじめたとき、わたしが徴用されなかったのはそのためだった。それにわたしは看護婦の仕事に適していなかった。わたしは年とった盲目の百万長者の秘書の仕事を得、力を回復しようとした。彼はシュロップシャーに広壮な邸宅をもっていた。信じられないかもしれないが、彼はわたしを熱愛するようになったが、わたしには一文も遺さずに死んだ。

彼の息子がその邸宅に移ってきた。その奥さんはわたしを好きになれず、というよりも、わたしがその奥さんを好きになれなかったために、ヨーロッパの戦争が終わると、わたしはロンドンにもどろうと決心した。そして、フリート・ストリートでジャーナリストの秘書の仕事を得た。

わたしがさまざまな記者や新聞界の人たちと知り合ったのは、彼のために働いていたときだった。あの世界に関係すれば、いかに慎重であっても、いろいろなゴシップなどが、いやでも耳にはいってくる——だから、わたしを軽率と呼ぶことはできない。いかに良心的であろうと、スキャンダルを押さえるには、能力の限度というものがある。たとえ時間があっても、あらゆる噂の出所をたどって、真偽のほどを確かめるのが、わたしの務めではなかった。わたしにできることといえば、噂はあくまで噂であり、どんな事情があっても伝えるべきではない、と主張するくらいがせいぜいだった。

わたしがケネスに会ったのは、ジャーナリストのために働いていた時だった。彼はロザンケのひとりだった。ロザンケといえば、だれしも知っている衣服デザイナーだ。ベスト・テンの第三位ぐらいにははいるのではないかと思う。ロザンケは象牙の塔に閉じこもった隠遁者のようなひとりの人間によって経営されているものと人々はこんにちもなお思っているが、実は、ロザンケとは、ローズとケネス、二人のソーボーンズなのだ。この名前の組み合わせかた、なかなか気がきいているとお思いになりません？

ローズ・ソーボーンズとケネス・ソーボーンズは姉《きょう》弟《だい》だった。わたしはケネスと結婚した。ローズが芸術的な面を担当していた。デザイン、独創的な仕事は彼女が一手に引き受けており、ケネスは経理の面を受け持っていた。わたしが仕えていたジャーナリストはロザンケに多少興味を持ち少しばかり出資していたが、ロザンケをゴシップ欄に載せることで結構もとはとれた。それを彼は実に効果的にやってのけた。人々が戦時中の制服の流行にうんざりしてきた時、ローズは賢明にも、女らしさ、ヒップ、バストなど、からだの曲線を強調した。ロザンケはまもなくトップにのし上がったが、それも新聞のあと押しがあったればこそだった。

わたしは彼らのドレス・ショウの会場でケネスに会った——もちろんわたしはプレス・チケットを使ったのだ。あるジャーナリストの友達がケネスのことを教えてくれた。

「ロザンケには***ke***《ケ》というのがいるんですよ。その男が尾端《しり》をしっかり締めているんです。ローズがブレーン。ケニー（ケニーはケネスの愛称）はただ数字を加え合わせて、伝票を姉に渡すだけなんです」

ケネスは美男子だった。ジャック・ブキャナンのようなタイプ、あるいは、レックス・ハリソン・タイプ。背が高くて、金髪で、魅力たっぷり。わたしがまっ先にたずねたのは、結婚しているかどうかということだったが、まだひっかかっていない、とジャーナリストの友は答えた。彼はわたしをケネスに紹介し、次いでローズに紹介してくれた——きょうだいといっても、ぜんぜん似ていない——わたしはローズに、ボスが新聞に彼らのことを書きたてようとしていることを話した。むろん彼女は喜んだ。わたしは彼女の主催するパーティへ招待を受けた。それからそれへと発展し、ロザンケは断然ニュースになり、日ごとに有名になっていった。

「あなたが新聞に微笑を向ければ、新聞もあなたに微笑を向けるものですわ」わたしはケネスに言った。「新聞を味方に引き入れれば、世の中はあなたのものですわ」

これは、ヴァーノン・マイルズが会いにきてくれるという条件で、わたしが彼らのために催したごく小規模なパーティの席上でのことだった。わたしがヴァーノン・マイルズをよく知っていると話すと、彼の次の芝居の衣装を担当したい、と彼らは言った。あいにく、彼はついに現われなかった——ぜんそくの発作のため、と彼の秘書は言ってよこした。

「勇敢な娘さんですねえ、あんたは」ケネスが言った。「あんたみたいな人に会ったのははじめてだ」そう言って、五杯目のマティーニを飲みほした。すでに、かなり酔っていた。

「もう一つお話ししましょう」わたしは言った。「いつまでもお姉さんに引きずりまわされているのは、やめるべきだわ。ロザンケは間違って発音されている。***ke***《ケ》のほうにアクセントを置きたいでしょ」

これを聞くと、彼は酔いがさめたらしい。グラスをおろして、わたしをじっとにらんだ。

「どうしてそんなことを言うんです?」と、彼はたずねた。

わたしはぴくりと肩をすくめて、「男の人が女の人にぺこぺこしているのを見るのがいやなのよ。特に、男の人に能力のある場合にはね。そんなの、結局ものぐさだわ。そのうち、ロザンケの***ke***《ケ》が落ちてしまうかもしれないわ。そうなってしまっても、ご自分を責めるほかないわ」

驚いたことに、彼はわたしを夕食に連れ出した。わたしは彼の子供時代の話を、ローズと母親がいつも彼をくいものにしていたという話を、すっかり聞かされた。もちろん、彼らはおたがいに献身的なのだが、わたしの指摘したとおり、この献身というのが、なによりもいけないのだった。それはいつしか所有欲に変わっていた。

「あなたに必要なのは」と、わたしは彼に言った。「自分の足でしっかりと立って、大きな太鼓をたたくことですわ」

その夕食の結果は目ざましいものだった。ケネスはローズと大げんかした。けんかはこれがはじめてだった、と彼はのちにわたしに話したが、暗雲を一掃したにちがいない。それからというもの、仕事の内部の体制が一新したのだ。ローズはなにもかも思いのままにできないことを知った。空気が悪化したと言うモデル・ガールもいたが、それは訓練がきびしくなって、今までよりも長時間働かなければならなくなったからにすぎない。

　ケネスは車の込み合う中でわたしにプロポーズした。パーティのあとで、わたしを家へ送りとどける途中だった――わたしはまだヴィクトリアの家を持っていた、マッジ伯母が遺言でわたしにのこしてくれたのだ。わたしたちは信号機が動かない街区《ブロック》へきた。信号機がどうかしたにちがいない。

「赤は危険」と、ケネスが言った。「それはきみだ」

「それお世辞でしょう。わたし、自分のことを危険な《ファム・ファ》女《タル》（男たらし）だと考えたことは一度もないわ」

「危険ってどんなことか知らないがね。現にわれわれはここにこうして立往生している。まあ、似たようなことさ」

　もちろん、彼はわたしにキスしなければならなかった――彼にできることはほかになかった。そのとき、だれかが信号機のメイン・スイッチを直したにちがいない。わたしが最初にそれを目にとめた。

「青はどういう意味かご存知でしょ？」と、わたしは彼にたずねた。

「うん。邪魔ものなし、前へ進め、だ」

「ところで、わたしも結婚していないのよ。邪魔ものなしよ」

　正直に言って、彼が全然びっくりしなかったかどうか、わたしには確信がない。男のなかには実に慎重な人もいるものだが、彼も一日二日考えさせてもらいたかったのだろう。しかし、もちろん、わたしたちが婚約したという噂がすぐに広まった。いったんそうしたことが新聞に出ると、否定するのは実にむずかしいものだ。わたしが彼に話したように、そんなことをすれば非紳士的な男だと思われ、仕事の面でもたいへん悪い。それに、衣服デザイナーが独身だとなると、世間の人にいろいろと勘繰られる。で、あたしたちは結婚した。わたしは美しいドレスを着た。この結婚式でロマンティックでないことといえば、ミセス・ソーボーンズにならなければならないことだけだった。

　ケネスとわたしは心から愛し合っていたが、わたしには、はじめから、この結婚はうまくいかないのではないかという不安があった。一つには、彼はひどく落ち着きがなく、たえずあちこちと動きたがった。新婚旅行はパリで過ごすつもりで飛行機で行ったのだが、パリに着いて一日たつと、彼は言った。「ディリー、ここはどうも我慢できない。ローマへ行ってみよう」で、わたしたちはすぐにまた飛び立たなければならなかった。ローマに着いて二日もたたないうちに、こんどはナポリへ行こうと言い出した。それから、こともあろうにローズと母親に電報を打って、みんなでいっしょに旅行しようなどと、とんでもないことを言い出した。こともあろうに、新婚旅行に！　むろんわたしは腹が立った。新婚旅行に家族の者を連れて行くなんていうことを新聞に書かれたら、ロザンケはロンドンじゅうの物笑いになる、とわたしは彼に言ってやった。彼にはショックだったのだろう。二度とそのことは口に出さなかった。しかし、わたしたちはイタリアに長くいなかった。こってりした食べ物が彼の口に合わなかったからである。

結婚生活……内心、いったいなんと言ったらいいだろう？　いっしょにいた六年のあいだ、ケネスが飲みすぎなかった晩はひと晩もなかったように思う。立てなくなり、口もきけなくなるくらい酔っぱらうのだ。三回、入院しなければならなかったが、いっこうききめがなかった。入院中は大丈夫のように思われるのだが――毎回、病院を変えた――わたしのところに戻ってくるとすぐ、また酒に溺れだすのだ。わたしはいかに苦しんだことか！

しかし、ロザンケの仕事には大して支障はきたさなかった。ケネスが酒にひたりだすと、ローズは、彼を共同経営者の席からはずし、代わりに経理士を雇い入れたからだ。彼女はケネスに給与を出していたが――そうせざるをえなかったのだ――彼に経理と関係をもたせることは安全ではなかった。

もちろんわたしは、結婚と同時に仕事をやめてしまっていた。だが、ケネスがたえず私設療養所を出たりはいったりしているので、費用を工面しなければならなかった。で、わたしは新聞界《フリート・ストリート》の友達と接触を保った。公式のものではない。ときどき、断片的なものを書かせてもらったのだ。ローズの義妹であることが役に立った。ファッション界ではじつにいろいろなことが起こっているのだ。バイヤーもモデル・ガールも、いろいろな裏話を聞く。もしいろいろなちょっとした言い誤りがくり返されているのだということにお客が気づきさえすれば、ファッション・ハウスに近づくたびに、ばんそうこうで口にふたをするであろう。ともかく、わたしはバイヤーを何人か知っており、ロザンケのモデル・ガールもほとんどぜんぶ知っている。ローズは家族内でお客のことを話すときには、あまり慎重ではなかった。で、わたしはいろいろな話を聞き、それらがのちに新聞に掲載され、ビッグ・ニュースになった。わたしはゴシップには我慢ならないが、噂は往々実現するものだ。きょうの願望充足はあすの事実なのだ。

「あなたはよほど忍耐強い人ですね」と、わたしの友達はよく言ったものだった。「アルコール依存症のケネス・ソーボーンズを何度も入院させたりして。なぜ離婚なさらないんです？」

「夫だからですわ」と、わたしは答える。「愛しているからですわ」

　子供さえできたら、ケネスに酒をやめさせることができたのではないかとおもう。努力しなかったわけではない。彼が療養所から帰ってくるたびに、わたしは全力を尽くしたのだ。だが、結果はむなしかった……

　ついに――これが悲劇の大詰だったが――彼は四度目に入院した療養所から手紙をよこした――こんどはヨークシャーの病院で、遠いので日帰りで面会に行くわけにはいかなかった――そこの看護婦のひとりと恋愛関係に陥り、看護婦はすでに妊娠してしまった、ついては離婚してくれないか、とのことだった。

　わたしはその手紙をもって、すぐにローズと彼の母親のところへ行った。ふたりは驚きもしなかった。いずれはそんなことが起こるにちがいない、とおもっていたのだ。ケネスは行動に責任をもたない、とても悲しいことだが、関係者としては彼をほっておくほかない、と彼女らは言った。

「わたしはどうやって生活していったらいいの？」と、わたしは言った。ご想像いただけることと思うが、わたしは気が狂いそうだった。「六年間、奴隷のようにケネスに尽くしてきた挙句がこれなんですの」

「その気持ち、よくわかるわ、ディリー」ローズが言った。「つらかったでしょうね、でも、世の中ってつらいものなのよ。もちろん、ケネスはあなたに扶養料を払わなければならないわ。わたしもあなたの面倒をみてあげますわ」

彼女はわたしとけんかをする余裕がなかったのだ。わたしは彼女の私生活とロザンケの内情を知りすぎるほど知っていた。

「結構ですわ」そう言ってわたしは涙を拭いた。「勇敢に耐えてゆきますわ。でも、たのしいことはちっともなし、苦しいことだらけだなんて、たまりませんわ」

相手は、みんなからちやほやされている、金持ちで有名なローズ。わたしはしがないディリー・ソーボーンズ——ローズとケネスの人気を築き上げる手伝いをしてやった女だ。彼女の言ったように、世の中はきびしいものだが、彼女はその上にあぐらをかいて、のんきに構えているようにみえる。メイフェアのペント・ハウスに住み、何十人という愛人をもっている。それというのも、ロザンケの第一人者だからだ。第二人者は、その残りの半分は、ヴィクトリアのむさ苦しい、少しばかりの部屋で、がまんしなければならないのだ。

むろん、離婚が成立すると、わたしはローズにあまり会わなくなった。彼女は約束を守り、古い貧しい家の飾りつけをしなおすくらいのお金をくれはしたけれど。服もただで手にはいった。わたしがケネスと結婚していたこと、ケネスがわたしにひどい仕打ちをしたことは、だれでも知っているし、わたしがボロを着て歩いていては、ロザンケの名が傷つくからだ。

しかし彼女にも、ケネスと同じように、悪いところがあった。こうした本性は、結局表へ現われるものだ。わたしは彼女の悪口は決して言わないようにしていたが、彼女はそのころ人気を失いはじめた——彼女への当てこすりが新聞にかなり載った——そして、ロザンケのファッション・ハウスは変わった、盛りは過ぎてしまった、という噂が流れた。

もちろん、わたしは自分で仕事を探さなければならなかった。ローズからの金とケネスからの別居手当では足りなかったのでつてを二、三あたってみて、総選挙前、保守党の仕事を手伝うことになった。わたしがいなかったら、南フィンチレーの議員は当選していたかどうか疑問だ。わたしは彼の政敵のことを一つ二つ知っていた。その男は、ロザンケのモデル・ガールのひとりを連れ歩いていた。南フィンチレーの選挙民の嫌いなことが一つあるとすれば、それは性的にふしだらな議員を出すことだった。わたしはあちこちでそれとなくそれを匂わすことを義務と感じた。わたしの応援した候補者は、わずかの差で当選した。わたしは大の愛国者だ。感傷やいかなる個人的動機よりも、女王と国家のことを先に考える。

ともかく、保守党の選挙事務所でいっしょうけんめいに働いているうちに、ケネスを失った傷も癒えた。わたしがチチェスター卿に会ったのは、保守党のある集まりの席でだった。

「あのめがねをかけたまじめくさった顔をした人はどなた?」と、わたしはある人にたずねた。エドワード・フェアレイ＝ゴアとのことだった。父親が最近亡くなり、爵位を継いだのだという。

「わが党の最も有能な政治家のひとりですよ」と、教えられた。「総理大臣候補ですな、ほかの大臣がみんな死ねば」

わたしはチチェスター卿をかこんでいるグループのはずれに行き、卿の夫人に紹介された。卿よりも五つ六つふけてみえる、しらがまじりの婦人だった。彼女は狩猟がたいへん好きで、できるかぎり鞍から降りないらしかった。ロンドンにおいでになったとき、服はどうなさるのですか、とわたしはたずねた。チチェスター卿夫人はちょっと驚いたようだった。そして、いま着ているドレスは二年前に作ったものであることを認めた。

「ロザンケへおいでになるといいですわ。わたしの義理の姉がやっていますの。いったん彼女にまかせれば、もう心配ありませんわ」

「べつに心配なんかしていないつもりですけど」と、チチェスター卿夫人は言った。

「ご主人はどうなんですの?」そう言ってわたしはまゆを上げた。わたしはその点を強調せず、まもなくグループから離れたが、わたしの言葉は印象を与えたにちがいない。チチェスター卿夫人が一、二度ちらりと鏡を見たからだ。夫人にしては、おそらくめったにないことだろう。

結局、わたしは夫人宛に次のショウの案内状をローズに出させた。魚はその針に食いつき、チチェスター卿夫人は会場にやってきた。わたしはその場に居合わせた。わたしは夫人の横に腰をおろし、夫人がぜんぜん審美眼がないので、何を注文すべきかを忠告した。

それからというもの、二週間、毎日、彼女に電話をかけた。ついに彼女はわたしを昼食に招待した。チチェスター卿はおそくなってはいってきたので、あとで客間でコーヒーを飲んだときに、ちょっと話をしただけだったが、わたしは彼に印象を与えた。

「ゆうべの〈クーリエ〉紙にあなたのことがちょっと出ていましたけど、ごらんになりましたか」と、わたしは彼にたずねた。

「見ませんね。ゴシップは読まんことにしているので」

「ゴシップじゃありませんわ。真実です。それとも、予言といったほうがよろしいかしら。保守党を強力にすることができる人はひとりしかいない、それはチチェスター卿だ、そう書いてありましたわ」

妙なことだが、どんなに理性的な人でも称賛にはよわい。どんなにべた褒《ほ》めしても、いい気になるものだ。チチェスター卿は相好をくずし、そんなばかなことと言わんばかりに手で払いのけるような仕草をしたが、わたしはハンドバッグから切り抜きを取り出して彼に渡した。

それが、わたしたちの恋愛のそもそものはじまりだった。彼がわたしなしではいられないと告白するのに一年以上かかった。涙ながらに告白したのだが、ちょうどそのころ、彼は健康があまりすぐれず、ひどい帯状疱疹が治ったばかりだった。

「あなたに必要なのは、栄養をうんとおとりになることですわ」

そのとき、彼はヴィクトリアのわたしの家にいた。チチェスター卿夫人は狩猟中に落馬して脚を折り、ウォリックシャーに静養に行っていたので、エドワードは——そのころわたしたちは、「エドワード」、「ディリー」と呼び合う仲になっていた——ロンドンの邸宅でひとりで暮らしていた。じゅうぶん食べていないのではないかとわたしは心配した。彼にも話したように、とくに帯状疱疹のあとでは、食べないのがいちばんいけないのだ。そこで、ある日、上院の外でタクシーに乗ったまま彼を待ち伏せ、家へ連れて行っておいしいお料理をこしらえてあげる、と言い張った。そのようにして、彼はわたしの家で第一夜を送るようになったのである。

「心配なさらないで。大丈夫よ」あくる朝、わたしは彼に言った。「だれにもわかりゃしないわ。知っているのはあなたとわたしだけ。もちろん、万一新聞の連中にこのことを嗅ぎつけられたら、あなたの経歴もおしまいでしょうけど」そう言ってわたしは笑った。わたしは、これほどおどろいた顔をした人を見たことがない——彼はユーモアのセンスという長所をもち合わせていなかった。

いとしいエドワード……わたしたちが共にした年月を振り返ってみて、わたしは彼の生涯の最大の愛人だったことに気づく。わたしは彼に言ったことがある。メアリー・チチェスターと結婚したことは政治家として一生の不覚である、馬と結婚したようなものだ、と。

「なんのためにもならないわ。馬の話ばかり聞かされていたんじゃ、首相になる助けにならないわ」

「首相なんかなりたいとは思わないよ。ときどき、ウォリックシャーへ行って死にたいものだと思うだけだね」

「おいでになるんなら、ぜひわたしも連れてってってくださいな」

どうしたわけだか知らないが、彼は保守党で一人前の働きをしているようにはみえなかった。彼を見ると、ときどき、イーストボーンにいたころの父のことを思い出した。彼は悩んでいるらしかった。上院の舞台裏で行なわれていることを話させようとすると——もちろん、わたしはまだ新聞界の友達と接触を保っており、ときおり彼らにニュースを提供していたからだ——彼は話題を転じ、妻の馬のことを話そうとするのだった。

「ジンジャーを見ておくべきだよ。すばらしい雌馬だよ。わたしの知っている限り、メアリーほど手ぎわのよい女はいないね」

「あなたの困ったところは、野心のないことだわ」と、わたしは彼に言った。ときどき、思わず酷評を加えてしまう。わたしの仕事は、おいしいお料理をこしらえ、彼の世話をしてあげることだ。そして、彼にできることといえば、消化不良を訴え、妻の馬について取りとめのないことを言うくらいなのだ。

わたしは彼の妻の悪口を言ったことは一度もない。つまりは、彼女が金をもっているのだ。彼女が狩猟中に背中を折り、いとしいエドワードが自由の身になるのは、時間の問題だった。彼が上院の仕事をおろそかにして、ウォリックシャーに熱を上げているのが心配だった。

「農家の人に囲いを高く作らせるべきだわ」と、わたしは彼に言ったものだった。「奥さんの馬があなたのおっしゃるようにいい馬なら、干し草の山なんか飛び越えてしまうでしょ」

　それからわたしは話題を転じ、ウォリックシャーから話をそらし、彼の同僚や内閣の実力者のことについて、二、三さぐりを入れようとした。外交政策や政府の中東政策を論じたほうが益するところがあるのに、彼の頭が軟化するのだとすれば、エドワードをわたしのところにこさせるのは、大きな無駄なように思われた。わたしがしかるべきところからひとことふたこと声をかければ、政治の反響はゆれ動くかもしれない。

「もし十年前にあなたがあたしに会っていたら」と、わたしはよく彼に言ったものだった。「わたしたちは今ここにすわっていないでしょうね」

「まったくだ。わたしはいまごろ南洋諸島にいるだろうよ」

　ほんとうは静かな生活が送りたいのだ――彼は好んでそう言った。

「いいえ」わたしは言った。「首相におなりにならなくちゃ。そしてわたしは、十番地の官邸でお客さんのおもてなしをするのよ。あなたがほかのかたがたを要職につけるのを見ると、血が煮え返るようだわ。あなたはだれかに支持してもらいたいとお思いになる。ところが、あなたを支持すべき女性は、大勢の馬丁とうわさ話をして時間をすごす」

　彼の手に託されて、果たして英国の将来は安全かしら、とわたしはおもいはじめた。もっと気骨があり、もっと金があるようにみえる労働党議員がひとりふたりいた。わたしはエドワードから一文ももらったことがなかった――あげようと言われたら何でももらっただろう、というわけではない――毎年クリスマスになるとウォリックシャーから送ってくる額入りの馬の写真にはほとほとうんざりしていたからだ。

　恋物語はハッピー・エンドに終わるものではない。実人生においても。わたしの恋物語はぴしゃりと幕をおろしたのだ。文字どおり、ぴしゃりと。

　危機は、議会が夏の休会後に解散になったときにやってきた。わたしはエドワードを乗せて家に連れて行こうと、いつものように議会広場で、タクシーに乗って待っていた。それにもうひとつ——彼はとてもぼんやりしてきて、わたしが最初につかまえなければ、まっすぐ自分の家へ帰ってしまうことがときどきあった。驚いたことに、彼が議事堂から出てきて、歩道のわきに止まっている車に乗り込むのが見えた。その車は矢のように走り去った。ナンバーを読みとる暇も、あとをつけるようにとタクシーの運転手に命じるひまもなかった。その車の後部座席にはひとりの女が乗っていた——窓から見えた。

これで終わりだ、とわたしはひとりごちた。そうだ！　わたしはまっすぐ家に帰り、ウォリックシャーにいる彼の妻に電話をかけた。彼女に真相を話し、彼女の夫が別の女とどこかへ出かけたと伝えるのが、この際公平というものだ。

だが、何が起こったのかおわかりだろうか。電話に出た使用人の言葉によると、チチェスター卿夫人はウォリックシャーの邸を売ってしまって上京し、チチェスター卿といっしょにケニアへ行き、半年か一年滞在する予定とのこと。じじつ、ふたりがいっしょにアフリカに定住することは、じゅうぶんありうることだった。チチェスター卿は政治生活に飽きていたし、チチェスター卿夫人といっしょに大きな獲物を射止めたかったのだ。その使用人の知っている限りでは、彼らはすぐ、おそらくその晩に出発するとのことだった。

彼のロンドンの邸に電話をかけてみた。応答がなかった。思いつく限りのホテルに電話をかけてみたが空しかった。空港にも電話をかけてみたが、やはり結果は同じだった。

やがて、すべてがわかった。チチェスター卿夫妻は偽名を使ってケニアへ発ったのだ。わたしは朝刊で一切を知った。チチェスター卿は帯状疱疹が再発し、政界から引退したくなったというのがその理由だった。かわいそうに——麻薬でも飲まされたのではないかとわたしは思う。手錠をかけられたのかもしれない。こんにち、自由国家でもこうしたことは起こりうるのだ。

保守党の恐ろしい不名誉だ。この次の選挙には労働党を応援しよう。少なくとも労働党のほうが正直だ。

かくしてわたしは失恋し、またしてもひとりぼっちになってしまった。ケネスのためにしたと同じように、わたしはエドワード・チチェスターのためにあらゆることをしてあげたのだが、それからいったいなにを得ただろう？　得たものといえば、忘恩だけだ。もう二度と彼から手紙をもらうことはあるまいと思う——夫人の目があるからだ。もらったとしても、栗毛の雌馬の代わりに水牛の頭でも描いてあるクリスマス・カードぐらいだろう。

わたしの知りたいのは、自分はいったいどこで人生の道を誤ってしまったのかということだ。わたしが人人に親切にしてあげても、寛大であっても、一度もその配当にあずからないというのは、どうしたわけなのだろう。初めから終わりまで、わたしは自分のことはあとまわしにし、他人の幸福を真っ先に考えてきた。

しかし、晩になってひとりですわっていると、父、母、マッジ伯母、ケネス、エドワード、ヴァーノン・マイルズの顔が目に浮かぶけれど、彼らの表情は少しも優しくなく、どこか追いつめられているようにみえる。まるでわたしを追い払ってしまいたいような顔。彼らは影になることに耐えられないのだ。わたしの記憶から、わたしの人生から抜け出したがっているのだ。それとも、わたしのほうが彼らを追い払いたいのだろうか。よくわからない。あまりにもごたごたしている。

医者にみてもらうと神経過敏だといわれ、睡眠薬を一瓶くれた。わたしはそれをいつも枕もとに置いている。しかし、わたしに言わせると、彼のほうがわたしより疲れているような印象を受ける。きのう、別の約束で電話したところ、向こうの声が言った。「お気の毒ですが、ヤードレィ医師《せんせい》は旅行中です」だが、それは事実ではなかった。声の主が彼だということはわかった。作り声をしているのだ。

どうしてわたしはこんなに運が悪く、こんなに不幸なんだろう？

わたしはどうしたらいいのだろう？

解説

評論家
関口苑生

なんと四十二年ぶりの復刊である。

とそう書きながら、改めてその時間の流れと重みに思いをはせると、しばし呆然としてしまう。

本書『破局』が〈異色作家短篇集〉の一巻として刊行されたのは一九六四年、あの東京オリンピックの年だったのだ。わたしなんぞはまだ小学生だった。それ以来、およそ半世紀近くもの間、本書は文庫化もされず、陽の目を見ることもなく、埋もれたままになっていたのである。〈異色作家短篇集〉は七〇年代半ば頃に全十八巻のシリーズのうち十二巻が改訂新版の形で刊行されてはいたのだが、このときもなぜか本書は含まれておらず、長らく幻の書となっていたのだった。現代の読者にしてみれば、もはや新刊同然と言っていいだろう。

しかし内容はいささかも古びていない。それどころか、作者の「人間」を見つめる冷徹な視線と鋭さは、現代作家以上にアイロニーに富んだものとなっており、作品の完成度も非常に高い。わたしにしてもおよそ三十数年ぶりに読み返してみて、当時は見えなかったものが今になって理解できると感じたことが多々あった。作品に含まれている隠喩や寓意の数々が、ようやく把握できる年齢になったということなのだろう。そういう意味では、デュ・モーリアという作家は実に奥が深く、二度三度と読み返しがきく——つまり年齢や経験によって愉しみ方や面白さのツボ、核のようなものが違って見えてくる希有な存在と言えようか。

とは言いつつも、しかしまあダフネ・デュ・モーリアといえば、日本ではまずなんといっても『レベッカ』（新潮文庫）の印象が強い。

この世界的大ベストセラーはミステリ・ファンにとってもなじみ深く、かのハワード・ヘイクラフトをして「全時代をつうじて最も素晴らしいミステリー小説のひとつである」（『娯楽としての殺人』国書刊行会）と言わしめ、ヒッチコックの映画でも有名になった傑作だが、もとより純然たるミステリを意識して書かれたものではない。

もっとも、ミステリとして捉えた場合にはジョン・サザーランドの『現代小説38の謎』（みすず書房）の指摘にあるごとく、平仄の合わない点、整合性に欠ける箇所もいくつか存在することは否めない。しかし、そうした細かい点は別にしても『レベッカ』は十九世紀ゴシック・ロマンの伝統と雰囲気を近代的な形に移しかえた、見事なるサスペンスであるのは疑いなかった。なんでもヒッチコックは、この作品の映画化に誘惑されてアメリカへ渡る決意をした、と植草甚一のエッセイで読んだ覚えがある。確かに、ハリウッド初進出作品である『レベッカ』の前年には、同じデュ・モーリアの『埋もれた青春』（三笠書房）を映画化した『巌窟の野獣』を撮っており、またその後も自ら編んだミステリの傑作選に短篇「鳥」を選ぶなど、スリラー作家としての実力はとうの昔に認めて、作品に惚れきってもいたようだ。言うまでもなかろうが、この「鳥」もまた彼の手によって映画化され、今なお不朽の名作として存在を誇示しているのはご承知の通りである（そういえば、この映画の脚本はエヴァン・ハンターだったし、『レベッカ』の脚本の最初のまとめ役はフィリップ・マクドナルドであった）。

だが『レベッカ』ほどの世界的ベストセラーとなると、作品にまつわるエピソードも多く、発表して三年後の一九四一年には早くも盗作問題が起きている。ポルトガルの女流作家カロリーナ・ナブコの『女相続人』によく似ているというのだ。しかし、デュ・モーリアはポルトガル語が読めなかったし、翻訳もなかったのでこの中傷はいつの間にかたち消えとなった。第二の事件は一九四八年で、クリフォード・マクドナルドの「わたしは夫の殺害を計画した」という短篇と、それを長篇化した『閉ざされた窓』に似ているとされたのだ。このときは法廷にまで持ち出される事態となり、デュ・モーリアはイギリスからニューヨークまで足を運んで、自己の弁明をしなければならなくなった。しかし彼女の弁護に立った批評家ハリソン・スミスが、『レベッカ』に見られる〈第二夫人〉テーマは昔からよく使われてきたもので、マクドナルドが独創性を主張するのはおかしいと反駁、結局はデュ・モーリア側の勝利となる。

これらの〝騒動〟というかリスクは、人気作品にはある程度つきもののように思われるが、『レベッカ』の場合は作者の死後もひとり歩きを始めるのだ。というのは、一九九三年にはデュ・モーリア家の正式な委嘱を受けて、『黒衣の女』（ハヤカワ文庫NV）『奇妙な出会い』（角川文庫）で知られるスーザン・ヒルが『ミセス・ド・ウィンター』というレベッカ事件の十年後を描いた続篇を書いている。さらには二〇〇二年になると、サリー・ボーマンという作家が『レベッカの物語』なる作品を発表。こちらはなんと二十年後の出来事だというから続々篇といってもよかろうか。おそるべし『レベッカ』。この作品の人気は、いまだに衰えることを知らないのであった。

とまあ、ここまで『レベッカ』のことばかり書いてきたけれども、生涯に十六篇のオリジナル長篇と五十篇におよぶ短篇を書いたデュ・モーリアの全貌は、現代の日本の読者には意外と知られていないのが実情だ。かつては作品集まで出ていたほどだが、今ではそれもほとんど入手困難になっており、そもそも彼女の作品に触れる機会そのものが少なくなっているからだ。二〇〇〇年には短篇集『鳥』（創元推理文庫）が完訳の形で刊行され、ミステリ・チャンネルの〝年間ベスト10海外編〟で第六位を獲得したものだったが、にもかかわらず再評価の機運が高まるまでにはいたっていないのが残念でならない。

彼女の小説は長篇と短篇では、著しく作風が違っている。第二の『レベッカ』とでも言えそうな『愛と死の記録』（三笠書房）や、スリラー的要素を初めて取り入れた『埋もれた青春』などはスリルとサスペンスと緊張感がふんだんに感じられるが、他の多くは基本的にはロマンス小説の範疇で（だからこそ現代にも受け入れられると思うのだが）、ミステリ色を求める読者にはやや物足りないと思われるかもしれない。だが、これが短篇になるとがらりと変わってくる。前述の『鳥』の解説では千街晶之氏が「神秘なるものへの憧憬と畏怖、平穏な人生を突如遮断する不条理な恐怖、人間の皮肉な心理などを鋭利な筆致で過不足なく切り取っていずれも完成度が高い」と記しているが、まさしくその通り。

なんというのか、極限状態に置かれた人間の心理――不安に怯え、恐怖にさいなまれ、張りつめた神経の糸が今にもぷっつりと切れそうな、そんなぎりぎりの状態にまで追いつめられた人間の心理を描いて、息が詰まりそうになるくらいの切迫感が全篇にみなぎっているのである。

本書に収録の六篇（原書では九篇収録されているが、そのうち"The Chamois""The Menace""The Pool"の三篇が未収録）も、ニューロティックな危機感と雰囲気をたたえた粒よりの傑作が揃っている。以下、各作品についてざっと紹介していこう。

「アリバイ」

口やかましい妻にも、決まりきった日常生活にも倦んだ中年男が、もうこれ以上続けられないと転機を図り、ある決意をする。ここに描かれている内容は、これが書かれた時代と現代を較べると、はるかに今の時代に近いように感じられる。人間の心理や行動はアナログで動くものではなく、デジタルに飛躍するという昨今では当たり前となった感覚を、必要以上の説明を加えず淡々と描いていくのである。そうした作者の先見性は、中年男の理由なき殺人動機もさることながら、孤独な母子の描写にも強く窺える。

「青いレンズ」

人間の「顔」というのは表と裏があって当然なのだが、それをそのまま愚直と思えるほどストレートに描いた作品。ある種、類型的とも言えようが、類型をここまで徹底するとこれほど素晴らしい作品が出来上がるという絶好の例だろう。

「美少年」
この作品だけは、一度他のアンソロジーに収録されている（『書物の王国8　美少年』国書刊行会・一九九七年）。ヴェニスでの少年愛というと、すぐに思い出されるのはトーマス・マンの「ヴェニスに死す」だろうが、こちらは人間の善意と悪意のありようも俎上に乗せられてまた別種の味わいがある。
デュ・モーリア自身が同性愛者だったというのは、マーガレット・フォースターの伝記『ダフネ・デュ・モーリア』（一九九三年・未訳）で明かされている。作中でも主人公が生まれ変わった、ついに自分自身になれた、とのくだりがあるが、これは作者自身の心の叫びでもあったのだろうか。夫との家庭生活がうまくいかず、結局は別居生活を送ることになったのも、どうやらそのことが原因であったようだ。けれども、わたしは同じように同性愛をテーマにした作品を書いているスーザン・ヒルが続篇を書いてくれと頼まれたことと、またヒルの『君を守って』（YMS創流社）のラストで、主人公のふたりがヴェニスへ旅立つシーンの符合になんとなく納得させられるものがあった。

「皇女」

一種の寓話として読めるが、先の「青いレンズ」同様にSF的な設定の作品とも言えよう。国民の誰もが不満を覚えぬ理想的な社会が、自由資本主義を唱える一部の資本家と言論によって、もろくも崩壊する過程は決して絵空事ではない。現にこの日本でも、似たようなことが今まさに起こりつつあるのだ。

「荒れ野」

これが一番突飛な設定の作品であるかもしれない。だが、ここに描かれている内容は突飛でもなんでもない。この中に含まれる暗喩をどう読むか。逆に作者のほうから読者に問いかけているような思いにさせられる。

「あおがい」

これもまたよくありがちな内容、主人公の性格設定だが、未必の悪意、善意のお節介はいつの世にあっても困りものという典型例。人間の心理と行動を細微に見つめていた作者の視線が実によく表れている。

……といずれ劣らぬ秀作揃いの本書ではあるのだが、どうかこれを機会に日本でもデュ・モーリアの真の評価と人気を獲得することを――個人的には、かつてのパトリシア・ハイスミスのような再評価ブームが訪れることを願ってやまない。

最後に言わでもがなのことを付記しておくが、デュ・モーリアのこれまでの業績を讃えて、一九七八年にはアメリカ探偵作家クラブ（ＭＷＡ）賞のグランド・マスター賞が与えられている。ミステリ・ファンにとって、やはり重要な作家なのだデュ・モーリアは。

二〇〇六年四月

本書は、一九六四年八月に〈異色作家短篇集〉として刊行された。